「感情」から書く
脚本術

心を奪って釘づけにする物語の書き方

カール・イグレシアス＝著　島内哲朗＝訳

WRITING FOR EMOTIONAL IMPACT

Advanced Dramatic Techniques to Attract, Engage,
and Fascinate the Reader from Beginning to End.

Karl Iglesias

フィルムアート社

WRITING FOR EMOTIONAL IMPACT
Advanced Dramatic Techniques to Attract, Engage, and Fascinate the Reader from Beginning to End

Originally English edition published by Karl Iglesias in 2005.

変わらぬ愛情と忍耐をもって
私を支えてくれたタラに本書を捧げる

アイザック・ニュートンは言った。「私が人より遠くを見渡したのだとすれば、それは巨人の肩に立ったからだ」。私も同様に、脚本の巨人たちに深い感謝を述べたい。巨人たちは自らの作品によって卓越した技巧の存在を、身をもって証明してくれた。

私の講義内容を本にしろと執拗に迫ってくれた、UCLAの課外脚本執筆講座とスクリーンライティング・エキスポの教え子たちにも感謝を。君たちの要求がなければこの本は存在しなかった。

UCLA課外脚本執筆講座という、教え甲斐のある素晴らしい場所を提供してくれたリンダ・ヴェニス。そして毎回スムーズな授業を可能にしてくれるスタッフの皆さん。いつもありがとう。

鋭い眼光で原稿をチェックしてくれたローザ・グラハムと、「原書の」カバーをデザインしてくれたビル・グラハムにも感謝を。

「オフィス」を提供してくれたジェフ・コラー。

いつもサポートしてくれた友人、知人のみんな。

そして、私が何をやっても温かく変わらぬ愛情で見守ってくれる妻のタラ、いつも本当にありがとう。

目次

CHAPTER 2
コンセプト：その物語にしかない魅力

CHAPTER 3
テーマ：普遍的な意味

CHAPTER 4 キャラクター：共感を掴む

CHAPTER 5 物語：高まる緊張感

CHAPTER 6
構成：のめりこませるための設計

CHAPTER 7
場面：心を奪って釘づけにする

CHAPTER 8
ト書き：スタイリッシュに心を掴む

CHAPTER 9
台詞：鮮烈な声

【凡例】

・本書は Karl Iglesias, *WRITING FOR EMOTIONAL IMPACT: Advanced Dramatic Techniques to Attract, Engage, and Fascinate the Reader from Beginning to End* の全訳である。
・人名などの固有名詞については、日本で一般に定着しつつあるものは通例読みで記した。
・訳者註は文中に［ ］で包んだ。
・映画題名や書名は『』で、テレビ番組題名は「」で包んだ。
・引用された脚本が一般的な書式に準じていないのは、編集的な制約による。
・巻末に新たに訳者あとがきを記した。

INTRODUCTION:
THE EMOTION-DELIVERY BUSINESS

イントロダクション

感情をお届けする商売

大事なのは、読んでいるそのページで何が起きているかじゃない。読んだ人の心の中で何が起きたか。それが肝なんだ。

――ゴードン・リッシュ

映画の脚本を読むときに読者が感じる感情には3種類ある。つまらない、面白い、そして「ウオオッ！」だ。脚本家の仕事はこの「ウオオッ！」という反応を、可能な限り多くのページで発生させることだ。この「ウオオッ！」を読者に届けたいと望む脚本家の役に立ちたくて、この本を書いた。巧みに話を語りたければ、重要なことは1つしかない。読者を感情的に巻き込むことだけだ。それをすでに十分理解しているあなたにも、本書はうってつけだ。

何万円も費やして脚本指南の本を読み、セミナーに参加したのに、結局お約束どおりのつまらない脚本しか書けなかったということに気づいたという皆さん。下読みさんからのお祈りメール。いいネタを探しているから是非読ませてと言ったのに、居留守を使って逃げる制作会社の重役。これは、そんな報われない思いに心折れている脚本家たちのための本だ。指南書を読み、セミナーに参加して、脚本執筆のルールや原則を一生懸命マスターしても、実はそこから先が長いのだ。もっとも脚本術の教祖たちに悪意があるわけではない。指南書もセミナーも、読者が引きこまれるような脚本を書かなければならないと教える点では一致している。それでも、巷に溢れる脚本の質に劇的な向上は見られない。確かに、一見向上したように見えないわけではない。新参の脚本家たちは言う。「見てくださいよ、いい感じの構成でしょう。プロットの分岐点はあるべきところにあるし、主人公はちゃんと英雄の旅路をたどっているし、最後にはちゃんと成長して終わるんですよ」。惜しい！　あと一歩で大当たりなのに。そのような構成にまつわる基礎が重要なのは、言うまでもない。構成について素晴らしい洞察を与えてくれる書物もたくさんある。しかし、その先に行きたいと思うなら、ここで、この本を置いてはいけない。

また脚本の書き方？

「絶対売れる脚本の書き方のハウ・ツゥ本なんか、今さら必要？」と思った人もいるだろう。脚本家兼シナリオ講師のロバート・マッキーも、ハリウッド映画を料理に例えてこう言っている。「どうせハリウッド映画の残飯を温め直すだけなら、料理の本が1冊増えても無駄じゃないか」。ごもっともだ。本屋の書棚に、そしてネット上にどれだけ脚本の本が溢れていることか。最近アマゾンで調べたところによると、なんと1200を超す検索結果が見つかった。驚愕すべき点数だ。過去30年の間、脚本家の卵たちは実に恵まれていた。書籍、雑誌、セミナー、ウェブサイト、映画学校修士課程、脚本コンサルタント、さらには脚本執筆の達人にいたるまで、あらゆる媒体で脚本執筆の原理原則が説き尽くされてきた。「××という事件を××の順番で××ページと○○ページに書けば、君の書いた素晴らしい脚本は売れたも同然」なはずだった。なのに、実際には何も変わっていない。今日市場に出回っているほとんどの脚本は、お約束どおりで、機械的で、何の驚きもない。要するに、つまらないのだ。なぜだろう。つまり脚本というのは、セオリーやプロットのレシピをなぞれば書けるわけではないということだ。もちろん基本は大切だ。しかし、基本から最高の1本までの道のりは遠いのだ。私が書いたもう1冊の本『脚本を書くための101の習慣』の中で、オスカー脚本家のアキヴァ・ゴールズマン（『シンデレラマン』『アイ，ロボット』『ビューティフル・マインド』）が言っている。「脚本を書くというのはファッションと似ています。服の構造はみんな同じです。シャツには袖が2本あり、ボタンがある。でも構造は同じでもどのシャツも違う。学校や指南書は、シャツには袖が2本あってボタンがついていることを教えてくれますが、その知識だけでデザイナー・シャツを作ってみろと言っているようなものなんですよ」。残念ながらページ数の関係で『脚本を書くための101の習慣』に採用できなかったハワード・ロッドマンは、このように教えてくれた。学校や指南書が教えてくれるルールや原則は「スタジオの企画開発担当重役が脚本を台なしにする道具に成り下がっています。重役たちはキャラクターの成長とか、きっかけとなる出来事とか、プロットの分岐点といったものを悪用して、ひとりの才能溢れる脚本家にしか書けないような脚本を、誰にでも書けるような駄作に変えてしまうわけです」。

この際、この本を書いた2つの理由を白状しておこう。巷に溢れる脚本指南書のどこにも書いてない重要な情報を、何とか道を拓こうとあがいている脚本家の卵たちに授けたいというのが第一の理由。誰もが必死に探し求めているのに、見つからない情報。何冊指南書を読もうと、何度セミナーに通おうと、新しい情報がない。これは、脚本ワークショップやセミナーでよく聞かれる不満なのだ。2つ目は、ちょっと利己的な理由。脚本の講師として、さらにコンサルタントとして、私もそれなりに忙しい。これ以上酷い脚本につき合わされるのはご免なのだ。業界のプロが使う技を公開すれば、初心者でも満足のいく脚本が書けるようになる。いや、なって欲しい。それが私の企みなのだ。いきなり売れるほどの品質に届かなくても、少なくとも読んで分析することが苦にならない程度にレベルアップするに違いない。

脚本の基礎を学ぶ時間はそろそろ終わりにしよう。今から脚本執筆術で本当に大事なことに焦点を当てよう。本当に大事なこと、それは脚本を読む人に感情的な体験を提供するということなのだ。読んだ人の心がいろいろと感じたから、それを良く書けた脚本と呼ぶのだ。同じ理由で3時間の長大作があっという間に終わってしまったように感じることもあれば、反対に90分の映画が90時間に感じられることもある。心理学者が映画のことを「感情マシン」と呼ぶのは、まさにそのためなのだ。感情的体験がすべて。その体験を求めて、私たちは映画を観に行く。テレビを観るのも、ゲームをやるのも、小説を読むのも、観劇するのも、スポーツ観戦に行くのも同じ理由だ。それなのに、この感情的反応というものは、なぜか見落とされてしまう。

私が脚本の下読みを始めて間もない頃は、昔と違ってこんなに脚本執筆のノウハウが気軽に手に入る現代は何て良い時代なんだと思っていた。ほとんどの脚本はＣＡＡや、ＩＣＭや、ウィリアム・モリスといった大手タレント・エージェンシーから送られてくるので、どれも水準以上に違いないと思ったのだが、甘かった。最初の数年で何百本という脚本を読み、推薦したのはたったの５本。見送った脚本のほとんどが、ちゃんと書かれていたということに留意して欲しい。誤字脱字はなく、書式も完璧。構成もきれいでちゃんとそれぞれの幕が「正しいページ」で始まっている。なのに、どれも似たり寄ったりなのだ。コンピュータが同じアルゴリズムを使って、チャート式で書いたかのように通り一遍なのだ。エージェントがついた脚本ですら凡庸だったということに衝撃を受けたが、なにより役にも立たない指南書やらセミナーに浪費させられた初心者たちを思うと怒りを覚えた。何をもって本当に良く書けた脚本というのか理解している脚本家の卵は、今もってあまりに少ない。ドラマというのはロジックの産物ではない。心だ。感情だ。あなたの脚本に命を与えるのは、感情なのだ。

感情についての一考察

ドラマは感情だという考え方を真面目に受け取って脚本というものを捉え直してみよう。脚本というのは、左端を銅のピンで留めただけの、１１０ページ［英語の脚本の場合約１１０分と換算される］の映画の設計図などではない。深い満足を与える強烈な体験を約束するのが脚本なのだ。素晴らしい物語とその語りの話術を渇望する読者の気持ちを理解できさえすれば、脚本の売り込みは格段に楽になる。では、のめりこませる脚本と飽きられる脚本の違いは何か。ページから踊り出して読者を満足させるような脚本と、即ゴミ箱直行の脚本の違いは何なのか。

なのだ。

読者の心と絆を結ぶには何をするべきなのか。読者の心と結ぶ絆。その方法論こそが、成功を約束する唯一の戦略なのだ。

始める前に、まず視点をずらしてみよう。観客のことを考えながら書くのではなく、脚本を読む人のことを考えて書かなければならない。映画館であなたが観ているのは、総勢約200人に上る職人の共同作業の結果なのだ。音楽や編集が、カメラが、演出が、セットのデザインが、あなたの感情を刺激する。一方脚本を読むというのは孤独な作業だ。読者の感情を左右するものは、あなたがページ上に綴った言葉しかない。読者の感情を揺さぶることができるのは、あなたしかいない。もし望んだ反応が引き出せなかったら、物語に引き込む代わりに飽きられてしまったら、試合終了、それで終わりなのだ。そう聞いた後でも、脚本なんて簡単に書けるとお思いだろうか。110ページを、正しい書式で書かれた柱、ト書き、台詞で埋めるだけなら確かに誰でも簡単にできる。でも、読者の興味を失わずに心を動かし続けるのは、至難の業だ。

最初の10ページがすべてだと言われるが、その考えは捨てよう。1ページ目からいきなり大事なのだ。そして次のページも、また次のページも大事なのだ。いや、実際にはキャラクター同士の最初のやり取りから蔑ろにしてはいけない。いや、最初の文節から、最初の単語から蔑ろにしてはいけないのだ。他の下読みさんに聞いた話だが、中には無作為に1ページだけ選んで読んでみるスタジオの重役もいると言う。ランダムに選ばれたその1ページで物語に引き込まれなければ、もしページを捲って先を読みたいと思えなかったら、その脚本はパスということになる。『カサブランカ』、『チャイナタウン』、『羊たちの沈黙』等、古典的名作の脚本で試してみると良い。適当にページを開いて読んでみよう。物語のどの辺なのか見当もつかなくても、台詞に、登場人物に、そしてその場面の葛藤に引き込まれて、ページを捲りたくなるはずだ。それが素晴らしい脚本というものだ。

自分が書いた脚本が銀幕に映し出される夢をいったん脇に押しやって、読者との間に信頼を築くことに注力しよう。あなたの脚本を手にした人は、その脚本を信頼してくれる。これはプロの手で書かれた脚本なのだから、きっと満足感を与えてくれるだろうと信じてくれる。もしあなたの技量不足でそのような満足が与えられなかったら、おそらくあなたは信用を失うことになる。

水準以下の初稿を送りつけるのはやめよう。そんな脚本を手にどんなに待っていても、あなたが腕を磨くために1億円の小切手を切ってくれる人は現れない。あなたが全ページで感情のツボを突けるまで書き直し終わるのを待ってくれるプロデューサーは現れない。

読者を感情的に揺さぶることになっている脚本の規則や、テンプレートや、コツや、テクニックがある。そのような表面的なものに頼るのは、もうやめよう。

そう言われてもにわかには信じられないだろうか。ハリウッドでは、感情がすべてなのだという確たる証拠があれば、納得してもらえるだろうか。感情的な体験はストーリーを語るということの本質であり、しかもそれがハリウッドという商売そのものなのだ。

感情を売るビジネス、それがハリウッド

ハリウッドは商売だ。誰でも知っていることだが、では何を売っているのか考えてみよう。それは人間の感情だ。感情的体験を映画やテレビという形で綺麗に包装して販売、年商1兆円を稼ぎ出しているのがハリウッドの正体

なのだ。前にも書いたとおり、映画もテレビも「感情マシン」なのだ。

サスペンスの神様であり、観客の心を操る名手だったアルフレッド・ヒッチコックは、『北北西に進路を取れ』の撮影中に脚本家のアーネスト・レーマンにこう言った。「今作ってるこれは、実は映画なんかじゃない。私たちは教会にあるようなオルガンを作ってるのですよ。この和音を弾くと観客が笑う。そっちの和音を弾けば観客は息を飲む。この鍵盤を押せば皆がくすくす笑う。そして、いつか映画なんか作る意味がなくなるんです。観客を劇場に座らせ、電極につないでいろいろな感情を弾いて体験させてやればいいというわけですよ」。

自分たちが作った感情商品を、ハリウッドがどのように宣伝するのか見るが良い。予告編や新聞広告を見ればわかる。今度予告編を目にする機会があったら、ちょっと感情的な反応は抑えて分析モードで見てみよう。いろいろな場面から抜き出された素早いカットが見せるイメージが、それぞれの瞬間に特定の感情のツボを刺激する。最後まで見ると、すっかり入場料に見合った素晴らしい感情体験が約束されているという気分になっているはずだ。

最近の［アメリカの］新聞の映画広告に目をやってみよう。大体の広告には感想コメントが書いてある。著名な評論家の一言や、誰でも知っている媒体から出たコメントがある一方で、聞いたこともない人のコメントもたくさんある。セールス担当者は、なぜ聞いたこともないような人のコメントを載せるのか。しかも時として、市井の誰かが書いたフリをして自分のコメントを載せてしまうのには何の意味があるのだろう。それは、土曜の夜にどの映画を観ようかと迷っている人のほとんどが、そのようなコメントを読んで映画を決めるからだ。セールス担当者たちの仕事の成否は、映画評論家が書いたこのようなコメントにかかっているのだ。注意深く読んでみると、気づくことがある。「最後まで心臓を掴んで離さない」、「面白すぎてアガる」、「リアル」、「激しい」、「予測不能」、「目を疑う」、「心に響く」、「強烈な映像体験」、「心臓バクバク」、「思わず影響される」、「激しく誘惑」、「目が離せない」、

「乗ったら最後、降りられない」、「腹にズシンと堪える」、「とてつもない満足感」。

映画の宣伝で「巧みに構成され筋立ても秀逸、しかも台詞も新鮮だ」なんて書いてあるのは、見たこともないだろう。普通は、感情的なコメントが書いてある。つまり、その映画を観ることで得られる感情的体験を約束しているのだ。売られているのは感情だ。それこそが観客が望んでいるものなのだから。

あなたの脚本を読んでくれる人に、そのような感情的体験を約束できるだろうか。昨今のハリウッド映画の平均的な製作費は80億円ほどだが、もしあなたが書いた脚本が感情的に揺さぶるものを持っていないとしたら、どうしてスタジオが80億円も投資する理由があるだろう。もし感情を掻き立てる技巧をマスターする気合いがないのなら、もし読む人の心に強烈に訴えかける術を身に着けるまで書いて書きまくるほどコミットできないなら、脚本を書いて売り込んでも時間と金の無駄なのだ。

これで納得していただけただろうか。ハリウッドは感情的体験を売り買いする。だからハリウッドで脚本家として成功したければ、感情的体験を与える脚本を書けなければならない。今まで出版された指南書を読めば、そして脚本セミナーに参加すれば、基礎はがっちり固められる。基礎を固めたら、今度は感情的体験を創造するための道具を覚え、使い方を身に着ける番だ。ドラマを紡ぎ出すにはテクニックが、そして技術が必要なのだ。

感情を掻き立てる技巧

脚本家を目指すなら、技巧を磨け。聞き飽きた言葉だが、では技巧を磨くというのは具体的には何をすればいいのだろう。脚本の技巧というのは、ページ上で何をどう書くと、どういう結果がついてくるか理解しているということだ。それは、言葉を操って読者の心に特定の感情やイメージを浮かび上がらせ、注意をそらすことなく、心を動かす体験を与えて満足させてやるという技術なのだ。要するに、言葉で読者の心と物語を繋げるということ。それが脚本技巧の正体だ。マッキーが言ったように「良い物語を話術巧みに語る」、それがすべてなのだ。話術巧みに語るというのは、感情を掻き立てるということなのだ。

脚本の名手は、まるで手品師の手の動きのように、巧みに言葉を操って観客の心に意図した感情を起こさせてしまう。物語に登場するすべてのキャラクターを完璧に把握しており、どのダイミングで何を感じ、何を望み、何を恐れるか、自分のことのように知っているのだ。名手は偶然に頼らない。最初のページから最後の110ページ目まで、読者の心の動きをすべて意図的に誘導していく。それが技巧というものだ。本書に掲載した数々の技は、どれも成功を収めた名手たちがマスターしてきたものだ。その技巧を使って名手たちが素晴らしい脚本を書き、その脚本から名作が生み出された。

脚本家としての2つの仕事

芸術は、燃えさかる炎と算数だ。

——ホルヘ・ルイス・ボルヘス

あなたの仕事。それは、あなたの脚本を読む人を誘惑することだ。読者は、次に何が起こるか知りたくてページを捲らずにはいられないというほど、物語の世界に引きこまれている。読者の魂が体を離れて、あなたの創造した世界に飛び込んでいくほどに魅了するのだ。紙の上に印刷された字を読んでいることなど、忘れさせるのだ。そうするには、何が読者を最も興奮させるか知らなければいけない。そして何よりも、感情的に巻き込んでしまう方法を見つけ出さなければならない。そうしなければ、ストーリーを話術巧みに語ることはできない。

「良い物語を話術巧みに語る」という言い回しは、2つの意味を含んでいる。つまり、脚本家がやるべきことは2つあるということだ。第一に、想像上の世界とそこに生きる登場人物を創造する（良い物語を作る）。「クリエイティブな想像力を駆使しましょう」、ここまでは、どの脚本の指南書やセミナーでも教えてくれる基礎だ。コンセプトの作り方、キャラクターの創造の仕方、そしてプロットを考案して、構成する方法等だ。第二に、脚本を読む人に与える感情的影響を考え出す（話術巧みに語る）。話下手な小説家や映画作家の作品にうんざりしたことは、誰でも一度はあるはずだ。映画の脚本を何千本も読んでいても同じこと。必ずしも、物語がつまらないからうんざりするとは限らない。語り方が下手なのだ。ボルヘスの言葉にあるように、物語を巧みに語るというのは、その人が持って生まれた才能（炎）と、それを使いこなす技術（算数）の両方を持ってはじめて可能になるのだ。

「当たり前じゃん。腕の良い作家なら、読者の気を引かなきゃダメなことくらい知ってて当然でしょ」と思う読者もいるだろう。確かに、腕の良い書き手なら知っていて当然だ。でも、物語の技巧を勉強する手間を割く人は、残念ながら驚くほど少ないのも現実だ。そのような人たちは、読者のために書いているという自覚すらない。問題があっても適当に誤魔化す。キャラクター類型に頼って逃げる。テンプレを見て空欄を埋めながら書く。すぐに手を抜いてしまう。取ってつけたような脚本。型で抜いたような、お約束に従って書きましたというような脚本が、山のように不採用になっている。いかに多くの人が勉強を怠るかという動かぬ証拠だ。

脚本を書くのは、ゲームでもやるのと同じで簡単だと考えている人が、数多く存在する。〔英語の〕脚本執筆ソフトの普及が、この良からぬ態度を助長している。書式通りに110ページを埋めるのは簡単だ。誰でもできる。しかし、110ページ全編を通して読む人の心を動かし、関心が離れないようにするのは、やってみるとなかなかハードルが高い。才能だけでなく、技巧もなければできるものではない。

脚本の技巧というのは、紙の上で感情を掻き立てることだということがわかったところで、ではどのような感情を掻き立てればいいのか考えてみよう。

話術巧みに語るための3つの感情

脚本を読んでいるとき、そして映画を観ているとき、私たちは3種類の感情を体験する。それを英語ではそれぞれの頭文字を取って3Vというが、日本語ならば、「見たい、わかる、感じる」、ということになる。この感情の3つの階層全部で読者の心を奪えれば、理想的なのだ。

「見たい」(Voyeuristic ＝覗きたい)という感情。これは、新しい情報や知らない世界について知りたいと思ったり、登場人物たちの人間関係が気になるといった、好奇心に関わる感情だ。実際に知りたいと思ったことの内容は、脚本家本人の持っている興味や情熱そのものなので、習えるものではない。しかし、どんなことが人の興味を引くかということは、学習可能だ。興味深々、知りたい、理解したい、親密な会話を盗み聞きしたい。見たい、見ずにはいられないというのは、そのような感情のことを指す。映画の場合、何が起きても所詮は作りごとで本当ではないと観客がわかっているので、この感情はより強化される。覗き見をしても、ばれて捕まることはないという安心感があるからだ。この本当ではないという虚構の感覚は、あなたが書いたシチュエーションが迎える恐ろしい帰結から、読者を守ってくれる透明の壁なのだ。例えば、実際に鮫が泳いでいる海に入りたいと思う人はいないが、『ジョーズ』を観ているときは、鮫に食われる心配をせずに海に入った自分を想像できるということなのだ。

「わかる」（Vicarious ＝相手の気持ちになる）という感情。私たちは、登場人物と感情的に同化してしまうことができる。そのキャラクターが感じていることを、私たちも感じるのだ。フィクションのキャラクターを通して生きるのだ。すると、それは困難に立ち向かう誰かの物語ではなく、困難に立ち向かう私の物語になる。この心情がわかるという気持ちは、あなたが書いた主要登場人物が体験する感情によって起きる。つまり、あなたがお膳立てをしたシチュエーションに基づいて起きる。人間の本性や人間の条件に対する興味から、相手の気持ちになるという感情が生まれる。登場人物が体験している感情を認識できれば、私たちはそのキャラクターと絆を結ぶことになり、同じ感情を体験することになるのだ。

「理屈抜き」（Visceral ＝本能で感じる）という感情。映画を観ている以上、頭で考えるより心で感じたいと思うものだ。だから脚本を読んでいる人にも、同じように感じてもらえないと困る。関心、好奇心、期待、緊張、驚き、恐怖、興奮、笑いといった気持ちが、この理屈抜きで感じる感情に含まれる。超大作、ＶＦＸ映画、アクション映画等、理屈抜きに感じる気持ちを味わうために、私たちはお金を払うのだ。あなたが書いた脚本に、そのように感じる体験が一定量以上入っていれば、読んだ人は「楽しかった」と思うに違いない。

本書に記した上級技術のほとんどは、読者に理屈抜きに感じさせるための技術になっている。しかし、技術的な解説に移る前に、キャラクターの感情と読者の感情の違いを、しっかり理解しておこう。

キャラクターの感情対読者の感情

この2つは、きちんと区別して理解しておいた方が良い。例えば、喜劇の登場人物が困っているとする。しかし観客はそれを見て笑う。あるいは、スリラー映画の登場人物がいたって冷静にしていたとしても、観客は彼が気づいていない脅威を見せられているので、ドキドキしているということもある。感情は大事だということを良く理解していない脚本家は、登場人物の感情に重点を置き過ぎてしまうことが多いので、気をつけなければならない。登場人物を泣かせれば、観客の憐憫を煽れるだろうと思ってしまうわけだ。その登場人物に感情移入していれば、観客も泣くかもしれない。でも、それだけでは足りないのだ。登場人物が激しい感情を剥き出しにしているのに白けてしまうという映画は何本も見ているはずだ。心が震える理由がなければ、客は飽きてしまう。あなたが書いた登場人物が泣くかどうかは、あまり重要ではない。重要なのが脚本を読んだ人が泣くかどうかなのだ。ゴードン・リッシュ曰く、「大事なのは、読んでいるそのページで何が起きているかじゃない。読んだ人の心の中で何が起きたか。それが肝なんだ」。

この本のゴール

本書は最良の手本を直接参照していく。遠回りはしない。脚本の名手たち、古典的名作から選んだ巧みな語りの技術や、脚本という商売の奥の手を、品を揃えてお見せしよう。その目的はただ1つ、あなたの脚本とそれを読む人との絆を太くすることだ。

拙著『脚本を書くための101の習慣』は、成功を収めている脚本家たちの行動から成功につながるヒントを得ようという内容だったが、本書は脚本家たちが実際に使うテクニックを具体的に示し、何がどのように脚本を素晴らしくしているのか盗もうという内容だ。『脚本を書くための101の習慣』が語り部について書かれた本なら、これは語り方についての本なのだ。

この本の目的は、これを使えば間違いないという処方箋ではなく、こういうのもありますよと提示して、探求することにある。「これをやれば間違いなし」といった言葉は使っていない。私には書き方を教えることなどできない。そんなことができる人はいないのだ。私は規則を盲信していないが、道具の使い方は信じている。だから、良く書けた脚本の、どこがどう良く書けているかを教えることならできる。腕の良い脚本家が、どうやって読者の関心を引きつけ、最初から最後まで気を散らせることなく、心に響く数々の幅広い感情的体験を散りばめて心を揺さぶるか。その方法なら見せてあげられる。そのようなテクニックを適用して、あなた自身の才能と、腕と、そして想像力を組み合わせて脚本という芸術を創造してもらえたら嬉しい。大事な規則があるとすれば、それは脚本が巧く書けたかどうかということだけだ。巧く書けているということは、読者を感情的に巻き込めたということに他ならない。そしてハリウッドでは、それが唯一無二の規則なのだ。規則や原則、そして公式といったものは、何をすべきかを既定する。一方、技巧やテクニックは巧くやる方法を教えてくれる。この本は、良い話と巧く語るための道具なのだから、どこから読んでも構わない。道具箱に入れて、必要なときに取り出して読めば良いのだ。

本書は、数多の脚本に関する書籍を押しのけるために書かれたのではなく、むしろ既存の書籍群を補完するものとして書かれた。基礎の次の上級編なのだ。だから、もしあなたがまだ脚本執筆の技巧を勉強していないのなら、まず基本をしっかり叩きこむこと。そして本書を読んで、脚本の勉強を完結させよう。

ちょっと警告

本筋に入る前に、1つ警告。もし、あなたが映画の「魔法」を信じたいのなら、今すぐこの本を書棚に戻して、読まないことをお勧めする。本書は、上級テクニックを紹介することによって、銀幕の魔法を解体してしまうのだ。紹介するテクニックは、いずれも巧く語られる物語には頻繁に使われるので、見覚えのあるものも多いだろう。しかし、この本を読んでしまったら、二度と再び、以前と同じように映画を観ることはできなくなる。そして脚本も以前と同じようには読めなくなる。手品を観て素晴らしいと感激した後で種明かしをされるようなものだ。手品の幻影は砕け散り、同じ芸を観ても二度と同じように興奮できなくなってしまうわけだ。この本には、素晴らしい脚本を書く秘訣が明かされている。だから、もし映画の「幻影」が粉砕されては困ると思ったら、ここから先は読んではいけない。

この本は、脚本執筆の基礎知識は当然読者に理解されているという前提で書かれている。これは脚本執筆に関する技巧をあつかった上級編であり、売れそうな脚本を書くためのハウ・トゥ本と一緒に使うのが効果的だ。本書に紹介されているテクニックを使うと自動的にあなたが偉大な脚本家になるというわけではない。巧くなるには、本書で紹介するテクニックを自分の脚本に適用し、数をこなして腕を磨く必要がある。そうすれば、あなたの腕は必ず上がる。

原稿上の言葉で読む人の感情を掻き立てる。脚本を書くにあたって、これ以上大事なことはない。ト書きと台詞と柱が並んでいればいいというわけにはいかないのだ。まず何より、あなたの脚本を読んでくれる人があなたの観客なのだという事実を受け入れよう。そして読んでくれる人の心を動かさなければならないということも。英語の感情という言葉は、その起源をたどるとラテン語の「掻き乱す」という単語に行きつく。「驚かせる、気分を害する、心を乱す」ということだ。あなたの役目は、読者の心を掻き乱すことなのだ。退屈な日常から連れ去って、無理やり攪乱する。それこそが脚本を読む人が望むことであり、ハリウッドにとっての商品なのだ。今日からこのように頭を切り替えて欲しい。「映画は感情商売だ。そして脚本家の仕事は読者の感情を掻き立てることなのだ」。あなたの脚本家としての使命を一時も忘れないように、これを極太マーカーで紙に書いて貼っておこう。

脚本を読んでくれる人の心を攪乱する前に、まずどんな人があなたの脚本を読んでくれるのか知っておいた方が良い。どういう人で、どのような権力を持っているのだろう。何より、その人たちはどんな脚本を探し求めているのだろうか。

CHAPTER 1

THE READER:
YOUR ONLY AUDIENCE

読者
唯一のお客さん

読者は、楽しませてもらって当然だ。いろいろ教えてもらって、構ってもらって当然なのだ。途中で飽きて読むことをやめたとしたら、それは書いた人のせいなのだ

――ラリー・ニーブン

机の上に置かれた脚本は、110枚の紙に綴じられた文字の羅列にすぎない。誰かがその脚本を手に取って読んだときに、初めてその文字が読者の心の中で踊り出す。当然と言えばあまりに当然なのだが、不採用になる脚本の山を見ているとそうは思えない。読者にどう読まれるか考えながら書いている脚本家の卵は、間違いなく少数派だ。文章を書く者は、読者のために書いているということを決して忘れてはならない。アーネスト・ヘミングウェイが良いことを言っている。「初めて何かを書くときは、決して失敗しない。書くのは楽しい、しかも簡単なことだと初心者は考える。なぜなら、読者ではなく、自分のことだけ考えていればいいからだ。さて、それを読んだ人があまり面白くないと言う。読者のために書かなければならないと知ってしまうと、書くのが簡単などと軽々しいことは言えなくなる」。読者のために書くというのは、何が好まれるか読者の目を通して考えること、そして何が読者の心に反応を起こすか考えることなので、当然ハードルは上がる。

あなたが脚本家の卵なら、ハリウッドの映画産業で働く下読みという人たちがどのような立場でどんなことをしているか知っておいて損はない。本章では下読みさんに登場願って、いろいろ教えてもらうことにしよう。

読者は最初の観客

あなたが書いた脚本の最初の客は、映画の観客ではない。私たち、下読みさんだ。この本に書いてあるように、私たち下読みがあなたの原稿から何を感じるかがすべてだ。撮影監督も、編集者も、作曲家も助けてくれない。私たちを楽しませてくれるのは、他ならぬあなた自身なのだ。すべてはあなたの技にかかっている。読者のことを念頭に置かずに素晴らしい物語を紡ぎ上げることはできない。読者のことなど考えないと言う人は、次の2種類に大別できる。1つは直感的に書ける人たち、何がうまく機能して何がダメか本能的に知っている人。ヘミングウェイが指摘したような「クソ発見器」が生まれつき備わっている人だ。もう1つは、「技巧」という言葉の意味すら知らない人たち。力不足の闇の中にいる人たちだ。そういう人が書いた脚本は、最初の下読みに拒絶されて終わり。今いる場所から一歩たりとも前には進めない。

成功を収めている脚本家は、誰かと対話しているということを強く意識しながら書く。脳内読者が常に自分が書いた言葉に反応しているのだ。脳内読者が感情的な反応を示してくれれば、どのような反応が期待できるか直感的に測れる。書くという行為は決して一方通行ではない。そこには執筆者と読者のやり取りがある。腕の良い脚本家は、このやり取りを通して何が読者の劇的な反応を引き起こすか理解していく。理解したものを応用して、読者が釘づけになるような仕掛けを、脚本の全体に施していく。つまり、読者に対して最上級のリスペクトを持っているのが最高の脚本家と言って間違いない。

下読みは門番だ

確かに、下読みはハリウッドというピラミッドでは最底辺の存在かもしれない。いわゆる平社員的立場かもしれない。しかし、あなたの脚本に関して最初に何らかの判断を下すのも下読みだ。下読みはいわば門番なのだ。脚本家であるあなたと、企画を動かす力を持ったプロデューサーや、俳優、監督、または代理人との間に立ちはだかっているのが、下読みなのだ。ハリウッドにおける下読みの影響力は絶大だ。下読みが「この脚本は凄い」と言えば、上司の誰かが必ず昼休みにその脚本を読む。反対に下読みにつまらないと思われたら、そこで試合終了、先はない。ハリウッドの重役たちは良い脚本を追跡できるチャット・グループに参加しているので、下読みが「つまらなかった」とチャットすれば、あっという間に共有されてしまう。ハリウッド中が、あなたの脚本は見込みなしと了解してしまうのだ。

下読みは知性的、しかも情報通

下読みは馬鹿では務まらない。脚本の分析に関しては、確かな知見を備えている。そうでなければ、まず下読みとして雇ってもらえない。下読みは誰でも山のように映画とテレビを観ている。そして何千という脚本を読んでいる。ポピュラー文化の流行に通じているから、一度どこかで使われたような表現は一目で見抜く。あなたが自分で考えついたとご自慢の表現も、実際にそうでなければすぐに見抜かれてしまう。

下読みになるには性別も年齢も無関係だが、20代前半の、まだUCLAやUSCの映画科に通う学生も多い。おそらく全員何らかの学位を持ち、ほとんどの者は英文学、映画、またはコミュニケーションの学士号を持っている。全員に共通しているのは映画に対する愛、そして映画産業に対する愛情だ。だから下読みは誰もが最高の脚本を探している。

下読みはブラックな労働で疲弊している

下読みをやりたい人は大勢いるので、給料は安い。インターンならタダ働きということもある。常に働き過ぎなので、いささか醒めた態度も備えている。それだけではない。下読みの多くは、自らもブレークできずに苛立つ脚本家の卵でもある。どうせなら、読むのではなく書くことでお金をもらいたいと思っている輩だ。だから他人の脚本を読むときは、当然ピリピリしている。毎週10本前後の脚本を読んで評価を書いた残りのわずかな時間で自分の脚本を書くのだ。水準以下の脚本を読まされたら寛大な気持ちでいられるわけがない。

でも下読みは脚本家の味方

酷い脚本に無慈悲であっても、実は下読みは脚本家の味方であって敵ではない。天敵だと思われているようだが、本当は脚本家の強力な擁護者なのだ。なぜなら、下読みの最大の楽しみは、「最高の1本」、明日の興行収入第1位を発掘することなのだから。万に一つの素晴らしい1本を上司に献上し、重役たちの妨害をかいくぐり、企画開発の地獄をすり抜けて、商業的な大成功を収め批評家の絶賛を浴びる。それが夢なのだ。そんな1本を見つけ出した誇りに勝るものはない。脚本を手に取るたびに、これこそが「最高の1本」かもしれないと期待に胸を弾ませる。推薦すれば「よく見つけてくれた」と言われるような脚本を待ち望んでいるのだ。

下読みの仕事

基本的な仕事は、脚本を読んで評価すること。山のような脚本を読んで、評価を書き出していく。事務所に独りで籠って読むか、家で安楽椅子に座って、あるいは机にかじりついて、または日がな1日ベッドの上で読み続ける。ハリウッド的な華やかさとは無縁だ。

提出される膨大な脚本をすべて読む時間も労力もない上司にとって、下読みはなくてはならない戦力だ。下読みの仕事は、脚本の山から磨けば光る原石を掘り出すこと。下読みの判断は必ずしも客観的ではない。この人には最高傑作でも、あの人には駄作ということはよくある。しかし下読みをする人には、脚本に関する知識が備わっている。巧みに書かれた脚本を見つけ出す眼力に対して給料が払われるのだ。だから重役たちは下読みの意見に耳を貸す。下読みの判断を頼りにしているのだ。

下読みが書く評価をカバリッジと呼ぶが、つまりは読書感想文のようなものだ。コンセプト、ストーリー、登場人物の造型、構成、台詞といったものが評価される。脚本中の本質的な強味と弱点について評価し、最後に評決を下す。「見送り」、「考慮」、または「推薦」だ。「見送り」と言われた脚本は、水準以下で取り合うに値しないという意味だ。ほとんどの脚本は、この理由で拒否される。「考慮」と評価された脚本は、欠点もあるが良く書けているということだ。書き直せば、重役が時間を割くに値する脚本になり得るという意味なのだ。「推薦」と評価された脚本は、絶対に読んで企画開発を考慮すべき一級品ということになる。最高のコンセプトに貫かれ、魅力的な人物が登場する物語が、最初から最後まで巧みに語られて読む者を釘づけにする。下読みの評価は何を推薦するかにかかっているので、気楽に選ぶことはできない。誰もが夢見る「推薦」のお墨つきだが、実際に推薦されるのは下読みが読んだ脚本の1％に過ぎない。

誰に推薦するかによって、下読みの評価の基準も変わる。スタジオや制作会社に推薦するものを探しているなら、ヒット間違いなしの巧みに語られた物語であるかどうか。文筆作家のエージェンシーに推薦するなら、執筆の腕の良し悪し。タレント・エージェンシーに推薦したいなら、特定のスターや映画作家に合った素材であるかどうかで評価する。

お断りするのにも、理由がある

毎週、何百という脚本がエージェンシーや制作会社に送られてきて、その大多数は見送られる。しかもほとんどの場合、脚本家には何の連絡もない。仮に返事が来たとしても、せいぜい「うちは興味ないので」と言われるのが関の山だ。これだけ大量に見送られる脚本の、一体どこが問題なのだろう。脆弱で目新しくないコンセプト、平凡なキャラクター、退屈な物語、貧弱な構成、長すぎるト書き、平坦な台詞。見送られる脚本の問題をここであげつらってもいいが、それは後の章に回そう。

まだ気づいてない人がいるといけないので、ここでは下読みが脚本を見送る最大の、そして唯一の理由を教えよう。誤字脱字、コーヒーの染み、ページの抜けや白紙といった見苦しい誤り、間違った書式、使い古された表現で飾られた、読むのも苦痛な文章。このような素人の証も耐え難いものがあるが、何より下読みが脚本を見送る最大の理由は、読んでいる途中で脚本の魔法が解けてしまったからだ。文字を読んでいることすら忘れてしまうほど、物語にのめりこんで、没頭して読む体験。時間も忘れて、完全に物語の世界に吸い込まれ、物語とひとつになってしまう状態。それが失われた瞬間、下読みは脚本を見送る。

注意力が切れてしまったとき、そして「何だ、そりゃ?」と疑問符が浮かんでしまったとき、読者は物語の世界から引き剥がされてしまう。頭に批判的な一言が浮かんでしまったとき、例えば「ありっこないじゃん」とか、「ちょっと違うんじゃない?」、さらには「これは酷い!」と思ってしまった瞬間、脚本の魔法は消えてしまう。読者が脚本を読む前に持った期待と信頼が、壊れてしまう。つまり、その脚本は失敗したということだ。

下読みは、脚本に何を求めているか

最初の一文で、絶対に読者の喉元を掴め。次の文で親指を気管に捻じ込め。後は壁に抑えつけて、最後まで離すな。

——ポール・オニール

脚本を読む以上、物語と繋がって、その世界に我を忘れて、感情的な体験をしたい。脚本が紡ぎ出す世界に連れ去ってもらいたい。さらに傍観者としてではなく、物語に参加したいのだ。興味を引き出して欲しい、そして物語に釘づけにして欲しい。何より心を動かされたい。英語で「感情」という言葉の語源がラテン語の「心を乱す」だというなら、脚本を読むことで、平穏無事な日常を掻き乱して、心を震わせて欲しいのだ。

どれほど読者が引きこまれるかで、いい脚本かどうかがわかる。今読んでいるページが生きているか死んでいるか。読んだ瞬間にわかる。面白いか？　ページを捲って続きが読みたいと渇望させてくれるか？　わくわくするような世界観と、目を離せないような登場人物、緊張感を高めながら展開する物語、そして感情的に腑に落ちる、満足できる結末。こういったものを使って、読者の心を掴んで欲しい。そのために重要なのは、期待感を上手に積み上げること、好奇心を煽ること、そして興味深い状況を創り上げること。具体的な方法は後でじっくり紹介していく。

読者の心を掴める脚本家は、言葉の使い方を心得ている。大量に脚本を読んだ経験から、技巧を確かに身に着けているかどうかは、読めば実感できるようになった。最初のページを読めば、その脚本家を信用していいかどうかわかる。『脚本を書くための101の習慣』でスコット・ローゼンタール（『60セカンズ』『コン・エアー』『ハイ・フィデリティ』）が、こう言っている。「書ける人は文章に自信と確信があるから、最初のページを読めばわかる。そういう脚本を読むと、読者は最初からリラックスして「よかった、ちゃんとわかってる人の脚本だ。さあ、どんな話だ？」とゆったり構えられる。もしのっけからページの半分がト書きで埋まっていたりしたら、あるいは書式が間違っていたりしたら、ガッカリだ。そんなのは素人だよ」。

おわかりだろうか。プロが書いたかどうかは、最初のページでいきなりわかる。だからすべてのページを、技巧を尽くして書かなければならないのだ。読者は、ページを捲るたびに期待を膨らませるのだ。緊張させてくれることを、心配させてくれることを、笑わせてくれることを、心待ちにしてくれることを、悲しませて、または怖がらせてくれることを。そして震わされた心をまとめ上げて、満足のいく結末に導いてもらえることを。それがハリウッドという業界でやっていくための最低水準だ。脚本家として大成したいなら、今より先を目指すのだ。初心者は書式やら形式にとらわれて、大事なことを忘れてしまう。脚本は映画の設計図かもしれないが、どうせなら読んで楽しい設計図がいいに決まっている。撮影が始まってカメラが最初の1コマを撮るまでに、脚本は何度も何度も読まれることになる。ならば、思わずページを捲りたくなるように書くに越したことはない。30ページ以内に読者の心を掴めと言う人もいるが、最近では10ページというのが定説だ。でも実際には、最初のページ、そして次のページで、そのまた次のページで読者の心を掴み続けなければいけない。読者の関心を釘づけにしたまま、あなたが本当に語りたいことを語るのだ。30ページだろうが10ページだろうが、のめりこませるか、それとも時間の無駄だと思わせるか、二つに一つだ。どっちに転ぶかは、あなたの腕と技術にかかっている。あなたが書いた脚本は、例の1ページテストに合格しなければならない。あなたの脚本は、無作為に開いたページがあまりに面白くて、読み続けずにはいられないというほど面白く書けているだろうか。

脚本家である以上、劇的に読者の心に触れるテクニックを常に探して、見つけたらそれを適用しなければならない。それ以外に重要なことなど、この世に存在しない。さて、いよいよ様々なテクニックに目を通してみよう。最初は、あらゆる物語の訴求力の源泉である、脚本のコンセプトに焦点を当てる。

CHAPTER 2

CONCEPT:
UNIQUE ATTRACTION

コンセプト
その物語にしかない魅力

コンセプトを決めた瞬間、その映画の成否は決まってしまう。コンセプトをどのように形にするかというのが、残りの5割。そのコンセプトにオリジナルな何かがついていれば成功するし、なければ失敗する。

——ジョージ・ルーカス

あなたが今書いている脚本は、売り込みやすいコンセプトのアクション大作かもしれない。キャラクター主導の重厚なドラマかもしれないし、ミュージカル西部劇でも構わない。ともかく大事なのは、プロデューサーとエージェントが魅力的だと思う企画にすることだ。「商業映画」と「アート映画」、あるいは「スタジオ製作」対「インディーズ映画」で議論が見事に割れることに驚きを禁じ得ないが、商業か芸術かというのは、大衆娯楽の夜明け以来延々と続けられている議論だ。しかし、どちらに転んでも大事なことはひとつ、客を楽しませるということだ。自分だけの密かな楽しみとして書いているのなら話は別だが、おそらくあなたは、自分が書いた物語によって何百万という人が心を動かされることを望んでいるはずだ。脚本家として成功したいのなら、人々が見たいと思う、そしてプロデューサーが作りたいと思う物語を書くしか道はない。だからと言って、興行収入の統計に縛りつけられなければならないということではない。世界中で通用性が確認された普遍的なテーマに、あなたしか持っていない物語の心を織り込んでやりさえすればいいのだ。

基本：コンセプトについて知っておくべきこと

自分が創った物語のコンセプトを、ちゃんと読む人の心に届くようにしない脚本家が信じられないほど多いのは、一体なぜなんだろう。読ませてくださいと言われるかどうかは、十中八九コンセプトで決まるということが、いつになったらわかるのだろう。私が聞かされたキャラクター中心の小さなインディーズ映画の売り込みは、ほぼ間違いなく退屈だった。そして脚本家自身が「これはハイ・コンセプト映画です」と言う話も、大抵つまらないものだ。

驚かれるかもしれないが、初心者は大抵コンセプトでいきなりつまずくのだ。コンセプトといえば、脚本の核。つまり、その他すべての要素がコンセプトにかかっているのだ。素晴らしい主人公を考案し、切れ味鋭い台詞でキメて、心に残るテーマを織り込んだとしても、売りようのないコンセプトで企画を始めてしまっては、売りようのない脚本にしかならない。

どんな映画がヒットするかは、実は誰にもわからない。100年の映画の歴史が証明するように、商業的な大作が大コケすることも、極小予算で撮られたインディーズ映画が大儲けすることもある。それについては、反対意見もあろうが持論がある。それが話術巧みに語られた映画だったという可能性と、口コミの威力を考慮から外したとしても、おそらくヒットした小規模インディーズ映画は、どれも「その映画にしかない魅力（＝コンセプト）」があり、それが上手に宣伝されたのだと、私は断言する。だから本章では、あなたが書きたい脚本のジャンルや予算規模に関係なく、いかにして読者の心に訴えるコンセプトを創り上げるかというのが主眼となる。

コンセプトの訴求力などというものは、あくまで主観的なものに過ぎないと反論する人もいるだろうし、その人が正しいのかもしれないが、とりあえず読み進めてみて欲しい。100年の映画の歴史から、様々な観客の反応やデータが抽出されており、そこから作品の魅力に関する興味深い事実がいろいろ見つけ出せるはずだ。

あらかたの脚本指南書やセミナーは、脚本家の卵にハイ・コンセプト（後で詳しく説明する）と呼ばれるコンセプトを考案しろと教える。映画のコンセプトの中でも、ハリウッドで売れるのはハイ・コンセプトしかないというのがその理由だ。そのような指南書やセミナーによると、せっかく6ヵ月かけて初めての脚本を開発するのだから、ユニークな引きのある脚本にしなければ徒労に終わるということになっている。その考え方も間違いではないが、そこにはある事実が無視されている。それは、どんなジャンルの、どんな題材の、どんなアイデアであっても、魅力的にしてしまう方法があるという事実だ。これについては、後ほど「技巧」の項で詳しく説明する。

アイデアこそがハリウッドの王様

脚本の書き方を勉強中の人ならおそらく誰でも、ジェフリー・カッツェンバーグがディズニーの重役たちに残した社内メモのことを知っているに違いない。「映画製作という目まぐるしい世界においては、原則的なコンセプトをひとつ創り出したら、それから外れてはならない。アイデアこそが王様なのだ。もし企画の起点に他には見られないような斬新なアイデアがあれば、たとえ中庸の出来でもおそらくその映画は成功するだろう。しかし、欠陥のあるアイデアから出発してしまうと、たとえ一流のキャストを集めても、湯水のように宣伝費を使っても、その映画は間違いなく失敗する」。ロサンゼルス・タイムズ紙も、数年前にカッツェンバーグを引用している。「芸術と商売が結婚して生まれたのがハリウッド映画なのだ。強調されるのは商売の方だが。一方ヨーロッパでは、芸術のために映画を作る。異論の余地はない」。

コンセプトは売れる

イントロダクションで書いたように、ハリウッドの映画産業というのはパッケージ化した感情を売っている。そして、コンセプトがそのパッケージの包装の役割を果たす。観客はコンセプトという包装によって、買うかどうかを決めるのだ。素晴らしいアイデアは観客を映画館の暗闇に誘い出し、椅子に2時間身じろぎもせずに座ったまま、様々な感情を体験させる。もしその映画のコンセプトに訴えかけるものがなければ、そのような感情体験もできない。配給会社や興行主は、そのことを良く理解している。あなたが書いた脚本の台詞が素晴らしく良く書けているかもしれない。見事な場面もあり、登場人物も魅力的かもしれない。しかし、下読みが脚本を読んでレポートをまとめてくれるまでは、誰もそのことを知る術もないのだ。しかも、スタジオの重役が読もうと思うときは、アイデアに惹かれるからなのだ。

例外もあるが、たとえキャラクター重視の芸術的な映画の脚本でも、コンセプトに訴えるものがなければ、生き馬の目を抜く映画産業では生き抜けない。そのことをプロデューサーは知っている。良いアイデアがなければスタジオ内で発言力を持つ重役に作品を売ることはできないし、あるいはスタジオの後ろ盾なしに資金を集めることもできない。プロデューサーはそのことも知っている。しかし、良いアイデアと言ったとき、必ずしも可能な限り広い観客層にアピールできる特殊効果満載の魂の抜けたような夏休み映画を意味するわけではない。

コンセプトの技巧：アイデアにエネルギーを注入する手段

心に訴えるようなアイデアなら、必ず読んでもらえる。わざわざ貴重な時間を割いてあなたの脚本を読もうと思うのは、そこに映画市場で戦える価値があると踏むからだ。そして、読まれて初めて、あなたが書いた最高の台詞が、素晴らしい登場人物が、一瞬たりとも目が離せない巧みな話術が発見されるのだ。脚本家として成功したいなら、あなたの物語を聞いたすべての人の心が興奮で震えるアイデアが必要だと考えるべきであり、そう考えることを躊躇してはならない。ともかくアイデアに気づいてもらう。そのためには読者を引き込む魅力がなければ。つまり心に訴えるアイデアでなければならないのだ。そのためには、答えなければならない重要な問いがある。「読者を魅了するアイデアとは、どういうものなのだろう」。

あるコンセプトに対する理想的な反応

その問いに答えるには、コンセプトの感情的な面を追及してみればよい。何か映画のコンセプトを読んだり聞いたりしたときに、どう感じたいかを自問してみよう。私が映画のコンセプトに期待するのは、どこか見覚えがあって同時にユニークな葛藤や対立だ。私の場合、そこに興奮し興味を覚えるのだ。好奇心を鷲掴みにするような状況の中で発生した対立がどのように展開するか、知りたい。結論から言うと、どんなアイデアでも、相手を興奮させなければならない。ぞくぞくさせて、テンションを上げられなければ。聞いて顔がぱっと明るくなるのは結構だが、眠気で死んだ魚のような目になるのでは話にならない。ましてや、「で?」とか「また連続殺人鬼追跡ものか」とは絶対に思わせてはいけない。

アイデアに訴えさせる

アイデアを面白くするために必要な要素は、実は2つしかない。最高のアイデアということならそう簡単ではないが、プロデューサーに真面目に読んでもらう程度に面白いアイデアというのなら、次の2つが不可欠だ。目新しくて見覚えがあり、しかも必ず対立を予感させるアイデアであること。

アイデアは独創的で目新しく、しかも見覚えがあること

プロデューサーに「既視感があって斬新」というようなことを言われた経験を持つ人もいるかもしれないが、この一見矛盾する発言の真意は何なのか。他と違うけど、同じがいい。どこから、このように異なった概念が相対立する撞着表現が出てくるのだろう。しかし、実はこの発言は決して矛盾していない。要は目新しいものを求めているのだが、それはあくまで観客が身近に感じられる出来事や、共感可能な感情によって語られるのが良いと言っているのだ。

独創的=新奇、新鮮。そして抗しがたい魅惑

当然のことだが、目新しい物語はその新鮮さで聞く人をわくわくさせる。アイデアのどこかが独創的で魅惑的なら、プロデューサーは興行成績を夢想して涎を垂らすだろう。視点の斬新さ、つまり他にないような声を持っているとか、お約束をひっくり返すような奇抜なアイデアは、とても大事だ。成功を収める脚本家は、常に自問している。

「思いついた物語を、最初から最後まで読んだ人すべての心を躍らせ、のめりこませるほど独創的に、創造的に保つには、何ができるのだろう。百万回も語り尽くされたような話ではなく、その他大勢から図抜けた物語を書くには、どんな手段があるだろう」。数年前『ユージュアル・サスペクツ』の脚本が業界内を回っていたとき、誰もが「これはただの群像犯罪物ではない」と気づいた。驚くほど新鮮で、しかも安心できる既視感を伴っていた。さらに、あの鮮やかなどんでん返しのオチを見落とすスタジオの重役がいるはずもなかった。『シックス・センス』や『セブン』にも同様の衝撃があった。

アイデアの独創性は、つかみ、仕掛け、捻りと言い換えることもできる。これが、コンセプトが持つ訴求力の核なのだ。例を挙げると、「テーマパーク用に現代によみがえった恐竜」と言えば『ジュラシック・パーク』のつかみ。「24時間嘘がつけない呪いにかかった弁護士」は、『ライアー ライアー』だ。このつかみに集約されるものを使ってスタジオはその映画を売り、観客は翌日昼休みに職場でその映画の話をするのである。

独創的なら訴求力も強い。そのことに異を挟む人はいないだろう。私たちの遺伝子には、新しい情報を欲しがるような性質が刻み込まれているに違いない。目新しいコンセプトは、その欲求を満たしてくれる。その情報は、例えば宇宙飛行士であることの臨場感（『アポロ13』）、またはパイロットであることの臨場感（『トップガン』）のように、今まで見たことのない環境かもしれない。『フォレスト・ガンプ／一期一会』のように風変わりだが魅惑的なキャラクターを深く知っていくことかもしれない。良い映画というのは、観客を心躍るような世界に連れていってくれて、そこで他人の人生を経験させてくれる。そして2時間の上映時間中、その世界を内側から覗かせてくれるのだ。あなたも自分が考えたコンセプトの独創的な部分を見つけ出し、感情的な訴求力を強化してみよう。

つかみという概念を説明するために、3本のヒット映画を例にとってみよう。つかみの目新しいところを太字にする。

1. 誤って過去に送り込まれた10代の少年は、**現在の自分が消滅しないために父と母を出会わせて恋に落ちるように仕向けなければならない**（『バック・トゥ・ザ・フューチャー』）
2. 失業した超自然現象の研究者たちが、ニューヨークで**幽霊の駆除ビジネスを始める**（『ゴーストバスターズ』）
3. 誘拐犯たちが富豪の妻を誘拐し、身代金を払わないと殺すと脅すものの、**夫は喜んで妻を殺すように指示する**（『殺したい女』）

脚本を書くとき、自分でも同じようにつかみを書き出してみると良い。つかみの独創的な部分には線を引いておこう。どこにも線が引けなくても、こうすることで無理やりにでも独創的なコンセプトを捻り出す練習になる。もし自分の作った物語の短い説明の中に独創的な状況が見つけられなかったら、それだけ読者の気を引くのも難しくなるということだ。

見覚えがある＝人間の感情

独創的なつかみのあるコンセプトは、必ず相手に強く訴えかけるものだ。しかし、それは闇雲に興味深いのではなく、普遍的な感情の枠組みの中に納まるものであった方が良い。つまり、人々の一般的な感情的体験によってその良さが測り得るものであれば、何を書いても構わないということだ。ウォルト・ディズニーとピクサーは、人間的感情を持った人間以外の、つまり動物等のキャラクターを描いた物語で一大アニメーション帝国を築いた。例えば、超ヒット作の『ファインディング・ニモ』に注目してみよう。主要キャラクターは、魚やその他諸々の海の生物だった。私たちは海底で暮らしているわけではないので、魚の物語は目新しい情報に溢れている。普通の状況では、魚の生活ぶりや魚同士が持つ対立などわかりようもない。しかし、もし1匹の魚が妻を失い、失踪した1人息子を探し、腹を減らした鮫から命からがら逃げれば、つまり私たちにも身に覚えのあるような行動をとって、そしていろいろと人間的な感情を経験すれば、観客の心は魚とでも絆で繋がるのだ。劇中魚の感情的反応を誘発する出来事は、海という世界に独特なものだが、私たちが判断可能な感情なので、理解可能。あなたが書く物語の主人公が人間でなくても、それが私たちに理解し接続できる感情的体験である限り、何の問題もない。スタジオの重役が言う「普遍的な訴求力」とは、そういうことを指しているのだ。

コンセプトの中に見覚えのある感情が入っているかどうか、3本の映画を挙げて例を示す。今度は独創性ではなく、主人公がたどる感情的な軌跡が訴えかける要素になっている。あなたも自分の考えたコンセプトで同じように試してみよう。

1. 自分の発言が引き金になって、あるサイコパスの凶行を引き起こしてしまったラジオＤＪが、**罪を償おうとする**（『フィッシャー・キング』）
2. ぱっとしない会計士が、婚約者の兄と乗り気でない恋に落ちる。そして**迷信に惑わされずに恋を勝ち取る**（『月の輝く夜に』）
3. 低賃金労働者のシングルマザーが、**エリート弁護士を出し抜いて**、集団訴訟で巨額の和解金を勝ち取る（『エリン・ブロコビッチ』）

ハイ・コンセプトについて一言

独創的な映画のアイデアという話をするなら、「ハイ・コンセプト」について触れないわけにはいかない。ハリウッド中の話題の的、誰もが夢見るハイ・コンセプト。大金を払ってでも買いたがる人が大勢いる。まだハイ・コンセプトの正体が今ひとつわかっていない人に説明すると、ハイ・コンセプトとは、コンセプトが脚本の中で最も訴える力の強い要素、ということだ。コンセプトが売り。コンセプトがその作品のスターなのだ。そのコンセプトがあまりに素晴らしく魅力的なので、公開初日に映画館に馳せ参じないわけにいかない、というのがハイ・コンセプト映画なのだ。ハリウッドの重役が教えてくれたハイ・コンセプトの定義が、とてもわかりやすいのでここに紹介しておく。「理解しやすいのがハイ・コンセプトだ。腑に落ちる。コンセプトを1行にまとめたものを聞いても、聞いた瞬間にそれがどういうことか理解して、わくわくできる。頭の中にすぐ映画が浮かぶ。物議を醸すような大きな物語。スターの助けなしでも自分の脚で立てる映画。必ず成功するアイデアに新鮮な捻りを加えた映画。誰でも知っているジャンルを刷新するような内容。それがハイ・コンセプトだ」。

例えば、あなたが考えた映画のアイデアを誰かに説明して、その人に「で、どんな話？」と聞かれたら、そのアイデアはハイ・コンセプトではないということだ。では「ある女性が離婚する話」と言って売り込んだとする。これは容易に理解できるコンセプトだが、それだけで列に並んで高い金を出して切符を買う気を起こせるだろうか。一方、『スピード』のような映画はどうだろう。「時速50マイル以下にスピードを落とすと起爆する爆弾が市バスに仕掛けられた。しかも帰宅ラッシュがもうすぐ始まる」と言えば、それだけでどういう映画かわかる。興味を引きたてる。感情を掻き立てる。引きずりこむ。今まで聞いたこともない。のめりこませる。これが肝だ。日常普通にそこら辺にないもの。それが、ハイ・コンセプトだ。

研鑽中の脚本家は、まずハイ・コンセプトの脚本を書くように勧められる。業界でまだ実力を認められていない脚本家でも、同じことだ。なぜなら、コンセプト売りの比率が高いほど、読む人の寛容度も上がるのだ。アピールの手段としてのコンセプト率が低いほど、それ以外の要素に完璧さが求められる。それには、何年もかかってようやく獲得される腕が必要とされるのだ。もう1つ。コンセプト率が高いほど、脚本を読んだ人が上司に勧めやすく、さらにマーケティング部署にも売り込みやすいという利点がある。1つの脚本が売れるまでにどれだけの関門を通過しなければならないか、考えてみればその意味がわかるだろう。実際に映画になるまでには、さらに多くの障害が待っている。あなたのアイデアが待つ人を興奮させる力が強いほど、そしてコンセプトとして明晰であるほど、読んでもらえる可能性は高くなる。

必ず対立を予感させるアイデア

どんな物語でも何らかの葛藤や対立がある以上、1、2行に要約されたログラインに明確で関心を惹きつけるような対立があれば、たとえそれがあまり独創的でなかったとしても、読者の目を引く武器になる。対立の内容が理解しやすいほど良い。誰が誰と何を巡って争うのか。読者の気を引く理由は何か。負けると何を失うのか。見送られる脚本のほとんどは、この対立が面白くない。女性の革命家が、途上国の腐敗した政府に対して民衆を率いて蜂起する話と、女性の革命家と死にそうなペットの猫のふれあいの話があったとする。お金を払って観に行くのはどちらだろう。最初の蜂起の話だ。そこには対立とストーリーの種が、自動的に詰まっている。2番目の話には、それがない。最初の話には、対立が約束されている。だから読者は、その対立がどのような結果に終わるのか知りたくて読み進める。だからこちらの方が魅力的なアイデアということなのだ。

知ってることを書かない

読めば興奮するような話を創造する最適な方法は、自分を興奮させることについて書くことだ。自分の本能に逆らってはいけない。自分がよく知っていることを書けというのが一般的な助言だが、私に言わせれば「自分の感情を刺激するもの、惹きつけるものを書け」だ。あなたが一番よく知っているのは、結局あなた自身の感情に他ならないからだ。何しろ、喋る言語は違っても私たちは誰しも、感情という共通言語で物事を感じているのだから。良く書けた脚本イコール感情なわけだが、感情はジャンルを、年齢を、貧富の差を、政治的な境界を超えていく。ウィリアム・フォークナーも、「何かを書くなら、人間性について書けばいい。この世でただひとつ、決して古びないものだから」と言っている。流行を気にする必要はないし、劇場で観たばかりの映画の題材など絶対に書いてはならない。その時点であなたはすでに2年遅れなのだ。自分が心からやりたいものを書く以外、道はない。後は、誰かが反応してくれるのを祈って待つのみだ。『脚本を書くための101の習慣』で話をしてくれたアキヴァ・ゴールズマンも、こう言っている。「コツがあるとすれば、自分で想像したアイデアが、主題的にも実質的にもちゃんとコンセプトと繋がっているように書くということです。自分の興味を掻き立てるものを書いてください。興味も持てなければ、興奮もしない題材について書いても、読者の興味を引きたてることも、興奮させることもできませんから。思いついたアイデアの中に、あなた自身の人生に語りかける何かを探してください。自分が語りたいと思う話の中に、正直で嘘のない、しかも興味を煽る何かを見つけ出すのです。誰もがハイ・コンセプトにこだわりすぎます。自分をわくわくさせる題材を書きましょう。その方が、何が売れるかくらい知っていると思いながら書いたものより、売れる可能性が高いですよ」。

あなたは、何に興奮するのか。何に情熱を感じるのか。何に執着しているのか。好きなものは。嫌いなものは。一番怖いのは何か。心臓にぐっと迫るのは何か。どんなことに価値を感じるのか。あなたの一生を左右した事件は。一生を左右した発見は。このような個人的な質問に答えられるのは、あなた本人しかいない。唯一無二のあなたが出す答は、当然唯一無二なのだ。その答えは、あなた自身をわくわくさせる物語へと、あなたを駆り立てるはずなのだ。

アイデアが訴える力を強くする12の方法

こう思っている人もいるかもしれない。「読めば興奮するようなハイ・コンセプトを思いつく人は最高だろうけど、そこそこのコンセプトが精一杯という僕たちは、どうしようもないじゃないか」。キャラクター主導の脚本は、ハリウッドでは興味深いパラドックスに陥ってしまう。プロデューサーは、キャラクターが立っている話が欲しいと口では言うし、俳優たちも良く書けたキャラクターが出てくる脚本を選びたがる。なのにハリウッドというところでは、一般的にはきわめて売りやすいコンセプトがない脚本は読まれない。その映画を1分間の予告編で、1ページ広告で、1枚のポスターで、そしてインターネットのバナーだけで売らなければならないからだ。だから、あなたの脚本のコンセプトがそれほど立っていなくても、可能な限り相手に訴えかけるようにしなければならないことには変わりない。

先ほども書いたが、何を書くかという題材は、お話そのものが良くできていれば何でも構わない。こんな題材について書けと教えることはできないが、コンセプトが弱い脚本、またはキャラクター主導の脚本を売れる方向に持っていく技をいくつかお教えすることはできる。もちろん技を使えば何でも売れるというわけではない。しかし、あなたの書いた物語が素晴らしいにもかかわらず、コンセプトで売るには弱いという場合、これから紹介するテクニックを応用してみて欲しい。もしかしたら興味を引くようにできるかもしれない。

1 物語のつかみを探す

もし自分の考えたコンセプトのつかみが何かわからないようなら、物語の中にないかどうか探してみよう。その話の魅力は何か。その話を独創的にしているものは何か。他で見たこともないようなものを持っているか。話の中で一番面白いのはどういうところか。平凡ではない何か、「おっ！」と思うような何かが見つかったら、それがログラインのような短い映画の要約に使えるかどうか試してみよう。もしかしたら、その物語のつかみは、『トップガン』［海軍飛行教練］、『タイタニック』［沈没する豪華客船］、『ブロードキャスト・ニュース』［テレビの報道制作部］といった独創的な環境の中から見えてくるのかもしれない。あるいは、『フォレスト・ガンプ／一期一会』［頭は弱いが純真で優しい］、『サイコ』［母親にコンプレックスを持つサイコパス］のように、突出したキャラクターの話なのかもしれない。捻りが効いている話なのかもしれない。たとえ一番目を引くシチュエーションが第三幕にしかなかったとしても、そして他に特に魅力的と思えるつかみがなくても、とりあえずそれをコンセプトに追加してみよう。

2 登場人物が経験する最悪の出来事

次のテクニックは、物語中で登場人物が経験する最悪の出来事を探し出すことだ。小説家のスタンリー・エルキンも言っている。「私の場合、ロープの端にぎりぎりしがみついている人の話しか書きません」。まだアイデアを練っている途中なら、登場人物の仕事や行動の中で、起こり得る最悪のことが何か考えてみよう。弁護士にとっては、嘘をつけないことが最悪かもしれない（『ライアー ライアー』）。消防士なら、火災現場でバックドラフトに遭遇することかもしれない（『バックドラフト』）。不倫している男なら、不倫相手が無視されて復讐に燃えるサイコパスだったら最悪だ（『危険な情事』）。もしあなたが書いた登場人物が地獄のような目にあって生還するのなら、それはコンセプトに使える。

3 対照的な登場人物（でこぼこコンビ）

対照的な登場人物という仕掛けは、2人組が活躍するバディ・アクションや、ロマンチック・コメディでよく使われる。正反対の登場人物を2人創作し、無理やり一緒に仕事をさせる、同居させる、または旅行させる。場合によっては、その結果2人は恋にすら落ちる。『恋人たちの予感』、『アフリカの女王』、『アニー・ホール』、『おかしな二人』、『リーサル・ウェポン』、『テルマ＆ルイーズ』等が、これにあたる。2人の対照的な主役は間違いなく何かと火花を散らすので、心を掴みやすい。

4 対照的な登場人物と環境（陸に上がった河童）

これは3番のテクニックと似ているが、この場合登場人物と対比されるのは、物語の舞台となる環境の方だ。ハイ・コンセプトの物語を創作するとき、一番頻繁に使われるテクニックがこれだ。世界興行収入上位の作品を見渡すと、この「陸に上がった河童」映画の多さに気づくはずだ。『オズの魔法使』、『ジュラシック・パーク』、『マトリックス』、『お熱いのがお好き』、『カッコーの巣の上で』、『ビバリーヒルズ・コップ』、『シティ・スリッカーズ』、『スプラッシュ』、『クロコダイル・ダンディー』、『プライベート・ベンジャミン』……その他諸々だ。

5 アイデアをもう1つ足す

FBIの訓練生が、単独で連続殺人鬼を追い詰める話を思いついたとする。特に目新しい要素はない。なら、収監された殺人鬼をもう1人加えて、訓練生の指導者として犯人逮捕を助けさせたら？　『羊たちの沈黙』のできあがりだ。次も連続殺人鬼を追う刑事の話。殺人鬼は7つの大罪に倣って犠牲者を殺していく。さらに追われる殺人鬼と追う刑事が、それぞれ7つの大罪の最後の2つを背負っている。そう、『セブン』だ（ネタバレ御免、でもあの衝撃のラストは予想できるものではないので、ご心配なく）。ビデオガイドの類をざっと捲って、映画を2つ抜き出してくっつけてみると面白いので、一度やってみて欲しい。これは、まさにハリウッドでよく使われる映画の売り込み文句なのだ。「XとYの出会い」、つまり『ミセス・ダウト』を説明するのに「想像してみてください、トッツィーとクレイマー、クレイマーの出会い」と言うわけだ。

6 常套的な要素を変えてみる

すでに公開済みの映画を選び出して、例えばジャンルを変えてしまう。『ウエスト・サイド物語』は基本的にミュージカル版『ロミオとジュリエット』だし、『アウトランド』はSF版『真昼の決闘』、そしてヒッチコックの『見知らぬ乗客』がコメディになれば『鬼ママを殺せ』というわけだ。

変えて遊べるのは、もちろんジャンルだけではない。主人公の性別（男性を女性でも、その逆でも構わない）を変えてみるのもありだ。環境を変えてみるという手もある。『ブロードキャスト・ニュース』は、テレビ局版『イヴの総て』だった。時代を変えてもいいし、主人公の年齢でもいい。性的指向もありだし、物語の視点を主役から脇役に変えてしまうこともできる。『ローゼンクランツとギルデンスターンは死んだ』は、『ハムレット』に登場する

2人の脇役の視点で語られた話だった。物語のある要素を変えてしまえば、コンセプトそのものが変わってしまうということ。想像力を駆使して試してみよう。

7 ありきたりなプロットを逆転させる

富豪の妻が誘拐され、身代金を払わなければ殺すと脅迫された富豪は、大喜びで「殺しちゃって！」と言う。これが『殺したい女』のコンセプトだ。脅迫された夫が、どうしていいかわからず警察に助けを求めるというありきたりの展開を、脚本家はひっくり返して楽しいコメディに仕立てたのだ。どんなアイデアを考えるときでも、最初に頭に浮かんだものを捨てて、正反対にしてうまくいくかどうか考えてみよう。

8 きっかけとなる事件を面白くする

物語のきっかけになる事件、つまり、その事件によって主な対立が明らかになり、主人公は問題を解決するしか選択肢がなく、後戻りできなくなるポイント。ここにつかみがあることも多い。脚本家がどのような事件を設定するか考案する際に、「もし××したら？」と自問するのは常套手段だが、その問いに対する答えがきっかけになる事件であることも多い。もし、主人公に異常なことが起きたら？　もし主人公が出会った理想の女性が人魚だったら？　（『スプラッシュ』）。もし大統領専用機上で合衆国大統領が誘拐されたら？　（『エアフォース・ワン』）。もし口八丁の弁護士が24時間嘘をつけなくなってしまったら？　（『ライアー ライアー』）。

きっかけになる事件は、つまりすべての問題の根源なのだ。すぐに対処しなければならない問題。どんな物語もこれがなくては始まらない。きっかけになる事件を熟考することで、物語を転がす問題をよく理解することができる。だから、熟考した分だけ、あなたのコンセプトはより良いものになるはずだ。

9 極端にしてみる――最悪または最低の××

何かを興味深くする方法の1つとして、究極にしてみるというのがある。最高、最大、最多、最悪、最も完璧。究極の鮫（『ジョーズ』）、究極の超人（どのスーパーヒーローが究極かという議論は尽きないが、『スーパーマン』、『バットマン』、『スパイダーマン』等、どれも映画のいいネタになっている）。最悪の何かを考えてみよう。ハリウッドでは「地獄の××」として知られるアイデアだ。例えば、最凶の犬（『クジョー』）、最凶の同居人（『ルームメイト』）、最凶の乳母（『ゆりかごを揺らす手』）、最凶の夫（『愛がこわれるとき』）。状況を極端に拡大してみることで、興味深いアイデアが生まれる。

10 時間的制約を強調する

はらはらさせる要素をプロットに注入する手段として、時間的制約や締切りを設定するという方法がよく使われる。ハリウッドでは「時を刻む時計」とか「時間の鍵」と呼ばれるこの手法だが、その呼称は時限爆弾の時計の針がゼロを指すまでに解除しなければならない、という使い古された映像表現からきている。だからといって、時間的制約が時計である必要はまったくない。脚本家たちは、常に新しい、そしてより面白い方法を編み出して、刻々と迫る時間の制約を表現している。例えば、燃料切れが迫る旅客機（『ダイ・ハード2』）、バスが時速50マイル以下で走行すると起爆する爆弾（『スピード』）、次の犠牲者を出す前に連続殺人鬼を止めなければならない刑事（『セブン』）、無実を証明しなければ逮捕されてしまう男（『逃亡者』）。コンセプトに時間的制約が加われば、それが新たな対立の要素となる。「男は無実を証明しないと処刑されてしまう」というのと、「男は10時までに無実を証明しないと処刑されてしまう」というのでは、大違いなのだ。

11 舞台を強調する（舞台裏を見せる）

物語が繰り広げられる場所の舞台裏を見せるのは、魅力的なことだ。しかし、誰も書いたことのない舞台裏を探すのは年々難しくなっている。それでも、興味深い舞台をさらに強調することで、物語はより興味深いものになる。例えば、男性優位の社会で同等にあつかわれようと格闘する女性の話について考えてみよう。それが企業内の物語であれば、よくある話だが、興味深い舞台に置き換えてやれば、例えば米海軍特殊部隊のネイビーシールズが舞台なら、『G.I.ジェーン』になる。月並みなコンセプトが、脚本家の手で面白いものに変わった良い例だ。

12 コンセプトそのものをジレンマにしてしまう

物語の中に、複雑な板ばさみ状態、または解決不可能なジレンマがあったら、それはコンセプトの売りの1つになる。板ばさみにあった登場人物が、同じくらい重要な選択を強いられたことで生じる葛藤。それがどう掘り下げられていくか、誰でも楽しみなものだ。ハリウッドでは、このような究極の選択は同名の映画にちなんで「ソフィーの選択」と呼ばれている。第二次世界大戦中に、2人の子どものどちらかを見殺しにすれば自分が助かるという選択を迫られた母の話だ。人質に取られた女性が、生き残るために無実の男を殺すべきかどうか迷うという状況が、『アルビノ・アリゲーター』にある。決断が困難であるほど、それが読者の頭から離れなくなり、結末を知りたい読者の心をがっちり掴んで読み進めずにはいられなくなるのだ。

タイトルを魅力的にする

初心者は無視しがちだが、魅力的なタイトルをつけることで、あなたが書いた物語が相手の心に訴える力はより強くなる。何よりもまずプロデューサーの心に訴えかけるのは、タイトルなのだ。脚本を読む前にまず目に入るのがタイトルなのだから、タイトルは読者の先入観を決定する。独創的なタイトルがついていれば、読者の関心を引ける。タイトルの役目は、読者の好奇心を煽り、物語の中に誘い込むことなのだ。タイトルを見れば、あなたが書いた物語の個性がわかる。だから、ないがしろにしてはいけない。

巧いタイトルは、『ミッション：インポッシブル』のようにジャンルを伝えることもできる（アクション／スリラー）。『ある愛の詩』（ロマンス）、『スター・ウォーズ』（SF）、『サイコ』（ホラー）等も良い例だ。

タイトルによって、何か独創的な主題を観客に感じさせることもできる。そのようなタイトルは、「このタイトルが映画全体を象徴できるのは、一体どうしてなのだろう」と観客の心に興味深い疑問符を植えつけることができるのだ。『シンドラーのリスト』、『ゴーストバスターズ』、『メン・イン・ブラック』、『幸福の条件』［原題は「ふしだらな提案」］、『マルタの鷹』、『ローズマリーの赤ちゃん』といったタイトルは、そのような力を持っている。

スターが演じられる役柄を強調できれば、それも高ボーナス得点になる。スターに、映画が丸ごと自分の話だと思わせられる。『イヴの総て』、『フォレスト・ガンプ／一期一会』、『ロッキー』、『アラビアのロレンス』、『俺たちに明日はない』［原題「ボニーとクライド」］等が、このカテゴリーに当てはまる。

物語の中心的な対立や、主人公が抱える問題をタイトルで表すという方法もある。ヒッチコック作品の多くがそのようなタイトルで飾られている。『恐喝』、『バルカン超特急』〔原題「消える貴婦人」〕、『知りすぎていた男』、『泥棒成金』〔原題「泥棒を捕まえるため」〕、『めまい』等々だ。ヒッチコック以外にも、このようなタイトルがある。『ミクロキッズ』〔原題「子どもたちを縮小しちゃったよ、ハニー」〕、『バウンティ号の叛乱』、『許されざる者』、『危険な関係』、『ホーム・アローン』〔「家に独りきり」という意味〕、『ザ・シークレット・サービス』〔原題「銃弾軌道上」〕、そして『理由なき反抗』などがある。タイトルを見ただけで、どういう映画か1発でわかる。

タイトルで主人公の目的を伝えることもできる。『プライベート・ライアン』〔原題「ライアン1等兵を探して」〕、『ファインディング・ニモ』〔「ニモを探して」という意味〕、『バック・トゥ・ザ・フューチャー』〔「未来へ帰る」という意味〕、『キャッチ・ミー・イフ・ユー・キャン』〔「鬼さんこちら」というような意味〕、『レッド・オクトーバーを追え!』等が良い例だ。

私が個人的に好きなのは、どういう意味だろうと考える余地をくれるタイトルだ。特にスリラーにうまく使える。『羊たちの沈黙』、『コンドル』〔原題「コンドルの三日間」〕、『影なき狙撃者』〔原題「満州の候補者」〕、『狩人の夜』、『牛泥棒』〔原題「オックスボウ渓谷での出来事」〕等。さらにスリラーではないが、『いまを生きる』〔原題「死んだ詩人の会」〕も、どういう意味だろうと思わせ、理由を知りたいと思わせる力を持っている。

頻繁に使われる技をもう1つ。文化的なものに言及したり、人気のある歌の引用だったり、よく使われる言い回しを使うという手だ。『ユー・ガット・メール』〔90年代に人気のあったEメール着信アラート〕、『ア・フュー・グッドメン』〔米海兵隊の宣伝文句「海兵隊は生え抜きを募集中」から〕、『お熱いのがお好き』〔童謡「Pease Porridge Hot(豆のおかゆは熱い)」の一節「冷たいのが好きな人も熱いのが好きな人もいる」より〕、『生きるべきか死ぬべきか』、『エントラップメント』〔原題は「囮捜査」〕、『推定無罪』、『ブルーベルベット』〔ボビー・ヴィントンの歌「ブルー・

ベルベット」から」、『白いドレスの女』［原題「体熱」という意味］等がある。

あなたの書いた物語の舞台が、どこか特殊な場所、または異国情緒溢れるような場所で、その舞台の名前からいろいろ連想するものがあれば、タイトルに使える。例えば『タイタニック』、『サンセット大通り』、『カサブランカ』、『四十二番街』、『エアフォース・ワン』、『ティファニーで朝食を』、『巴里のアメリカ人』等が良い例だ。

感情やムードを喚起させるタイトルで、訴えかけるという技もある。『サタデー・ナイト・フィーバー』［「土曜の夜の熱」という意味］、『サムシング・ワイルド』［お行儀の良くないこと」、『ミーン・ストリート』［荒くれ横丁」、『ヤンキー・ドゥードゥル・ダンディ』［粋なヤンキー男」、『オール・ザット・ジャズ』［「あれこれ」という成句と「ジャズ」の掛け言葉］、『冷血』、『夜の大捜査線』［原題は「夜の暑さの中で」と「夜の追跡」と「夜の熱い情熱」を掛けたもの］、『ある愛の詩』といったタイトルがある。

同様に、隠喩としてのタイトルというのも考えられる。詩的だったり文学的ならなおのこと結構だ。『怒りの葡萄』、『レイジング・ブル』［「怒れる雄牛」という意味］、『アラバマ物語』［原題「物真似鳥を殺すため」］、『地上より永遠に』、『レザボア・ドッグス』［「貯水池の犬ども」といった意味］、『風とともに去りぬ』、『ストレンジャー・ザン・パラダイス』［「天国より変」］、『ア・レーズン・イン・ザ・サン』［ラングストン・ヒューズの詩「ハーレム」の一節「夢が延期になったら、日差しの中の干し葡萄みたいに干からびるの？」より］。

対比を使ったタイトル。キャラクターの章、物語の章、そして場面の章でも同じ話をするが、対比を活かしたタイトルも効果的だ。相反するような言葉を並べてみると、好奇心を刺激できる。『バック・トゥ・ザ・フューチャー』［「戻る」と「未来」の対比］、『クライング・ゲーム』［「泣く」と「遊戯」］、『バッドサンタ』［悪いサンタ］、『心のともしび』［原題「素敵な執着」］、『わんわん物語』［原題「淑女と好漢」］、『ビートルズがやって来るヤァ！ヤァ！

ヤァ!』〔原題「散々な日の夜」〕等がある。

最後に紹介するのは、よくある言い回しを使った言葉遊びをタイトルにするという技。『バック・トゥ・ザ・フューチャー』〔「〜に帰る」という普通の言い方に「未来」を挿入〕、『ヴァージニア・ウルフなんかこわくない』〔ディズニーの1933年のアニメ映画『三匹の子ぶた』の挿入歌「狼(ウルフ)なんかこわくない」のもじり〕、『汚れた顔の天使』、『ナチュラル・ボーン・キラーズ』〔「生まれつき〜」という言葉遊び〕、『G．I．ジェーン』〔G．I．ジョー〕等が、それにあたる。

『バック・トゥ・ザ・フューチャー』が何度も言及されたことに、注意。タイトルはひとつの意味だけに限定される必要はないということだ。ここで挙げた技をいくつか組み合わせたタイトルも可能なのだ。組み合わせが多いほど結構だ。『真夜中のカーボーイ』を見てみよう。隠喩的タイトルで、ムードを仄めかし、「一体どういうことだ?」「どういう男の話だ?」と好奇心を掻き立てもする。スターが演じる役のことであり、同時に独創的な主題も表す。

人気のあるジャンルを選ぶ

これから書く物語がどのジャンルに該当するかを選ぶのは、おそらく脚本を書き始めるにあたって最も重要な決断だろう。その重要度を反映して、最近の脚本セミナーや指南書は、コメディやスリラーのような特に人気の高いジャンルを選んでページを割いて解説している。フランス語で「種類」を意味する「ジャンル」は、今では広く受け入れられている映画的物語の分類システムだ。外食するときはフランス、イタリア、メキシコ、タイ等、地域で選ぶが、映画という娯楽はジャンルで選ぶ。だから、ビデオ屋に行けば映画はジャンル別で並んでいる。あいうえお順の方が探していたタイトルを見つけやすいはずだが、そうはなっていない。ジャンルは、これから映画を観ようという人に、期待できる感情的体験を示唆できるのだ。

ジャンルを決めることがなぜ重要なのかというと、どのジャンルにも観客にとって認識しやすい感情が前もって梱包済みだからだ。ジャンルがわかれば、脚本を読む前からどんな内容が期待されるかもわかる。コメディの脚本なら、笑わせてくれることが期待される。スリラーなら、本能的なスリルが、緊張感溢れるプロットと、ショックと驚きに満ちた捻りが期待される。このような期待される感情がいかに巧みに伝えられるかによって、読者はあなたの脚本を評価することになる。約束どおりのスリルが与えられなかったら、読者は苛々しないまでも、がっかりするだろう。結果的にあなたの脚本は見送られる。

ジャンルという分類は、商業映画につきものだ。あるジャンルに分類された映画は、見覚えのある登場人物によって、そして見覚えのある世界観の中で繰り広げられる見覚えのある物語によって、一定の感情を刺激する。だからあるジャンルに属するということは、お約束どおりという見方もあるが、必ずしもそうである必要はない。もちろん、使い古された手を使って決まった感情を喚起すれば、お約束だ。しかしジャンルというのは、読者に確約されたある感情的反応を意味するのだから、その反応をどう起こすかは脚本家の腕と技にかかっている。だからこそ、どのジャンルにどのような感情的反応が期待されるのか知っておく必要がある。そのジャンルの最高傑作と最低の駄作を1本ずつ観て研究しよう。そして、読者のどのような感情のツボを突きたいのか考えながら物語を構築しよう。笑わせたいのか。泣かせたいのか。ドキドキさせたいのか。要は、選んだジャンルに期待される感情的反応を、今まで無かったような方法で引き起こすことだ。初心者なら、自分が年中観るような大好きなジャンルを選んで書くのがお勧めだ。なぜなら、自分がお金を払って観るジャンルであれば、そのジャンルに対する理解も深いはずだ。となると、ジャンルの枠を巧く飛び越えることがひとつの挑戦になる。

使い古された表現を避ける有効な手段は、ジャンルを混合することだ。常に作品にオリジナリティを求めるハリウッドという世界では、ここしばらくジャンル混合が流行っている。『ゴースト／ニューヨークの幻』は、ラブストーリーで、超自然スリラーで、ミステリーで、しかもコメディだ。『ビバリーヒルズ・コップ』はアクションでコメディだし、『エイリアン』はSFでホラーだ。混合するにしても、焦点の甘い脚本にならないように注意しよう。どのジャンルが優勢か、どのジャンルで全体のトーンを貫きたいかを見極めること。ジャンルを混合して失敗した映画のほとんどは、トーンに一貫性がなく、観客を混乱させてしまったのだ。それは、どっちかと言えばアクションなのか。コメディなのか、それともスリラーなのか。優勢なジャンルを選べば物語の「風味」も決まる。そこに混ざってくる他のジャンルは、脚本の独創性を高める調味料にすぎないのだ。

本書を執筆するにあたって、実は各ジャンルがもたらす感情的体験について突っ込んだ文章を書くつもりだった。しかし、ジャンルと感情についてすでに私より上手に書かれた書籍に出会ってしまったのでやめた。ロビン・ルシン教授とウィリアム・ミズーリ・ダウンズ教授が書いた『Screenplay: Writing the Picture』［未邦訳「脚本：映画を書くということ」］だ。2人は、ジャンル別の感情的体験について詳細に述べている。一例として、2人はジャンルを特定の感情で再分類している。勇気（アクション、アドベンチャー、歴史劇、英雄的なSF）、恐怖（ホラー、ダークなSF）、好奇心（探偵もの、スリラー）、笑い（コメディ、ロマコメ、道化芝居）、恋愛・誰かを求める気持ち（ロマンス、メロドラマ、プラトニックラブ）といった具合だ。ジャンルに関する考察を深めたい人は、この本がお勧めだ。

実例：コンセプト創りの脚本術

優秀なコンセプトと平均的なコンセプトの違い。脚本家兼戯曲家で小説家のウィリアム・ゴールドマンの「わかってるやつなんていない」という一言は有名だが、実際は、ハリウッドの業界人なら良いアイデアを聞けばその場でわかる。プロデューサーでも、エージェントでも、下読みでも、みんなその違いはすぐにわかる。見ても、読んでも、味わってもわかる。触っただけで、わかる。経験上、優れたコンセプトがないときは瞼が重くなるからすぐわかる。「で？」と思ったらそこで終了だ。

あなたの考えたコンセプトが、見覚えがあってかつ独創的であり、必ず対立を予想させるものであれば、そしてこの章で挙げた12の技をたとえ1つだけでも使っていれば、おそらくプロデューサーの関心を引けるはずだ。駆け出しの脚本家は、バラエティ誌やハリウッドレポーター誌といった業界誌を読んで、売れ筋のコンセプトを追いかけていくと良い。今日映画館で観た映画が最新のトレンドと誤解しないように。あなたが今日観た最新の映画のコンセプトが売れたのは、開発期間にもよるが、2年から5年も昔のことなのだ。今この瞬間売れているコンセプトを追いかけよう。Done Deal（契約済み）というウェブサイトのメンバーになれば、どのようなコンセプトの脚本が映画化契約を結んだかを追跡できる（www.scriptsales.com）。

もちろん、優れたコンセプトだけで脚本が売れるわけではないのだが、物語を巧みに語る技を身につけようともせずに、ハイ・コンセプトで1発勝負しようとする脚本家の卵が多すぎる。素晴らしいアイデアは、確かに売れる。おそらく接触したプロデューサーにもそう言われたのだろう。確かに売れるが、絶対売れるわけではない。初心者が書いたハイ・コンセプトの脚本は売れるには売れるが、年季の入った脚本家が書き直してしまうものだと、『脚本を書くための101の習慣』でスティーヴン・デスーザが言っている。「初心者のアイデアを買ったスタジオの連中は十中八九プロを雇って脚本を書かせるから。ちゃんと書けるかどうかもわからない人に書かせて12週間も待って、結局プロを雇い直す羽目になるなんて、そんな悠長なことをする気はないわけだ。私も初心者のアイデアに基づいた脚本を何本書かされたことか。初心者の売り込んだアイデアをスタジオの重役が気に入ったら、そいつに5ページの粗筋を書かせて「ご苦労さん」と追い払って、私を雇って脚本を書かせる。私に書かせれば12週間でちゃんと水準以上の脚本が上がる保障があるからね」。

要約すれば、残りの時間を使って、あらゆる面で期待に応えるような脚本を書く技術を身につけた方が、結局は得策ということだ。早速、次の重要な脚本技術に目をやってみよう。そう、それは主題、テーマだ。

CHAPTER 3

THEME:
UNIVERSAL MEANING

テーマ
普遍的な意味

芸術とは、芸術家が己の魂にかざして見つけた秘密を人々に見せて共感を誘うための顕微鏡なのだ。

――レフ・トルストイ

脚本にこめられたテーマがどれほど重要であるかを理解するには、まず私たちの人生にとって物語がどれほど重要な意味を持つか理解しなければならない。人生は、いつもうまくいくとは限らない。理不尽でカオスなものだ。だから、私たちは人生の意味に構造を与えて、物語として理解する。物語の中に、迷いがちな人生の答えを、そして普遍的な意味を見出すのだ。物語の中に、人生の処し方を、他者との付き合い方を、愛し合い方を、困難を乗り越える方法を探すのだ。物語は人生の分析ではなく、人生を感情的に理解させてくれるもの。それも私たちが物語を必要とする理由の1つだ。つまり、物語とは人生の隠喩であり、生きるということの設計図だと言える。そしてテーマというものは、脚本家が読者または観客に伝えたい人間的な経験の中に潜む、ある真実なのだと言える。テーマは作品が伝えたいメッセージであり、道徳的真実であり、その物語の存在価値であり、お金の話を別にすれば、脚本の存在そのものなのだ。テーマによって、脚本は普遍性を持つ。そして感情的に重要なものになる。優れた脚本と凡庸な脚本の差は、テーマの深さに現れることが多い。力強いテーマがなくても娯楽性の高い脚本は書けるが、それだけでは優れた脚本とはみなされない。テーマがない脚本は軽い。表面的な楽しさをなぞるだけで、作品を観終わった観客の心に何も残らないのだ。

基本：テーマについて知っておくべきこと

なぜテーマが重要なのか

自分の書いた物語が、読む価値のあるものかどうか自問するとき、登場人物を通じて何を伝えたいか悩んだとき、それはテーマについて考えるときだ。『脚本を書くための101の習慣』で、ジェラルド・デピーゴ（『フェノミナン』、『フォーガットン』）がこう言っている。「中には、テーマなんてどうでもよくて、娯楽一辺倒という作品もありますけどね。でも、あなたがただ楽しませる以上のことをしたければ、そして楽しませるだけでなく映画を豊かで心揺さぶる体験にしたければ、世界とか人間というものについて何か言いたいのなら、自分が何を伝えたいか考えなければいけませんね。そして目立たないようにストーリーに織り込んでです」。作家のドロシー・ブライアントも、「人々の心の深みにある、声にならないドラマに声を与えるのが、作家の仕事なのです」と言っている。人生とはどんなものか考えてみよう。学ぶこと、探求すること、体験すること、成長すること、助け合うこと、愛すること。人生こそが物語というものの主題、つまりテーマそのものだと気づくはずだ。

脚本を書くときにテーマが重要な理由がもう1つある。テーマは、物語を構築するための土台なのだ。テーマは脚本の核であり、心臓であり、魂なのだ。つまりこういうことだ。あなたが書く脚本の中にあるほとんどの場面は、そして登場人物は、会話は、そして映像は、テーマを反映するべきなのだ。あなたが書く物語というものは、単にそのテーマを見せるために必要な環境を創造するための道具にすぎないのだ。だから、ほとんどの脚本家は、執筆を始める前にテーマを固める。言いたいことがはっきり理解できれば、その物語に従属するものが何で、関係ないものは何かが明確になる。

改稿を重ねるにつれてテーマが浮かび上がってくるものだという考え方も、否定はしない。それでも、書き始める前にテーマを知っていれば、改稿する時間の大きな節約になる。『ネットワーク』や『マーティ』、『アルタード・ステーツ／未知への挑戦』を書いたパディ・チャイエフスキーは、こう言ったことがある。「脚本家にとって、最初からはっきりしたテーマがあるのに勝ることはない」。でも、テーマがわからないからといって慌てることはない。

7稿も8稿も書いてから、ようやく言いたいことを発見するという脚本家も大勢いるのだ。物語の中からテーマを見つけ出すのは、最も複雑で難しい作業の1つだ。書く前に見つけられれば理想的だが、そうでなければ書いてみて探し出すしかない。一度テーマを見つけたら、登場人物や会話、そして象徴性等を通してそのテーマを見直し、書き直せばいい。ともかく避けたいのは、テーマが出しゃばりすぎて説教になってしまうことだ。「伝言《メッセージ》が欲しけりゃ電報局に行くわい！」と言ったダリル・ザナックは正しい。テーマは説法ではない。説教節になってはいけない。

説教ではなくて、説得して楽しませる

ドラマの脚本において説教は嫌われる。なぜならテーマを教えようとしてお仕着せがましいからだ。「語るな、見せろ」ということを、脚本家なら知っているべきなのだ。脚本を読んだ人に言葉で教えるのではなく、アクションを、つまり登場人物の行動を通してテーマを見せる。そして読者に心でテーマを感じてもらうのだ。人としての在り方とか人生の送り方といったことについて、あなたが確信を持って伝えたいことを、ドラマに仕立てて伝えるのだ。でも重く構えてはいけない。登場人物に「俺のメッセージを聞け！」などと叫ばせてはいけない。アイスティーを甘くする要領だ。普通の砂糖を投入しても、砂糖はコップの底に沈み、上は苦いのに底だけ甘ったるいアイスティーになる。ガムシロップのような甘味料を使えば、上から下まで均一に甘くできる。つまり、あなたが伝えたいメッセージは「甘味」のようでなければならない。アイスティーという物語の中に、完全に溶け込ませてその存在が気づかれないようにしなければならない。

テーマは、物語のサブテクスト、つまり物語の底を流れているものであった方が良い。例えば『E．T．』は、ただ少年が宇宙人の帰還を助けるというだけの話ではない。あれは信頼と友情をあつかっているのだ。『ターミネー

ター』も、殺人ロボットから逃げる女性というだけの話ではなく、暴走するテクノロジーへの警鐘なのだ。『テルマ&ルイーズ』は逃亡する2人の女性の話でありつつ、自由というものを考察している。表面にあるのが物語、その下を流れるのがテーマだ。物語に惹かれて観客は映画館にやってくる。そしてテーマが鑑賞体験に意義を与える。観客が家に帰った後もテーマは心に残る。映画館の客電が点いた後も頭から離れないのが、テーマなのだ。ビリー・ワイルダーが、こんなことを言っている。「映画だから、何かについての話を作ろうとするわけです。私の場合、別に世界を変えようと思って書くわけではありません。でも、もし上映後に観客が15分でも映画のことを話したとしたら、何かが起こったということになる。職場でもその映画のことを話したいと思わせたら、夕食の席で映画の話をしたいと思わせられたら、それが映画の成功につながっていくんですよ」。

もう一度言うが、テーマは物語の背後で反響するべきで、最初から最後まで見えてはいけない。その最高の方法は、感情を通してテーマを伝えることだ。人は説教されても効率よく学ばない。感情的に巻き込まれたときに学ぶのだ。巧い映画は、観る者を感動させながら人生について教えてくれる。テーマが深いほど、感情も深くなる。かつてプラトンは、語り部は社会の脅威となるので、禁止すべきだとすら説いたほどだ。語り部も哲学者と同様アイデアをあつかうが、哲学者と違って公明正大にはやらない。感情を駆使した術による誘惑の中に、アイデアを忍び込ませてしまうのだ。作家もその術を使う。それが語りという芸術だ。書くものが小説でも、テレビ・コメディでも、マンガでも、脚本でも、同じこと。アリストテレスは、すべての芸術には2つの目的があると説いた。喜ばせることと、教えることだ。脚本家は、物語で喜ばせ、テーマで教えるのだ。

テーマの技巧：テーマを仄めかせる

フィクションは嘘だ。その嘘を通して私たちは真実を語る。

――アルバート・カミュ

普遍的なテーマ

テーマは、人生の、そして人間という存在そのものの反映であるから、普遍的な感情や人類共通の問題をあつかうことが多い。愛、家族、復讐、名誉、悪を打ち負かす正義、どれも世界中で共通の体験だ。お話を語るという行為の歴史の中で、間違いなく成功が実証されたテーマを分類して用途に応じて使えば、脚本家の卵も楽ができるだろう。そのようなテーマは、世代を超えて感情的に響くからだ。そのようなテーマを「別離／再会」、「人間性の危機」、そして「人間関係」の3つに分類してみた。

「別離／再会」というテーマ

別離と再会は、成功した映画によく見られるテーマだ。私たちの帰属意識に訴えて心に響く。親しみや近さを求める気持ち、両親または両親的な存在に依存する心、安心と温かさを求め、受け入れられることを望む心。愛する2人を引き離して最後に再会させる物語は、大体この分類に含まれる。このテーマの中には、次に挙げるような要素も含まれる。

・勝利する負け犬（『ロッキー』、『ベスト・キッド』）

・疎外感と孤独（『市民ケーン』、『タクシードライバー』）
・帰郷（『オズの魔法使』、『アフター・アワーズ』、『コールド マウンテン』）
・人違い（『北北西に進路を取れ』、『デーヴ』）
・死（『普通の人々』、『黄色い老犬』、『愛しい人が眠るまで』）
・精神的病理／狂気（『ビューティフル・マインド』、『シャイン』、『Sybil』［未公開「シビル」］）
・拒否と犯行（『カッコーの巣の上で』、『ブレイブハート』）
・贖罪（『ザ・シークレット・サービス』、『評決』、『許されざる者』）
・成長（『スタンド・バイ・ミー』、『卒業白書』、『ブレックファスト・クラブ』）
・中年の危機（『偶然の旅行者』、『再会の時』、『セールスマンの死』）

「人間性の危機」というテーマ

人が持ち合わせている、人間性を貶めるような暗い側面と対比することで、人として正しい生き方を照らしてくれる物語がある。悪に誘惑される善という形で語られるこの手の物語は、大概は正義が悪に打ち勝って終わる。主人公が悪女の誘惑に負けて悪行を働くというフィルム・ノアールは、その典型だ。その他の要素として次のようなものもある。

・偏見（『ショコラ』、『フィラデルフィア』、『カラーパープル』）
・現代社会による人間性の剥奪（『モダン・タイムス』）
・戦争という地獄（『プラトーン』、『西部戦線異状なし』）
・濡れ衣を着せられる無実の人（『北北西に進路を取れ』、『逃亡者』）

・陰謀（『コンドル』、『影なき狙撃者』）
・絶望と希望（『ショーシャンクの空に』）
・善対悪（『スター・ウォーズ』、『レイダース／失われたアーク《聖櫃》』）
・復讐（『狼よさらば』）
・堕落と野心（『アマデウス』、『市民ケーン』、『スカーフェイス』）
・悪の暗い側面（『セブン』、『ウォール街』、『レイジング・ブル』）
・執着心（『アメリカン・ビューティー』、『危険な情事』）

◎「人間関係」というテーマ

人と人をつなぐ絆で最も強いのは愛情だから、愛情を求める心情は誰にでも理解でき、共感される。当然、ほとんどの映画は、何らかの形でこの強烈なテーマを探求することになる。もし愛情が主題でなければ、なんらかのロマンチックなサブプロットとしてあつかわれることも多い。このテーマは無限に探求され得る複雑さを持つが、一般的なものを挙げると次のようなものがある。

・愛情の獲得（『アパートの鍵貸します』、『恋人たちの予感』、『美女と野獣』）
・愛情の喪失（『アニー・ホール』、『ある愛の詩』、『カサブランカ』）
・利他的な愛（『街の灯』、『フォレスト・ガンプ／一期一会』）
・利己的な愛の悲劇（『イングリッシュ・ペイシェント』、『風とともに去りぬ』、『オセロ』）
・情熱（『ピアノ・レッスン』）

・火遊びの誘惑（『白いドレスの女』、『氷の微笑』、ほとんどのフィルム・ノアール作品）
・友情（『真夜中のカーボーイ』、『リーサル・ウェポン』、『テルマ&ルイーズ』、『E.T.』）
・親の愛（『クレイマー、クレイマー』、『リトルマン・テイト』、『ロレンツォのオイル／命の詩』）
・動物愛（『ワイルド・ブラック／少年の黒い馬』、『フリー・ウィリー』、『黄色い老犬』）

あなたの心に見えているものを見つけ出す

脚本指南の常套句は「知っていることについて書け」だが、「心が反応するものを書け」の方が有効だ。自分が理解できるのは、結局自分の感情でしかないのだから。何かを感じることに言語の壁はない。そこにあるのは感情という共通言語なのだ。感情を翻訳すると素晴らしい文章になる。感情はジャンルも、年齢差も、経済格差も、政治的境界も、飛び越える。感情は普遍的なのだ。ウィリアム・フォークナー曰く「何かを書くなら、人間性について書けばいい。この世でただ1つ、決して古びないものだから」。

自分の内面を覗きこむ

プロの脚本家との会話でよく聞かれたのは、脚本を書き始める前に選んだテーマに対して情熱を持てた方が良いということだった。情熱を持っているかどうか確信が持てないなら、自分の心を覗きこんでみるといい。物書きなら誰でも、何らかの信条があるはずだ。正義、自由、暴力、戦争、愛、等など。その中でもあなたが特に情熱を感じるのはどれだろう。どれに心惹かれるだろう。あなたの興味を掻き立てるのはどれだろう。あなたが執着心を感じるのはどれか。どれに愛情を感じるか。どれを憎み、どれを恐れるのか。どれを信じ、どれに価値を置くか。誰でも選ぶようなものを敢えて選ばず、自分に挑んでみよう。心の奥底を覗き込み、自分が本当に大事だと信じるものを見つけ出すのだ。もし、それでもテーマが見つけられなかったら、「もし人々の考えを変えられるとしたら、何を変えたいか」と自分に質問してみよう。

憤り

ある脚本家が、こう教えてくれた。「テーマというのは、憤る感情から始まるんですよ」。ならば自分に尋ねてみよう。この世界で不公平なものは何か。あなたは何について不公平だと憤っているのか。体の芯まで腹立たしく感じるのは何か。血がたぎるような怒りを覚えるのはどういうときか。あなたの憤りに火を点けるものが、力強いテーマとしてあなたが書く物語の背骨になる可能性は高い。

大事なもののリスト

価値、つまり人生で大切なもの。愛、正義、慈しみ、真実その他諸々。哲学関係の本や、心理学関係の本、または類語辞典等いろいろな文献を漁れば、人生で大事なもののリストを作ることができる。

賢者の図書館

『シュレック』や『パイレーツ・オブ・カリビアン』を書いたテリー・ルッソは、名言を引用した本を集めておくと便利だと教えてくれた。他には格言・金言集、様々な国の諺、詩集、戯曲等もあると良い。読んで、想像力を自由に働かせてみるのだ。

テーマを語らず見せるための9つの技

1 テーマを話の前提ではなく、問いかけにする

テーマが物語の中に立ち上がるようにするための一番簡単な方法。それは、これがテーマだと宣言したりテーマを物語の前提として据えるのではなく、代わりに問いかけとして物語に織り込むことだ。ラーホス・エグリが『ドラマの書き方とその芸術』でそうすると良いと書いて以来、大勢がそうしてきた。『ロミオとジュリエット』のテーマは「愛の偉大さは死すらも超える」という前提で物語を書く代わりに、「愛が乗り越えてしまうものは何だろう?」、または「愛は死にも打ち勝つだろうか?」という問いかけにし、物語が自然とその答えにたどりつくように書く。そうすることで、展開を予測しにくいものにできる。問いかけをして、物語によって感情的に答えを体験できるようにするのだ。

2 テーマを感情で包んで、そこからアイデアを引き出す

感情は人を結びつけ、アイデアは人を分かつ、というのを聞いたことがある。正面切って読者にテーマについて考えさせるのではなく、テーマを感じさせる方が良いというのは、そのような理由による。アイデアを知性的に表しただけでは、ただの論文だ。しかしアイデアを感情で包んでやれば、それはより力強くなり、心に残る。物語を巧みに語るというのは、あなたが表現したい真実を、創造的に、そして感情的に実演するということなのだ。知性的に説明してはいけない。感情的なドラマに仕立て上げるのだ。役に立つ手段として、ある感情を選んだら、その

感情に関連するアイデアを抜き出してみるという手がある。例えば、「怒り」という感情を選んだなら、そこから不正、不公平、虐待といったアイデアが引き出せる。「好奇心」を選んだら、子どもらしい純心の喪失と成長というアイデアと結びつけることもできる。この組み合わせから、キャラクターと場面が生まれ出るはずなのだ。このテクニックを巧みに使って作られたのが『チャイナタウン』だ。脚本家ロバート・タウンによると、この映画のテーマはある1つの感情だった。すべてを理解しているつもりで何もわかっていないという感情。そこから引き出されたアイデアは、神秘、虚偽、堕落、秘密。これがすべて巧みにこの古典的名作に編み込まれている。私立探偵ジャック・ギテスは、捜査中の事件についてすべて理解していると信じているが、実は闇の中にいる。他の登場人物も、実は同じ状況に置かれている。暗い秘密を背負ったエヴリンは、実は父が画策する水道利権を巡る謀略について何も知らない。そしてそのことをエスコバル刑事はもちろん知らない。すべてを裏から操っているはずの黒幕ノア・クロスですら、エヴリンが娘を連れてロサンゼルスから逃げ出そうとしていることは、知らないのだ。

3 主人公の心が求めるもの、そして主人公の変化の過程をテーマにする

あなたが書いた物語が直面する問題を解決するために、主人公が下さなければならない感情的決断は何か。そこにあなたのテーマがある。物語は人間というものの真実を伝えるのだから、そして物語は人間のことを語るのだから、主要な登場人物の内面的変化にテーマを背負わせるのは、誰もが使う手なのだ。もしテーマが贖罪なら、映画の終わりで主人公の罪は償われるのかもしれないし、償われないのかもしれない。どうなるかは、あなたがどういう話を語ろうとしているか次第。もし人の精神の勝利がテーマなら、主人公の内面的な旅路は、敗北から勝利への旅となるはずだ。このテーマの最高の見本の1本は、隠れたロマンチック・コメディの傑作、『恋はデジャ・ブ』だ。

主人公は、自己中心的で、傲慢で、皮肉屋のテレビの天気予報士。この男が呪い(見ようによっては祝福)をかけられて、人生を正しく生きられるようになるまで同じ日を繰り返す羽目になる。その過程で男は酷い目に会い続けるが、少しずつ自分を変える勇気を手にし、やがてまっとうな大人の男に変身する。死ぬような目に会った口惜しさを乗り越えた人は、義を通し、まっとうに生きられるように変わることができるという本質的な人生の真実が、物語の中から浮かび上がる。しかし、脚本家はこのメッセージを前に出すことはせず、あくまで狼狽、絶望、寛容、共感へと変わっていく主人公の成長から焦点を外さない。主人公の内面的な成長を全面に出すことで、この映画のメッセージは説明される代わりに、感情的に心に響くのだ。

4 肯定的なことは主人公を、否定的なものは敵役を介して伝える

テーマを上手に物語に滑り込ませる技として、主人公がたどる道のりにポジティブなものを浮き彫りにさせ、他方、敵役にはその暗い側面を背負わせるという手がある。つまり、主人公と敵役が1つのテーマの両面を背負うのだ。あなたが選んだテーマの陽の側面は、主人公がたどる道のりによって見せ、陰の側面は敵役が見せる。名作『カッコーの巣の上で』は、この手法を有効に駆使している。主人公のマクマーフィーは自由を象徴する一方で、看護師ラチェットは人間の精神を抑圧する者を象徴する。他の映画でも、2人の登場人物が対決する場面では、この技によって両者が対比される。いがみあいでも良いし、酒やコーヒーを飲みながらでも構わない。そのような場面では、「君と私は、よく似ている」といった台詞が使われる。例えば『レイダース／失われたアーク《聖櫃》』では、1杯交わしながらベロックがインディ・ジョーンズに言う。「君と私はとても良く似ている。君も私も考古学を神と崇めている。しかし、君も私も純粋な信仰の道からは外れてしまった。君のやり方は私のとは違うと思いたいようだが、

そうでもない。私は君の影なのだよ。ちょっと背中を押してやれば、光から外れて君も私と同じになる」。映画のクライマックスで、ベロックが聖櫃の蓋を開けたとき、この物語のテーマは確たるものになる。インディはマリオンに「見るな！　目を開けちゃ駄目だ、マリオン！　何があっても見るな！」と言う一方で、執着心丸出しのベロックは聖櫃が発する光の美しさに魅入る。そして悪役たちは炎に焼かれ、ナチスの兵士たちは神聖な力を弄んだ罰を受けて消滅する。超自然の力に対する畏敬の念を失わなかったインディとマリオンだけが、生き残るのである。

5 サブプロットを通してテーマを伝える

主人公がたどる内面的な成長または変化の道のり、つまりキャラクターのアークと呼ばれるものがある。サブプロットは、この変化の道のりで表現されることが多い。しかし、変化の道のり以外のサブプロットによってようまくテーマを表せることもある。例えば『トッツィー』という、アメリカ社会におけるジェンダーの役割をあつかった映画がある。1人の男が、女として生きることでより良い男になるという話だ。主人公マイケルは、ドロシーという女性に化けて暮らす羽目になり、男たちからありとあらゆる差別的なあつかいを受ける。この作品が、数多のロマンチック・コメディと一線を画している理由として、そのテーマの普遍性とともに、5つの巧みなサブプロットが挙げられる。それぞれのサブプロットによって、いろいろな登場人物が女性に対してとる違った反応を表現しているのだ。主人公マイケルのサブプロットでは、彼がガールフレンドのサンディをあしらう様が、そして本命のジュリーのあつかい方が描かれる。そして男性優位主義者の医者のサブプロット、ドロシーと結婚を望むジュリーのやもめの父のサブプロット、そして、ドロシーを口説き続ける番組の主演男優のサブプロットがある。それぞれのサブプロットが、1つのテーマの様々な側面を描き出しているのだ。

6 複数の登場人物にテーマの一部を背負わせる

『トッツィー』は、それぞれのサブプロットを登場人物が1人ずつ背負っているので、登場人物にテーマの一部を背負わせるという技の最高の見本でもある。しかし、この技はサブプロットがない物語、またはサブプロットがテーマを伝えるのに適していない場合でも使える。つまり、主役以外の登場人物に、それぞれテーマの一部を背負ってもらうのだ。登場人物が多いほどテーマに向ける視点も増え、テーマそのものも深まっていく。権力というテーマをあつかった『ゴッドファーザー』では、この技が巧く使われている。麻薬売買によってマフィアの商売が変わってしまった今も、ヴィトー・コルレオーネは権力を維持したい。マイケルは、当初は権力を忌避していたが、やがて誘惑に負けるように権力を受け入れる。そして、ソニーは権力を手にするが、制御できずに自滅する。

7 伝えたい真実に負けない力強い反論を提示する

素人がやってしまいがちなのは、伝えたいメッセージのことを考えすぎるあまり、一方的で偏ったものにしてしまい、結果として説教にしてしまうということだ。この欠陥を直すには、そして伝えたい真実をよりパワフルに提示するためには、真実を伝えるのと同じくらいの熱量でその真実の反対を提示することだ。そうすればつり合いが取れる。テーマの陽の側面を描く場面と陰の側面を描く場面を用意し、さらにテーマを様々な視点から見られるようにする。それぞれ、同じように興味深く伝えようとすることを忘れずに。『ドゥ・ザ・ライト・シング』でスパイク・リー監督は、人種差別の持つ複雑さを見事に表していた。決して単純な答えを出さずに、多様な視点を維持した。主役も敵役も正しいというテーマをあつかえば、それは『クレイマー、クレイマー』のようにドラマチックになる。物語の主人公は父親で、息子との時間を過ごすのも彼なので、観客は父親に肩入れするが、母親にも共感する。それぞれ、興味深い言い分があるからだ。

8 テーマを会話に織り込む

会話で間接的にテーマに言及するのも、よく使われる技だ。しかし何度も言うが、あまり直接的にならないように気をつけなければいけない。場面の状況に対して不自然でなければ問題はない。会話そのものではっきり伝えるよりも、サブプロットの中で巧く仄めかせれば、それが一番良い。この技は『カサブランカ』の主人公リックの「他人事に首を突っ込むのはご免だよ」という台詞で巧く使われている。この台詞が節々で使われることで、孤立主義対利他主義という映画全体のテーマが、その都度強化されるようになっている。『サンセット大通り』でも、テーマを孕んだ見事な台詞がある。自己欺瞞、自己愛、名声、貪欲、そして精神的空虚というのがこの映画のテーマだが、主人公ノーマ・デズモンドとジョー・ギリスの間で交わされる名場面にそのすべてが集約される。「あなたは無声映画女優だったノーマ・デズモンドさんですよね？　昔は大スタアだった」。「今でも大スタアよ。小さくなったのは映画の方」。台詞が新鮮で、鼻につかなければ、このように会話でテーマを伝えることもできるのだ（「鼻につく台詞」についてはChapter9の台詞の章で改めて解説する）。

9 テーマをイメージ、ライトモティーフ、または色彩で伝える

映画は視覚的なメディアなので、脚本家は視覚的な象徴を好んで使う。物、イメージ、色彩といったものを使って、さり気なくテーマを見せるのだ。会話の中でテーマを語ってしまうのはやり過ぎだと思ったら、例えば『白いドレスの女』を書いたローレンス・キャスダンのように、イメージを通してテーマを表してみると良い。炎と熱が、暴

走する情熱の象徴として巧みに使われた。テーマ性を孕んだイメージは観客が最初に体験するものとして、オープニングのシークエンスで用意されることが多い。『市民ケーン』のガラスの置物。『お熱いのがお好き』の密造酒を霊柩車で運び出す場面。『羊たちの沈黙』の障害物コース。『恋はデジャ・ブ』の流れる雲。『レイジング・ブル』の拳。テーマを強調するために、脚本を通して関連性のあるイメージを繰り返すという技もある。この技は「ライトモティーフ」と呼ばれるが、「ある登場人物や状況が再登場したことを表すフレーズ」を意味する音楽用語だ。だから脚本におけるライトモティーフも、テーマだけでなく、人物、状況、そしてアイデアが登場する度に使うことができる。その見事な用例が『チャイナタウン』に見られる。水に関する利権が主題であるこの映画には、急流、海、池等、繰り返し水に関係するイメージが出てくる。溺れる人や、水利権にまつわる汚職等、プロットも水に関係し、「あいつは頭に水が貯まってるんだ」といった具合に台詞には反映される。アジア文化の一部では、水は女性、豊穣、愛、さらに障害を象徴し、これも『チャイナタウン』の重要な主題となっている。水利権という政治的な物語と、近親相姦という個人的な物語が見事に並列されて存在しているのだ。

色彩も使える道具だ。赤は情熱、興奮、欲望を象徴する一方、青は平静、信頼、落胆を象徴し得る。黒は死、権力、神秘を、白は生命、純粋、単純を象徴する。『アメリカン・ビューティー』は、一見すると整然とした郊外の綺麗な佇まいの裏に巣食う、抑圧された欲望と耐え難い不安を探求する物語だが、そこに常に赤という色彩が配置されるのは、もちろん偶然ではない。

実例：テーマ創りの脚本術

　ここでは、映画を1本取り上げて、その中にいかに巧みにテーマが浮き上がる仕掛けが施されているか見てみよう。取り上げるのは『羊たちの沈黙』。テーマ性に富んだこの物語は、最低でも3つの主要テーマをサスペンス・スリラーという型の中に見事に織り込んでいる。まずタイトルが示唆するように、この物語は「泣き叫ぶ子羊」を沈黙させるために何をしなければならないか、つまり、過去のトラウマを乗り越え、内なる悪魔を沈黙させるために人は何をするのかという物語だ。このテーマは、主人公のクラリスがレクター博士を信用してバッファロー・ビル逮捕に協力してもらうというストーリーライン、つまり全体を紡ぐいくつかの物語の内の1本の中で明らかになる。お互いが見返りの情報を提供し合う場面、クラリスの父の死にまつわる回想の場面だ。一連の場面によってレクターはクラリスの過去を貪っていく。そしてレクターの台詞によって、テーマが強調される。「今でも、真夜中に目が覚めるんだろう？　暗闇の中で、子羊の叫び声で目を覚ますことがあるんだろう？　もしキャサリンを助けることができたら、二度と再びあの恐ろしい羊たちの叫び声で目を覚ますこともないと思ったのだね」。

　『羊たちの沈黙』は、変身の物語でもある。それは、バッファロー・ビルが蒐集する骸骨蛾［メンガタスズメ］に、そして女性になりたいという彼自身の願望に象徴される。彼は殺した女性の皮膚で作った新しい体によって身体的に変容することで、自己嫌悪から逃避したいと願っているのだ。ＦＢＩという男社会で自分の能力を証明することで過去を振り切ろうとするクラリスを通じても、変身のテーマは明らかになる。チルトン博士の拷問から脱出しようと足掻くレクターは、最後には自由を獲得するが、これもある種の変身を仄めかす。

最後に、この作品は男性が女性に対して秘かに加える性的な重圧についても彫り下げている。このテーマはいたるところで仄めかされている。冒頭、クラリスがチルトン博士に会うために障害物コースから呼び出される場面から、それはすでに始まっている。エレベーターに乗れば、小柄なクラリスは自分より30センチも背の高い屈強な男たちに威圧的に囲まれる。男たちは赤いシャツを着ている中でクラリスだけ地味な青っぽいグレーのスウェットを着ていることで、彼女の矮小感はさらに強調される。この対比は、もちろん偶然ではない。この視覚表現は繰り返される。最初の犠牲者を見に行った町では、保安官代理の男たちの視線を浴びながら囲まれる。男性優位な環境の中にいるクラリスという図式は、レクターの監房を囲むガラスの壁によっても強調される。レクターが収監されたメンフィスの檻、そしてクライマックスの真っ暗な地下室も同様に機能する。他にも、FBIでの訓練中に男性の同僚が殴るパンチバッグを押さえようと翻弄される場面、女性のルームメイトと2人でジョギングしていると、通り過ぎた男たちが一斉に振り向いて2人のお尻を眺める場面が、同様の効果を持つ。クラリスは劇中登場する男性ほぼ全員から、嫌らしい目つきで見られ、子どもあつかいされ、不当なあつかいを受け、それに耐え続けなければならない。チルトン博士のナンパを仕事だからと断ると、チルトンは怒り、クラリスに向かって「女性の武器を使ってレクターを誘惑したらどうだ」とまくし立てる。レクターはクロフォード［クラリスの上司］がクラリスに気があると勘繰り、レクターの監房に到着したときにクラリスを物あつかいしたミグスは、帰り際のクラリスに自らの精液を投げつける。頼りなさそうな昆虫学者は、髑髏蛾のことを調べるクラリスをデートに誘おうとする。そしてクライマックスの地下室の暗闇では、バッファロー・ビルが暗視ゴーグルの緑の視界の中でクラリスの顔や髪を指で撫でまわさんとばかりに接近する。緑という色彩は、新しい訪れと豊穣の象徴であると同時に、嫉妬の象徴でもある［英語で緑の目の怪物＝嫉妬深い人］。ここでは、バッファロー・ビルが殺す女性に嫉妬の感情を抱くので適切だ。

そして最後にはクラリスが、男性の助けなしで犯人を倒す。この緊張感溢れる場面は、蝶の意匠の吊り飾りのアップで終わり、次の場面はＦＢＩ訓練生の卒業式だ。蝶も卒業式も、変身を象徴している。映画は変身を遂げたレクター（囚われの身から自由へ）が、品性下劣なチルトン博士に変身を促す（生きている人間から死んだ食事へ）場面で終わる。

このような細部がなくても、ＦＢＩ訓練生が連続殺人犯を追い詰めるという話は成立するのだが、まさにこの細部によってこの力強い物語には深みが与えられ、心に深く残る普遍性によって、この作品は百般のスリラーとは一線を画す、アカデミー作品賞映画となったのだ。

さて、これで独創的なコンセプトと、物語を通して伝えたい意義深いテーマが理解できた。次は登場人物を創造する番だ。読者はキャラクターに共感することで自分と物語を繋げるのだ。早速、キャラクター創造の技を見てみよう。

CHAPTER 4

CHARACTER:
CAPTIVATING EMPATHY

キャラクター

共感を掴む

ともかく大事なのは、どうでもいいとお客さんに思わせないようにすること。

——フランク・キャプラ

キャラクター、つまり登場人物。物語を語るということにおいて、それ以上に大事なものは存在しない。キャラクターのないところには、物語もない。受け手にとって大切なのは何が起きているかではなくて、それが誰に起きているかということだ。誰かが問題を解決して、求めていたものを手にするのを見たくて、人は映画を観に行くのだ。私たちは登場人物によって泣かされ、笑わせられるのであって、プロットではない。なのに、大勢の脚本家がプロットや構成にばかり気を取られて、せっかく物語を創ったのに、その世界の住人のことはお留守にしてしまうのだ。ジャンルや主題は関係ない。キャラクターがどういう人たちで、物語の中でどのような経験をして、どのように変わるのか。それこそが、脚本に命を与えるのだ。キャラクターがすべてなのだ。なぜなら、キャラクターに対する関心が失われた瞬間、物語に対する関心も失われてしまうからだ。

脚本を売るという観点からも、素晴らしいキャラクターを創造することは重要だ。俳優に出演したいと思わせることができれば、あなたの脚本にゴーサインが出て、映画として制作される可能性も高くなる。スタジオもスターの気を引ける役柄を探しているので、そういう点からも良いキャラクターはポイントが高い。

基本：キャラクターについて知っておくべきこと

キャラクター造型に際して誰もが使う手法は、「フランケンシュタイン法」と呼ばれる方法論、つまりキャラクター特性のチャートから選び出した解を繋ぎ合わせて人物を創り出すのだ。チャートを手に、身体的特徴、社会的特徴、心理的特徴といった属性を書き入れていく。年齢は？　身長は？　職業は？　好き嫌いは？　名前をチェック、出身地もチェック、趣味もチェックという具合。

悪いというわけではないが、このやり方で創ったキャラクターをページの上で生き生きさせるのは結構難しい。問題は、ページ上で生き生きしていなければ話にならないということだ。確かに、場面を書く前に白紙からキャラクターを創り上げて、その人のことを良く知っておけば助かるかもしれない。だからといって、そうして創られたキャラクターに、共感しやすくなるわけでも同情しやすくなるわけでもない。しかし感情移入させ、同情させなければ、脚本を読む人の関心を最後まで繋ぎとめておくことはできない。

脚本家は、キャラクターと読者の心を繋ぐ絆作りに全精力を注ぐべきなのだ。これを、キャラクターについていろいろ説明せずにやる方法は、後ほど技法の説明の項でゆっくり解説するとして、まず白紙からキャラクターを創り上げるより簡単な方法を教えよう。脚本にキャラクターを登場させて読者の心と繋げるためには、何しろまずキャラクターを創らなければならない。フランケンシュタイン法も役に立つが、時間がかかりすぎる。だから、締切りに追われる脚本家なら、キャラクターの本質だけに集中する。それを知るには、5つの問いに答えるだけで良い。それだけでちゃんとしたキャラクターが造型できるので、やってみよう。

キャラクター造型に必要な5つの質問

次の5つの質問に答えるだけで、素晴らしい物語の種を手にすることができる。1つずつ詳細に見ていこう。

1 この物語の主役は誰か（タイプ、特徴、価値観、欠点）

最初のステップは、主役が誰か決めること。まだ誰の物語を書いているか掴みかねているのなら、その物語の中で一番大変な目に遭う人が誰か考えてみれば良い。一番苦しむのは誰か。一番感情的なのは。一番物語から学ぶ羽目になるのは、そして学んだ結果、変わるのは誰か。あるいは、観客はどの登場人物の視点から物語を経験するのか、考えてみる。

主人公の4つの型と、それぞれの型にあった感情

主役が誰かわかったら、そのキャラクターが次のどの型に当てはまるか考えてみる。「英雄」、「普通の人」、「負け犬」、「罪深き者」の4つ。どの型も、それぞれ自動的に共感の感情を掻き立てるので、注意して選ぶこと。

「英雄」型の主人公は、読者に対して優位に立ち、読者に尊敬の念を抱かせる。完璧な人間ではないかもしれないが、自分の能力に自信があり、迷わず行動を起こす。相反する感情に悩んだり、自分を疑ったりもしない。読者は英雄型のキャラクターを見て「私と同じだ」と思うのではなく、あんな風になりたいと憧れるのだ。実はあなたも、こんな風になれるかもしれないというファンタジーを、読む人に味あわせてやれるのだ。例えばスーパーマンやスパイダーマンのようなスーパーヒーロー（2人とも仮の姿は「普通の人」だ）。インディ・ジョーンズ、ジェームズ・ボンド、シャーロック・ホームズも憧れの対象だ。

「普通の人」型の主人公は、読者と対等の関係を持つ。読者はこの型の主役に自分を映し見るので、共感が発生する。主役の欲求に共感し、主役が必要としているものも理解できる。普通の人型のキャラクターは、自分に対する疑念や、限界、行く手を阻む障害を乗り越えようと苦闘する。アルフレッド・ヒッチコックのキャリアは、この型のキャラ

クターによって築かれた。異常な状況に置かれた普通の人の物語だ。それ以外の例として、『ダイ・ハード』のジョン・マクレーン、『白いドレスの女』のネッド・ラシーン、『お熱いのがお好き』のジョーとジェリー、『E.T.』のエリオットがある。主人公を普通の人にするときは、必ずどこかユニークで、複雑さを伴った人格にすること。

「負け犬」型の主人公は、読者に対して下位に立つ。ヒーローらしからぬヒーローであり、運が悪い。敵対する勢力に対して勝ち目がなく、どうしていいかわからない。だから、読者はそのような主人公を守ってあげなければと思う。物語が展開するにつれ、助け舟を出したり、慰めてやりたいと思うのだ。負け犬型の主人公は、読者に次の3つの感情を巻き起こすので、心を掴みやすい。まず同情。自己肯定感が低く、身体的、社会的、精神的に恵まれない等、成功に必要な資質に乏しいので、同情を買いやすい。次は賞賛。困難や障害にめげずに勝利を手にし、自分の人生を切り拓こうとする姿が、称賛を呼ぶ。最後に緊迫感。挑戦はしたものの成功する保証はない。失敗する確率の方が高い。大丈夫なのか？ どうするつもりだ？ と思ってもらいやすい。『ロッキー』、『フォレスト・ガンプ／一期一会』、『ベスト・キッド』、『赤ちゃん泥棒』、『エレファント・マン』、『マイ・レフトフット』、そして『ターミネーター』のサラ・コナーもこの型に当てはまる。

「罪深き者」型の主人公は、アンチ・ヒーローという呼び名でも知られており、読者とは正反対のタイプだ。行ってはいけない方向に曲がり、行ってはいけない道を選ぶキャラクターだ。道徳的に問題があり、人間性の暗い側面を代表するような人物。誰でも暗い部分を垣間見たいと思っているので、このようなキャラクターは魅力的に映る。悪いことでも平気でやり、道徳に反発する勇気に憧れるのかもしれない。だからこそ、俳優たちはこのような欠点のあるキャラクター、特に悪役を演じる喜びを、恥ずかしそうに認めるのだろう。この型のキャラクターは、簡単に好きになれるような相手ではないので、読者が理解できるような人にした方が良い。あるいは、何か尊敬に値する特徴を与えると良い。例えば、知性的である、強い動機を持っている、あるいは八方塞がりである。または、並はずれて肯定的な価値観、例えば『ゴッドファーザー』のように強い家族の絆、『真夜中のカーボーイ』の登場人物のように義理堅い、情熱的な『アマデウス』等だ。他には、『俺たちに明日はない』、『レイジング・ブル』、『市民ケーン』、『タクシードライバー』等の登場人物がこの型にあてはまる。

特徴

主人公の型が決まったら、今度は特徴を考える。そのキャラクターを、そのキャラクターらしくしている特徴が多いか少ないかは、あなたが決めることだ。しかし、1つだけということはないだろう。平面的な人に感情移入するのは不可能だ。人の心には感情的、心理的、知的な層があって立体的だ。特徴が1つか2つしかない人なんて、線と丸で書いた落書きのようなものにしかならない。主人公である以上、いろいろな特徴を持っていることが多い。できれば、陰、陽、中間と取り混ぜた特徴があるのが望ましい。善だけ、または悪だけというキャラクターでは現実味がないし、つまらない。

価値観

素人の脚本によく見られる問題は、登場人物の話し方が全員同じに聞こえ、全員同じことをするように見えるということだ。個性を確立してやることが、解決の道だ。その人なりの物の見方、信条、態度、そして価値観を、それぞれのキャラクターに与える。それを各キャラクターの言動を通して見せるのだ。例えば『ウォール街』では、ゴードン・ゲッコーの金に対する態度に彼の価値観が現れる。「貪欲は善」、この態度がゲッコーというキャラクターを突き動かし、物語を前に進めるのだ。

欠点

巷の脚本指南書やセミナーによると、主人公は人に好かれるタイプにするべきだということだが、別に完璧な人間じゃなければいけないということではない。完璧な人間など存在しない。完璧なキャラクターでは信憑性がないし、観客も感情移入できない。親戚でも、恋人でも、友人でもいいので、身近な人を思い浮かべてみて欲しい。みんな良い人だし、良いところはたくさんあり、嫌う理由は特にない。でも完璧なわけではない。頭にくるようなことをしたり言ったりするが、それでも好きなわけだ。欠点があっても大好きな親戚というのがあり得るなら、完璧とはいえないキャラクターを好きになる観客というのも、多いにあり得るわけだ。欠点といえば負の特徴ということになる。恐れ、客観性の欠如、不満、心に受けた傷、その他の感情的な問題。こういったものがキャラクターに彩りを与え、立体的な幅と深みを与え、より人間らしくする。観客は、欠点のあるキャラクターを見て、一体どうやって問題に打ち勝つのだろうと心配する。そこに緊張感が生まれ、観客の心に訴える力も強くなる。欠点を乗り越えようと格闘する姿から、感情的に突き動かされるような瞬間が生まれるのだ。

2 何を求めているのか（欲求と目標）

「それが欲しい」という気持ちが、脚本を引っ張っていく。欲求こそが物語の背骨。手に入れたい気持ちを阻むすべてのものが対立や確執を生み、感情を湧き上がらせる。どんな物語も、必ず何かを手に入れたいと思っている人について書かれている。ゴール、つまり手に入れたいものや目標がなければ、物語は成立しない。『華氏

４５１』のレイ・ブラッドベリーも、物語を書くということについて言っている。「まず主人公が何を求めているか見極めます。それさえできたら、彼の後ろをついて行くだけで良いのです！」何も求めていないキャラクターには、興味が持てない。目的も持たずにうろうろする主人公。そんな脚本を読まされた下読みさんはうんざりして、そんな脚本は紙リサイクルのごみ箱に直行だ。

そのキャラクターにとって大事なら、目標は何でも構わない。対立を解決すること。決断すること。挑戦を受け入れること。謎を解くこと。障害を克服すること。ただし、映画というのは視覚的なメディアなので、目標は手にとれるようなもの、抽象的ではなく具体的なものが良い。手に入れたことが目で見て確認できる目標。複雑なプロットを潜り抜けてまでも手に入れたいと思わせるような、緊急性を伴う目標が良い。主人公の目標が見えなかったら、または目標が多すぎてどれが一番大切かわかりにくかったりしたら、脚本の力が半減してしまう。

３ なぜ求めているのか（動機と必要性）

何を求めているかだけではなく、どうしてそれを求めているのか。読者は当然そのことを理解したい。どんな行動も、何らかの動機に基づいている。動機は、私たちを突き動かす心のエンジンなのだ。あらゆる行動の理由として、動機がある。キャラクターがなぜそのような行動をとるのか腑に落ちたとき、あなたの脚本は読む人に深い満足を与える。それが物語の途中でも最後でも、同じことだ。

動機は、そのキャラクターにとって深い意味を持つ何かから発生する。そのキャラクターの態度、信条、感じ方、必要とするものが根源にあり、愛する者を救う（『ダイ・ハード』）、組織的陰謀に立ち向かう（『シルクウッド』）、過去の罪を贖う（『評決』、『許されざる者』）といった行動が生まれるのだ。

このとき大事なのは、その動機を感情移入する価値のあるものにするということだ。つまり、ただ金欲しさに銀行を襲うキャラクターには、観客は共感できない。しかし、『狼たちの午後』のように愛する者の手術費用を工面するためなら、共感できるし感情移入もできる。その行動自体に同意できるかどうかは、別の話だ。

このように、人の心の動きを掘り下げることが必要になるので、脚本家になりたければ、普段から人間行動を鋭く観察する眼を養うことが重要なのだ。動機と必要性ということを手っ取り早く理解したい人は、マズローの欲求段階説をおさらいすると良い。心理学者のアブラハム・マズローの定義によると、私たちを行動に駆り立てる欲求、必要なものを求める欲求には階層があり、阻まれると幸福が遠のくというわけだ。その中には**生存と安全**（ほとんどのスリラーはこの動機を原動力にしている。世界を救う系の夏休み拡大公開大作映画も同じ）、**愛情**（ロマンチック・コメディやロマンスもの）、**集団への所属、承認、自尊心**（成長の物語や負け犬の物語）、**好奇心と理解**（ミステリー）等の欲求が挙げられる。

例外もあるが、欲求と必要は必ずしも同じではない。この違いを押さえておくのは重要だ。「あれが必要だ」と思っていても、実際に必要とは限らないのだ。復讐しなければいけないと思い込んでいるキャラクターがいるとする。しかし、本当に必要とされているのは、過去の傷を癒すことなのかもしれない。『羊たちの沈黙』では、クラリスが望んでいるのはバッファロー・ビルに誘拐された女性を救出することだが（欲求）、クラリスが本当に必要としているのは、過去の傷を象徴する子羊たちの叫びを沈黙させることなのだ。

実は、キャラクターが必要とするものが目標と折り合わなくなった方が、物語は面白くなる。「あれが欲しい」と思う気持ちと、「こうせずにはいられない」という気持ちにズレが生じて板ばさみになった方が面白い。例えば、『お熱いのがお好き』のシュガーは、金持ちと結婚したいという目標に真実の愛を阻まれる。『恋愛小説家』のメルヴィンは愛に飢える気持ちと、誰にも構われたくないという欲求の板ばさみになる。手に入れたいものと必要なものにずれが生じたことで、そのキャラクターは難しい決断を迫られ結果として内面的成長を経験する。そして観客や読者の心を掴む瞬間を生み出すのだ。慣例的には、本当に必要なものを捨てて目標に手を出したら、悲しい結末を迎えることになっている。それが悲劇の構造なのだ。反対に、目標を捨てて本当に必要なものを選んだら、ハッピーエンドだ。

4 失敗したらどうなるか（代償の大きさ）

主人公が手に入れたいものとその理由がわかったところで、今度は行動の代償について考える。代償、つまり何を得るのか、または失うのか。失敗したらどうなってしまうのか。成功したら何が変わるのか。ハリウッドではこの代償のことを「死の二択（dreadful alternative）」と呼ぶ。つまり、定めた目標に手が届かなかったら、ひどいことが待ち構えているということだ。これは負の代償だ。負の代償を考えるときに、次のような問いが考えられる。どれほど絶望的に目標を手にする必要があるのか。目標を手にするためにどこまでする覚悟があるのか。どんな危険を冒してもいいと考えているのか。目標を手にするのに十分な情熱は不可欠だ。物語中に仕掛けられた数々の障害を乗り越えてでも目標を手にしたいというのでなければ、読まされる方はかなわない。『フェノミナン』や『フォーガットン』を書いたジェラルド・デピーゴが『脚本を書くための101の習慣』で言っている。「自分で脚本を書き始める時も、人に読んでくれと頼まれる時も、いつも最初にこう考えます『負けたら失うものは何だろう？』それを見失ったら、お客さんも失いますよ。〝何を失うか〟ということを決めたら、今度はそれをストーリーの展開に合わせてもっと難しい賭けにする仕掛けが必要です。もしお話の途中で登場人物が皆で楽しく打ち解けていたりしたら、観客がついてくると思いますか？」。

代償は何でもあり得る。世界規模の代償もあり得る。つまり物語の中心的な問題が世界を巻き込むようなものかもしれない。左右されるのはある集団だけかもしれないし、主人公だけに影響する個人的なものかもしれない。例えば『レイダース／失われたアーク《聖櫃》』の場合、ナチスの世界征服という世界規模の代償がある一方で、インディが払う個人的代償は自分の命と愛するマリオンということになる。このように、人間関係にまつわる代償ならば、より心を動かしやすい。『カサブランカ』、『北北西に進路を取れ』、『チャイナタウン』等、クライマックスで主人公が気にかけているキャラクターの運命が決まるという映画がたくさんあるのは、そのためだ。

行動の帰結に何らかの代償がなければ、主人公が問題を解決するかどうかということに、脚本の読者が関心を持てない。感情的に巻き込まれることなく、淡々と知的に文章を読むだけになる。払う代償が感情的であるほど、読者は主人公の行動の帰結が気になり、目標達成を応援したくなる。問題を解決できなかった場合すべてを失うのでなければ、その物語はまだ甘いということだ。「私の場合、ロープの端にぎりぎりしがみついている人の話しか書きません」とスタンリー・エルキンが言ったのは、そういうことなのだ。

ここで、主人公の行動に関する重要なポイントに気づく。主人公は待っていてはいけない。行動しなければならない。何かに反応するだけの主人公は嫌がられる傾向がある。仮に素人が『逃亡者』を書いてみたとしよう。ジェラード捜査官の追跡に反応するだけのキンブル医師。片腕の男を見つけて無実を証明しようとしない、受け身の主人公。それでは、単調な捕り物になってしまい、心を揺さぶるようなドラマが生まれない。好まれるのは行動を起こすキャラクター。何かを待って反応するだけでなく、物事を前に進めるキャラクターだ。『羊たちの沈黙』のレクター博士はまさに行動の人だ。劇中ほとんどの時間を拘束されて過ごすレクターだが、バッファロー・ビル逮捕の手助けをするだけでなく、クラリスの真意を探り、言いくるめ、過去と対峙するように挑発する。年がら年中動き回っている必要はないが、物語の中で提示された問題は解決しなければならない。『北北西に進路を取れ』の主人公ソーンヒルのように、最初はスパイに間違われてひたすら反応するだけでも、自分で動いて謎を解決し始め、最後にはイヴを救出するのだ。

5 どのように変わるのか（内面的変化の軌跡）

キャラクター造型の最後の鍵は、「アーク」と呼ばれるものだ。キャラクターが物語を通して、感情的にどのように変わるかという足取り、それがアークだ。絶対に内面的変化がなければいけないというわけではない（探偵ものやスパイ・スリラーの主人公は滅多に変わらない）。しかし、あなたが書く脚本の主人公に何らかの変化を経験させることをお勧めする。主人公が経験する変化は、内面的な欲求を満たすことや、目標達成の邪魔になる自虐的な欠点の克服であることが多い。変化は、身体的でもあり得るし、行動、心理、感情のどの形をとって表れても構わない。内面的変化には次のようなことが含まれる。心の傷を癒すこと。間違った考え方や行動が他者を傷つけていたという悟り。能力を余すことなく発揮すること。そして、自分の人生をより良くするための重要な気づき。キャラクターが変わろうと奮闘することで、あなたの脚本は力強くなる。より意義深くなる。そして感情的に高揚する体験になる。だから、スタジオの重役はいつも「アーク」の話をするのだ。この物語の主人公は、どういう足取りをたどって変わっていくんだ？　変わり方が緩やかすぎないか？　急激すぎないか？　大袈裟すぎないか？　微細すぎないか？　速すぎて、嘘くさくないか？　もっとゆっくりさせた方がリアルじゃないのか？

私たちは、なぜ変わるキャラクターに惹かれるのだろう。変化は興味を引くが、無変化は退屈だ。変わるキャラクターがいれば、物語も変化に富む。脚本を読む人の好奇心も刺激される。果たしてこのキャラクターは変わるだろうかと、期待するようになる。どのように変わるか楽しみになる。変わるのは簡単ではない。変化にはストレスが伴う。だから変わろうとすれば対立の種になる。変わるキャラクターがいる脚本は、読む価値がある脚本だと言える。それは、変わらなければならないほど重要な何かが起きる物語だからだ。誰でも欠点があることはわかっており、それを克服して変わりたいと願っている。でもどうしていいかわからない。だから架空のキャラクターが変わるのを見ることで、どうやって変わり得るか習うことができる。人として成長するために必要な洞察が得られるのだ。私も変われるかもしれないという希望をもらえるのだ。

キャラクターの技巧：キャラクターとの絆

キャラクター造型のための5つの問いに答えることで、あなたの脚本は大きく一歩前進したと言える。でも、それだけで読者の心を動かせるような立体的なキャラクターになったというわけではない。しかし、ここで造型をやめてしまう初心者は多い。キャラクター造型について書かれた本が、これ以上説明してくれないからだ。所詮、キャラクターというものは紙に書かれた言葉にすぎない。名前、説明、動作と台詞、それだけだ。そのキャラクターがページの外に飛び出して、読む人の心と絆を結ぶようにするのは一仕事だ。読む人の感情的反応を引き出すためには、あなたが書いたキャラクターの特徴、欠点、欲求、動機、変化の足取りがすべてページの上で明らかになっていなければならない。主役には共感を、敵役には反感を抱かせたいなら、つまりあなたが望む感情的反応を読者に起こしたいなら、まず読者の心とキャラクターを繋げなければならない。脚本家がキャラクターの個性を明らかにしていく方法と、読者がそのキャラクターと感情的に繋がる方法。これからこの2つの本質的な方法を掘り下げていく。

キャラクターとその変化を見せる

キャラクターの正体を現していく。脚本執筆のすべてがこれにかかっていると言ってもいい。プロデューサー、俳優、エージェント、それぞれどんな脚本を探しているかと聞かれれば、全員「キャラクターが跳び出してくるような脚本」と答えるだろう。

キャラクターの人格や個性を見せる

わくわくするような方法でキャラクターを導入できるかどうか。それが脚本執筆の最大の難関だろう。そのときに従うべき究極の法則は、「語るな、見せろ」だ。前項の5つの問いに答えてキャラクターを造型しただけでは、まだ道の途中なのだ。創り上げたキャラクターの特徴や、欠点、目標、支払うべき代償を、行動と台詞を通してドラマ仕立てで表してやらなければ、読者にとって意味を持たない。

脚本を読む人が、キャラクターの言動を通してそのキャラクターの感情を体験できるようにするのが、脚本家の仕事だ。そうなるように一連の出来事を考案していくのだ。キャラクターが感じていること［「怒る」とか］を書いて読ませてはいけない。キャラクターが何らかの選択や決断をするように仕向け、それによってそのキャラクターの思考の過程を見せるのだ。何を考えたか文字で説明してはいけない。そうするといわゆる「鼻につく台詞」になってしまう（Chapter 9で詳しく解説）。『タクシードライバー』を例にとってみよう。トラヴィス・ビックルという心理的に崖っぷちにいる男の抱える疎外感を表現するために、脚本家のポール・シュレーダーは「疎外感を感じている」とは説明しない。代わりに、トラヴィスが鏡に映った自分に「俺に用か？」と喧嘩を売る場面を書いたのだ。

つまり大切なのは、あるキャラクターが持っている特性の中でも、特に物語に関係あるものを選んで見せるということになる。その際、知り合いの職業脚本家たちは、「2行の対応表」と呼ばれる技を使う。1枚の紙に線を引き、横2行の表を作る。1行目には「私がこのキャラクターについて知っていること」と見出しをつける。その下に、主な特徴その他を書きこんでいく。隣の行には「見せ方」と見出しをつけ、最初の行に羅列された特徴をどのようにドラマとして見せるか書き込んでいくのだ。ここで初めて、脚本家としての創造性が発揮され、そのキャラクターに独自の個性が付加されていく。例えば「知っていること」の行に「ケチ」と書いたとする。対応する隣の「見せ方」の行には「紙皿を洗って再使用。紙ナプキンもきれいに畳んで再使用」と書く。キャラクターの行動が、ケチである彼の特徴を表すわけだ。キャラクターの個性を表す手段として行動で見せることが一番多いが、もちろんそれだけではない。

キャラクターの人格や個性をページ上で見せる6つの方法

1 人物紹介と名前

「ジョン・スミス（30）魅力的」。初心者は、人物紹介と名前という簡単な道具の存在を無視して、キャラクターの紹介を名前と年齢と外見だけで済ませてしまうことが多い。しかし、このカビの生えた手法では個性がなさすぎて、独創的なキャラクターとして読者の心に顔が浮かぶことはない。脚本を読む人は、紹介されたキャラクターの内側を垣間見たいのだ。「魅力的」などという言葉は、キャラクターの個性について何も言及していない。でも、脚本家がちょっと手を加えれば、改善の余地はある。アラン・ボールが『アメリカン・ビューティー』の脚本でキャラクターをどう紹介したか見てみよう。「リッキー・フィッツ、18歳とは思えない年老いた目をしている。禅的な静かさの奥には、傷が疼いている。触ると危ない傷が」。短くても適切な文章によって、リッキーというキャラクターの外見も、人格も、内面的葛藤まで目に浮かぶ。

名前そのものも重要だ。名前が相手に想起させる力を甘く見てはいけない。ブラインド・デート［知らない人とのお試しデート］をする羽目になったとしよう。あなたが男性だとしたら、ヘザーとガートルードのどちらにときめくだろうか［ガートルードはちょっと古風］。女性のあなたは、ハーバートとリチャードのどちらを選ぶだろう。下らない喩えかもしれないが、要するにそういうことだ。だから名前は慎重に選ぼう。電話帳や、赤ちゃん命名本もある。名前とその由来が書いてあるウェブサイトもたくさんある。キャラクターの描写の仕方については、Chapter 8で詳しく触れる。

2 対比

キャラクターの個性を見せる有効な方法の1つに、対比がある。2つの何かを並べて差異を見せる、つまりギャップを際立たせるのだ。例えば、絵画の場合なら、青を際立たせるためにオレンジ等の対照色を配置する。同様に、あるキャラクターが感じていることを見せるために、反対のことを感じている人たちを配置するという技がある。孤独で淋しいキャラクターを楽しそうな集団で囲んでしまえば、脚本を読む人はその対比によって孤独な様子を思い浮かべる。対比というのはとても力強い道具なので、本書でも繰り返し言及される。対比というのは正反対のものを示唆するので、対比も対立の一種だと言える。対立があれば、個性は浮かび上がり、その姿を現す。対比する対象があれば、より見えやすくなる。直感的に「なるほど」と合点がいくのだ。正義と悪、道徳と利己主義、富と窮乏など、ほとんどのドラマが対比される価値観を中心に据えるのはそのためだ。対比することで、どちらの要素にも等しく光を当てる。しかし、今ここでしているのは概念的な対比ではなく、あくまでキャラクターの対比だ。キャラクターの個性を対比で見せるには、内面的な対比、他者との対比、環境との対比という3つのやり方がある。

①内面との対比。内面的葛藤によってキャラクターを明らかにする。特徴、欠点、欲求、必要、感じ方を対比することで、矛盾をあぶり出し、読者の興味を引き出す。ウィリアム・フォークナーが言ったとおりだ。「書く価値のあるものといえば、自己矛盾に悩む人間の心の問題だけだ」。『カサブランカ』のリックが抱える葛藤は、巻き込まれるか無視するかという彼自身の決断によって明かされるのだ。

②他者との対比。『アフリカの女王』や『テルマ&ルイーズ』、『おかしな二人』といった「おかしな二人組」映画や、『48時間』、『リーサル・ウェポン』、『ラッシュアワー』のような、いわゆるバディ・コップ映画で一番よく使われる手だ。2人の登場人物を対にすれば、個性や特徴が際立つ。それぞれのキャラクターの野望、動機、背景、目標、態度、価値観といったものが対比されれば、物語も盛り上がる。『リーサル・ウェポン』、『48時間』、『おかしな二人』のように、対照的な2人を嫌々一緒に行動させれば、さらに心に訴えるものになる。

③環境との対比。コンセプトの章で「陸に上がった河童」という技法に触れたが、それは要するに、周囲の環境

とキャラクターの対比ということだ。そこに生じる対立によって、心を動かす力強い物語を生み出すことができる。同じ技法を、キャラクターにも応用できる。「臆病」という個性を見せたいなら、臆病者を戦場にやることで、またはおどおどした女性を大学の男子寮パーティに行かせることで、あるいは勉強のできない者をメンサ［高知能指数者交流団体］に行かせることで、それが可能だ。『レインマン』に出てくるレイモンド・バビットの個性は、施設から出て外の世界を体験したときに明らかにされる。対比は、キャラクターの特徴や内面を見せるのにとても有効な技なのだ。

3 主役以外のキャラクター

登場人物が1人しかいない映画はまずあり得ない。大抵の主人公は、他の誰かと何らかのやり取りを交わすことになる。仮に主人公が世間との交流を絶った世捨て人でも、彼のことを知っている人くらいいるだろう。他者を通してキャラクターを見せるやり方は2つある。1つは、そのキャラクターについて他の人がどんなことを言っているのか。もう1つは、そのキャラクターの存在が、他の人との関係にどう影響するかということだ。

①他者にどう思われているか（噂話）。この技のとっておきの見本として、『羊たちの沈黙』が挙げられる。オープニング、レクター博士に会う前のクラリスに向かって、クロフォードがレクターとはこういう男だから用心しろと言い聞かせる場面だ。続く場面ではチルトン博士が、さらにレクターに対する安全策を説明し、観客がレクターという異常心理者に対面する遥か以前に、そのキャラクターが手際よく紹介される。『カサブランカ』では、ルノー刑事がラズロと連れの謎の女性について話すが、観客はまだ2人の顔を知らない。ルノーはこのとき、リックの背景も少しだけばらす。「リック、その皮肉屋の殻の下には、実は感傷的な男が隠れているのではないかね。笑って

誤魔化すのも結構だが、君の記録をちゃんと調べたんでね。2点だけ言わせてもらうよ。1935年、君はエチオピアで銃の密輸をしただろう。1936年には、共和国派に義勇兵として加わってスペイン内戦で戦った」。これを本人が言ったら何とも間の悪い感じだが、他者の口から語られることで情報が巧く提供される。この技によって、「まだ見ぬ登場人物」への興味を高める効果も期待できる。誰もがその人について話しているのに、または大勢がその人に影響されているのに、顔もわからない。わからなければわからないほど、そのキャラクターに対する興味は強くなる。そしてついにそのキャラクターが登場したときには、読者の関心は最高に極まっているというわけだ。これが特にうまく効くのは悪役だ。脚本を読みながら、いつかは対面するだろう悪役に緊張感を伴った思いを馳せ続けるわけだ。主役の個性を強調するために登場する脇役にも、同じ手が使える。テレビのコメディ番組「そりゃないぜ!? フレイジャー」では、ナイルズ・クレインの妻［シリーズ中に離婚］がこれにあたる。よく話題にのぼり、電話をかけてくることもあったが、一度もその姿を見せないのだ。

②周囲の人にどう影響するか（人間関係）。主人公についての間接的な情報を伝えるためにも、他のキャラクターは役に立つ。主人公が周囲の人にどのような影響を与えているか見せられるのだ。例えば『恋愛小説家』の最初のショット。幸せいっぱいの年配の女性の顔が、廊下に立っているメルヴィンを見た瞬間嫌そうに歪む。これだけで見事にメルヴィンというキャラクターが定義される。『ゴッドファーザー』は、ドン・コルレオーネが何も言わなくても、そして何もしなくても、観客はこのキャラクターのことを知っていくようにできている。周囲にいる者がドンをあつかう様子を見ているだけで十分わかるのだ。畏れと恐れで神経質になっている男たち。そして感じられる敬意が、すべてを語っている。実際、キャラクターを明らかにすることの最も興味深い側面は、他者との関わりを探求することかもしれない。『ビューティフル・ガールズ』、『コン・エアー』、『60セカンズ』を書いたスコット・

ローゼンバーグも『脚本を書くための101の習慣』でこう言っている。「私は登場人物にドップリ感情移入しないとダメなんだ。個人的な好みだが、私のベスト・アクション映画は『ダイ・ハード』だ。銃撃とか大爆発とかが好きなわけじゃないよ。ブルース・ウィリスからボニー・ベデリアにカットが変わる。その度に彼女は、夫が自分を救うためにあり得ないようなことをやらかしているという確信を深めていく。この2人の絆があったからこそ、私はあのキャラクターたちに感情移入できるんだ。もう1本、素晴らしい人間関係のお陰で私が感情移入できたのは『48時間』だね。他の映画は、どうでもいいよ。『インデペンデンス・デイ』とか『ゴジラ』［エメリッヒ版］とか『ボルケーノ』みたいな映画はムシズが走る。どんなに技術的に革新的でもそんなの知ったことか！　どうでもいい登場人物が出てくる映画なんて、本当にどうでもいいよ」。人間関係は、脚本に欠かすことができない。あなたが書いた主人公は、他のキャラクターとどのように関わるのか。妻とはどうか。友人とは。親戚。子どもたち。そして当然、敵とはどのように関わるのだろうか。登場するすべてのキャラクターは、主人公の人間性を明かす機会なのだ。

4 台詞

台詞を通してキャラクターを明らかにするという方法。おそらく最も効果的なのに、なぜか初心者には活用されていない方法でもある。まあ無理もない。上手な台詞というのは、脚本の中でも最も難易度が高い要素なのだ。ただでさえ書くのが難しいのが台詞というもの。不自然で、説明過多、鼻につく台詞等、キャラクター構築のことなど考えなくても十分難しい。キャラクターを間接的に見せるために台詞が最も効果的だというのは、言葉による描写や噂話を通して、あくまで説明せずに見せることができるからだ。台詞の2、3行だけで、あるキャラクターの背景、教育、職業、性格、態度、ムード、感情まで表すことができる。さらに良いことに、台詞を使えばそのキャラクター独特の声によって個性を表現できるのだ。その最高の例の1つが『ロッキー』の主人公だ。台詞で明確に定義されているロッキーというキャラクターは、肉体労働階級出身で、正式な教育を受けていない。「何を言ってるんですか」ではなく「何言ってんだ」、言葉尻につく「わかってんだろ?」という喋り方の特徴が彼の職業を示唆している。あなたが好きな映画のキャラクターも、ほぼ間違いなく台詞によって個性を表現しているはずだ。台詞そのものについては、後ほどChapter9でゆっくり時間を割く。

5 行動、反応、決断

キャラクターが何か言えば個性が見えるが、言わないことでも個性は見せられる。同様に、行動と反応、つまりキャラクターが何かすることで個性を見せられるし、しないことによっても見せられる。感じるか感じないか、または露わにするか隠すかでもキャラクターの個性は見せられる。同じ状況であっても、キャラクターが2人いれば、それぞれ違った反応をする。誰かがあなたを殺したがっていることがわかったとする。『お熱いのがお好き』のジョーかジェリーなら、怯えた挙句、女装して女性だけの楽隊に紛れ込んで隠れようとする。『ゴッドファーザー』のマイケル・コルレオーネなら、先手を打って自分を殺そうと画策する相手を殺すだろう。『北北西に進路を取れ』のロジャー・ソーンヒルなら、困惑した後、誤解を解こうと決心する。シナリオ講師のロバート・マッキーが言ったとおり、「キャラクターの人格の深い部分は、その人がプレッシャーの高い状況でどう振る舞うかによって露わになる」。キャラクターを感情的な対立の渦中に放り込めば、どう反応するかが見える。最も効果的にキャラクターを露わにする方法の1つだ。そのキャラクターがどんな人か言葉で説明するのではなく、見せることになる。さらに重要なのは、そのキャラクターが何をどう感じているかを見せることができる。ベン・キングズレーがインタビューを受け、演じるキャラクターに最も魅力を感じるのは何かと問われて「不可避性」と答えていた。「誰でも限界というものがあります。限界まで追いやられたときに、必ず見せてしまう反応というものがあるのです。ぎりぎりまで追い詰められて初めてその人の本性が見えるのです。そのときドラマが始まるんですよ」。つまり、あなたが書いたキャラクターがぎりぎりまで追い詰められたら何をするか、知っておいた方が良いということだ。生命が危機に晒されたとき、仕事を失う瀬戸際、タオル1枚腰に巻いたまま家から閉め出されたときでも構わない。同じことが敵役にも言える。欲しがっているものを与えないことで、敵役を追い込む。そして怒り心頭に追いやり、暴走するまで追い詰めていくのだ。

「**行動は言葉より雄弁だ**」ということは、誰でも知っている。行動は、キャラクターの内面と心理的状態に洞察を与えてくれるのだ。怒りに燃えたキャラクターが椅子を投げつけて鏡を破壊する。または、愛情に溢れたキャラクターが愛しい人を優しく抱きしめるというように。『チャイナタウン』では、探偵ジャック・ギテスの傲慢な側面が、カーリーにわざと安い酒を注いで、他の上客のために高い酒をとっておくという行動から垣間見られる。このようにほんの小さな行動でも、必ず内面を反映する。本人の持つ動機や態度、そして感情に導かれて、ついやってしまうものなのだ。このような瞬間はキャラクターを照らし出すので、その人の本質を見せる最も効果的な方法の1つなのだ。台詞で説明したりするよりよほど良い。

プレッシャーに晒された人が**何をしないか**によっても、その人の個性や特徴を見せることができる。西部劇大作『ウエスタン』の登場人物の1人ハーモニカの男は、悪役フランクを殺そうとしていることがわかる。しかしハーモニカは理由を教えない。死ぬ直前に理由を教えるとだけ告げる。フランクを殺す機会は何度も訪れるのだが、ハーモニカの男は強い克己心で自制する。その様が、どんな台詞よりも雄弁にこのキャラクターについて教えてくれる。ハーモニカの男は自分が欲しいものを理解しており、どのように手に入れたいかもわかっている。映画の終盤まで行動を起こさない彼を見ながら、観客はそのことを十分理解する。そしてフランクは焦らされて苛立つのだ。

ジレンマを使い、決断を迫られることを通してキャラクターを露わにすることができる。同じくらい魅力的な2つの選択肢を与えて、選ばせるのだ。同じくらい最悪な選択でも良い。2つの対立する、人生を変えてしまうような目標。キャラクターを岐路に立たせるのだ。『マトリックス』で、エージェント・スミスがネオを逮捕しにくる。隣のビルに跳び移って逃げられると言うモーフィアスを、ネオは信じない。後に、モーフィアスは再び選択を迫る。青いカプセルと赤いカプセル。すべての記憶を消去するか、真実を求めて冒険に旅立つか。赤いカプセルを選ぶことで、ネオの心に芽生えた勇気と彼という人間の本性が、明らかになる。

秘密によってもキャラクターを定義することができる。隠そうとするか、暴露する勇気が持てるかを選ばせるのだ。『チャイナタウン』のエヴリンが、最高の見本だ。彼女がどんな選択をしようと何に反応しようと、すべて暗い秘密を反映しているのだ。

6 身振り、象徴、小道具

映画には、本筋とは関係ないが、キャラクターを際立たせる瞬間がある。ちょっとしたディテールでそのキャラクターについて多くを語ることができる。**身振り**、**癖**、**奇癖**といったものも、これに含まれる。『ゴッドファーザー』のオープニングで猫を撫でるドン・コルレオーネ。『ミッドナイト・ラン』でしきりに時計を気にするジャック・ウォルシュ。「となりのサインフェルド」で毎回サインフェルドの部屋に乱入してくる隣人クレイマー。**趣味**や**興味**も同じ効果を持つ。「チアーズ」「アメリカのテレビ・コメディ」の主役で毎度女性を口説きまくるサム・マローン。『マトリックス』でハッキングに勤しむネオ。『羊たちの沈黙』では、食人嗜好を持つハンニバル・レクター。**小道具**も有効だ。コロンボ警部のレインコート。刑事コジャックの棒つきキャンディー。インディアナ・ジョーンズの鞭。グルーチョ・マルクスの葉巻。このような小道具は、各キャラクターの個人的嗜好というだけにとどまらず、他の登場人物から区別できる目印になる。**身振り**もキャラクターの感情を表す役に立つ。『ピンク・パンサー』のドレフュス警部が宿敵クルーゾーのことを考える度に見せる目の痙攣。『ブロードキャスト・ニュース』で毎朝泣くジェーン・クレイグ。**象徴**や**イメージ**も、力強くキャラクターを表に出して見せてくれる。例えば**色彩**（西部劇で使い古された手によると、ヒーローは白い帽子、悪役は黒。『スター・ウォーズ』ではルークが白でダース・ヴェイダーが黒と、効果的に使われた）。他にも、写真、卒業証書等によってキャラクターの人となりに洞察を与えることができる。

キャラクターとの絆

ここまで、キャラクターを創造し、その個性を効果的にページ上で明らかにする技法をいろいろ見てきたが、結局のところ何よりも重要なのは、脚本を読む人の関心を繋ぎとめられるかどうかなのだ。そしてそれは、読者がどれだけ強い絆で主人公と結びつくかにかかっている。あなたが書いたキャラクターをどれだけ好きになるか、または嫌いになるか。どれだけ気にかけるか。どれだけ自分と同じだと思ってくれるか。どれだけ強い絆を築けるか。共感できるか、そして感情移入できるかに、すべてはかかっているのだ。主人公と敵役に関するかぎり、感情的中立などあり得ない。と、ここまではキャラクター構築指南としてよく聞く話だが、残念なことに構築したキャラクターと読者の心を繋げる方法を教えてくれる例はない。初心者が自分で試行錯誤によって理解しなさいというわけだ。だからその方法を、今から解説する。

読者の関心を奪って維持する

脚本を読んだ感想を聞かれて、「あのキャラクターの気持ちがすごくわかった」とか「酷かった、だってどのキャラクターにも共感できなかったから」と答える人は多い。「共感できるキャラクターがいなかった」と言うのは、要するにどのキャラクターに何が起きても、関心が持てなかったということだ。もしキャラクターに関心を持ってもらえなかったら、そのキャラクターが何をするか、そしてキャラクターに何が起こるかというプロットそのものに関心を持ってもらえるはずがない。どうでもいいと思われたら、関心を払ってもらえない。キャラクターの気持ちがわかると言わせられれば、読者の関心が奪える。それだけではない。読者の目を脚本に釘づけにできる。そしてページを最後までめくり続けるように仕向けられるのだ。キャラクターの足取りは読者の足取りになる。キャラクターについて行こうという気持ちが、物語を前に進める勢いになる。だから興味を掻き立てるのだ。

キャラクターと読者を繋げる3つの方法

ドラマチックな脚本を書くために使える技巧のすべてをわかりやすく紹介するために、読者の心とキャラクターを結びつける方法を3つに分けてみた。それぞれ括弧の中に、その技巧を使うことで掻き立てられる感情的反応を書いておく。

①認識できる感情（理解と共感）
②魅了する（興味）
③神秘性（好奇心、期待感、緊張感）

認識できる感情（理解と共感）

主人公を創り出すための5つの問いに答えてもらったが、覚えておいでだろうか。主人公の特徴、態度、欠点、欲求、動機、そしてその人が必要とする何か。読者はこれらの要素を認識して、そのキャラクターを理解する。だからそのキャラクターの気持ちがわかるようになる。自分と似たものを好むが、理解できないものを恐れたり信用しないのが人間というものだ。同じ価値観、意見、態度を持ったキャラクターなら気持ちがわかる。希望を掴もうと格闘するキャラクターを見るとき、自分が持っている資質に気づいたとき、または自分が持っていたらと願う資質を認識したとき、そこに同じ人間性を見出し、そのキャラクターの気持ちになって考えることができるのだ。キャラクターの気持ちがわかった瞬間、読者とキャラクターの間には共生的な絆が生まれる。これが共感だ。

共感とはつまり、キャラクターと一緒に感じ、置かれた状況や感じ方、そして動機を理解するということだ。キャラクターが問題を抱えれば一緒になって心配し、うまく解決できるまで一緒にいてやろうと決める。欠点の多いキャラクターでも、動機づけが明快なら読者は共感できる。おそらく無意識のうちに、こう思っているのだ。「こいつの気持ちはわかる。私が同じ状況に置かれたら絶対同じことをする」。

脚本家でもよく間違えるのだが、共感と同情は違う［英語では綴りが似ている］。共感はキャラクターと同化するために欠かせないが、同情はキャラクターを好きになって応援したいと思うことだ。欠点のあるキャラクターを構築する項でも触れたし、映画史に残る名キャラクターを見てもわかることだが、同情は必ずしも必要ではない。キャラクターのことを好きになってもらわなくても、脚本上で十分に興味をそそることさえできれば、そのキャラクターの目標に興味を持たせることはできる。『恋愛小説家』のメルヴィン・ユドール。『許されざる者』のウィリアム・マニー。『羊たちの沈黙』のハンニバル・レクター。どれも欠点があり、好きにはなれなさそうなキャラクターだが、とても興味深い。読者がキャラクターの行動を、欲求を、そして感情を認識したときにキャラクターと読者の心は結ばれる。そのことを証明するために、大人気のアニメーション映画のことを考えてみよう。『ファインディング・ニモ』、『トイ・ストーリー』、『ライオン・キング』、『バンビ』。さらに動物が主人公の実写映画、『ラッシー』や『ベイブ』。キャラクターが人間ではなくても、私たちが認識できる特徴や、希望や、態度や、行動と動機があれば、気持ちはわかるのだ。

キャラクターの感情を理解できたときにも、深い絆が結ばれる。誰かが痛みに苦しんでいれば、可哀想にと思うだろう。誰かが楽しそうなら、あなたも楽しい気分になる。感情は普遍なのだ。本質的には違う個々人を、感情が結びつける。ならば、その絆を作るためには、観客または読者が認識できる感情をキャラクターが感じるような状況を創り出してやるのが鍵になる。キャラクターが感じていることを言葉で説明するのではなくて、ドラマとして見せる。そうすれば、観客または読者はそのキャラクターと行動を共にして、同じ感情を体験できる。簡単に言うとこういうことだ。脚本上にキャラクターがいる。読者がそのキャラクターの経験と感情を認識する。キャラクターの行動の理由が理解できるので、その気持ちに寄り添ってやりたくなる。そしてキャラクターの感情を体験する。結果として、読者の心とキャラクターは絆で結ばれるのだ。

◎魅了する（興味）

誰でも変わったものに魅入られるものだ。他にないようなものに心惹かれる。だから、読者の関心を煽り、心惹かれるキャラクターを創造する助けになるものなら、それが何であっても読者の関心を維持する効果的な手段となる。脚本上で読者の心を掴む技法をいくつか紹介する。

・**独創性**。私たちは変わったもの、違ったもの、つまり独自なものに惹かれる。だから「このキャラクターを、今まで映画でも書籍でも誰も見たこともない独自のキャラクターにするには、どうすればいいのか」と常に自問しよう。これは単なる特徴の組み合わせ以上の問題だ。**価値観**にも注目してみる。自由、安全、家族、冒険等、キャラクターの生き方にとって重要な価値観だ。**態度**は、キャラクターの意見であり、世界に向けた眼差しを表している。何かの問題や強い衝動のような「心の大部分を占める心配や関心事」、そして身も心も捧げるような気持ちも、キャラクターを駆り立てる。『白いドレスの女』の情熱的なラブシーンや、『ブレイブハート』で自由に命を賭けるウォレスが、それにあたる。ちょっとした**ディテール**によっても、個性を際立たせることができ、そのキャラクターに命を吹き込むことができる。パスタの湯を切るときにテニスのラケットを使う『アパートの鍵貸します』のバクスター。推理小説をまず最後のページから読んで、その後最初に戻る『恋人たちの予感』のハリー。キャラクターに何か新鮮なものを付け足し続けることで、読者の好奇心を、驚きを、そして興味を維持することができる。

・**逆説**。複雑で心を掴むようなキャラクターを創造する技巧の1つに、パラドックス、つまり逆説を利用するという手がある。キャラクター自身が抱える矛盾ということだ。ひとりのキャラクターに相克する特徴を与える。1つの体に複数の顔を与えてやるのだ。正反対ならなお結構だ。『氷の微笑』や『白と黒のナイフ』、『ミュージックボックス』のジョー・エスターハスは、こう言っている。「灰色の階調を持っているキャラクターが好きだ。表面的には同じだが、その下に何層も何層も人格が隠れているようなのが良い。複雑さに惹かれる。人格の違った側面で人を驚かせるのが好きだ。人が抱える矛盾。びっくりさせるような、隠された内面が好きだ」。早速、期待を裏切ってみよう。ひとりのキャラクターの中にある様々な要素を対比させてみよう。邪悪だが小鳥を愛でるキャラクターとか、汚職にまみれた人道主義者の集まり等だ。手垢のついた例だが、もっと良いものを考案して欲しい。特徴と価値観に囚われる必要はない。『恋愛小説家』の主役、愛情に飢えた厭世家であるメルヴィンのように**ないと困るものと欲しいものを対比させる**こともできる。『アパートの鍵貸します』のバクスターは、出世街道を登る野心とフランへの愛の板ばさみになる。ひとりのキャラクターが内面に対立を抱えているほど、逆説が多いほど、自己疑念が多いほど、そして決断が難しいほど、そのキャラクターは魅惑的になる。キャラクターが抱える内面的葛藤は、脚本そのものの持つ力を感情的に強くし、それによって読者を巻き込む力も強くなる。

・**欠点と問題**。あなたが創り出すキャラクターが完璧でない方が良い理由は説明したとおりだ。欠点によって真実味は増し、読者の興味も高まる。実際、欠点は何らかの葛藤を生むので、間違いなくキャラクターの強みよりも面白いのだ。ぼろぼろの小舟に熟練の船乗りを乗せても、葛藤もへったくれもない。面白くもないし、何の感情的反応もない。でも、水が怖いという特徴を与えたら俄然面白くなる。そう、『ジョーズ』のブロディ署長のように。『レイダース／失われたアーク《聖櫃》』の主人公で恐れ知らずの冒険家インディアナ・ジョーンズは、蛇が怖い。欠点の中でも**恐怖**ほどこちらの興味を掻き立てるものはない。特に、何かをするのが怖いという気持ち、例えばやり通すと決めるのが怖い、成功するのが怖い、自信がなくて怖い、誰にも好かれないのが怖いという**恐怖**に勝るものはない。このような怖いという気持ちは、キャラクターの変化と関連していることが多い。だから、キャラクターが変わることに成功したか失敗したか結果が出るまでその気持ちを追いかけてもらえる。『チャイナタウン』や『さらば冬のかもめ』のロバート・タウンによると、「脚本家がキャラクターを創るときに、そのキャラクターが一番恐れているのは何かという問いに対する答えを探すのが、何よりも重要なのです。キャラクターの内面に入っていくのに、これ以上有効な方法はないでしょう。（中略）こうして初めて真実味溢れるキャラクターの物語が語り得るのです。『チャイナタウン』のジャック・ギテスは馬鹿にされるのを何より恐れています。『そんな目に遭わされてたまるか』なんて虚勢を張って、大袈裟に反応してしまう。ところが、この一言が自分にかけたある種の呪いになって、成就してしまうわけです。自分が一番望まない場所に行かされる羽目になります。馬鹿にされたくない気持ちが強すぎて、結局馬鹿にされてしまうわけです。誰にもいいように小突き回されないつもりだったのに」。このように、欠点、特に恐れの感情はキャラクターを逡巡させ、目標達成を困難にする。だからキャラクターをより興味深くできるのだ。

・**嫌われ者を主役にするとき**。脚本家が、嫌われそうなキャラクターを創造したとき、または従来の役どころを反転させるような場合に、この技が使える。『狼たちの午後』や『フォーリング・ダウン』のように、犯罪者が主人公で警察が敵役という場合だ。この手の物語を読んでいるとき、主人公はアンチ・ヒーローとして捉えられる。町一番の気立てよしである必要はないが、その脚本の中では最も興味深い人物でなければならない。

犯罪者を英雄としてあつかうときは、「犯罪者」と「英雄」のバランスを上手に取らなければならない。『タクシードライバー』のトラヴィス・ビックルや、オリバー・ストーン監督版『スカーフェイス』のトニー・モンタナ、『ハンニバル』のハンニバル・レクター、「ザ・ソプラノズ　哀愁のマフィア」のトニー・ソプラノ。いずれも好かれるタイプでもなければ、友達になりたくなるような立派な人でもない。しかし、次は何をしでかすだろうと気になって目が離せなくなるほどには魅力的なので、つい遠くから言動を見守ってしまう。欠点や非道徳的な部分と、人間的な正の魅力がつり合っているから、彼らをアンチ・ヒーローとして受け入れることができるのだ。ハンニバル・レクターはただ興味深いというだけでない。つい彼がどうなるか気になってしまうのだ。チルトン博士の拷問を受ける彼を、こちらは可哀想に思って同情してしまう。人肉嗜好のサイコパスであっても、非道な仕打ちを受けているのだ。そしてレクターは、「陽」の人間性も見せる。ちゃんと助けてくれるし、知性的、ウィットに富んで魅力的、頭の回転が速く、勉強家でもある。「嫌われ者」をヒーローにするという問題にぶち当たったら、読者に対してその人が高潔な印象を与えるようにすること。そして敵役を主人公以上にあくどい、吐き気を催すようなキャラクターにする。高潔な印象は、強さ、機転、有能、寛大、忠実といったことで与えられる。どれも人として敬うべき資質だ。嫌われ者も、高潔であると認識されれば、その物語の中だけで成立する倫理観の範囲内で正しいことをしていると判断される。犯罪行為を続けても、私たちがハンニバルを大好きなのはそういう理由による。悪役に人間的魅力を与えることで、美徳と悪徳の微妙なバランスによって自動的に複雑で魅惑的なキャラクターが誕生するのだ。

・過去譚と過去の亡霊。読者を魅了し、脚本に感情的な肉づけをする技として最後に紹介するのが、主人公の過去の物語、つまりバックストーリーだ。これは使い古された印象を与えやすいということを、まず知っておいて欲しい。主人公の出生や、主人公の現在の人格に影響を与えた過去の出来事等が含まれる。『カサブランカ』のリックを例にすると、エチオピアで銃の密輸をしていたこと、そしてスペイン内戦で反乱軍相手に戦ったことが、彼のバックストーリーになる。第二次世界大戦中のカサブランカでカフェを経営する現在のリックだが、その態度、価値観、人格のすべてに過去が影響を与えているのだ。

『カサブランカ』を知っている人は、パリでのイルザとの不幸な恋が抜けていると思ったに違いない。なぜ「バックストーリー」に含めなかったかというと、これはハリウッドで「過去の亡霊」として別の名前がついており、過去の傷のことを指すからだ。過去の亡霊はバックストーリーの一部だが、特にキャラクターの現在に大きな影響をおよぼした過去の事件を指して、こう呼ぶ。過去の亡霊は、現在もキャラクターを悩ませ続けている傷で、そのキャラクターが必要とするもの、さらに内面的な変化そのものに大きく関係する。パリでイルザに裏切られた（とリックが思い込んでいる）経験は、リックの心に深い傷を与えた。その結果が、現在の人づき合いの悪い、シニカルな人格を生んだのだ。過去の亡霊として認識される過去の傷は、捨てられた経験、裏切り、悲劇的な事件等、主人公の心に決して癒えない傷を与え、修復不可能に歪めてしまうようなものを指す。『クリフハンガー』や『めまい』のように、自分のせいで誰かが死んでしまったというような罪悪感も含まれる。そして最愛の人の死。喪失の苦しみと感情的な傷を与える経験なら、なんでも構わない。『普通の人々』の主人公コンラッドが抱える過去の亡霊は、ボート事故で兄が亡くなり、自分が生き残ってしまったという罪の意識だ。『市民ケーン』のケーンは、子どもの頃に家族から引き離された経験による、捨てられたという喪失感だった。バックストーリーと過去の亡霊は同じではない。前者はキャラクターの人格形成の基礎であるが、後者は今も癒えていない傷なのだ。現在もキャラクターを苦しめ、内面的に欲するものに大きな影響を及ぼすのが過去の亡霊だ。上手に使えば、どちらもキャラクターの感情に複雑な魅力を与えることができる。

神秘性（好奇心と期待感）

キャラクターと読者の心を繋げる3つの方法の最後は、神秘性だ。『運命の逆転』や『悪魔を憐れむ歌』のニコラス・カザンも、「抜きんでたキャラクターに必要なのは謎なのです」と言った。謎めいた人を指して英語でミステリーと言うが、もちろんジャンルの話ではない。好奇心と期待感は物語を魅力的にする2大要素だが、謎めいたキャラクターは、その両方を刺激する。謎めいたキャラクターということに限定した場合、その謎を次の3つに分けることができる。「謎めいた過去」、つまり過去に起きた事件、能力、秘密ということ。「謎めいた現在」、つまり主人公の現在の行動に秘められた謎。「謎めいた未来」、つまりこれから起きる事件に対する反応によって明かされる、読者を驚かせるような主人公の人格の3つだ。

・**謎めいた過去**（**能力と秘密**）。謎めいた過去と、バックストーリーや過去の亡霊との違い。それは、何が読者に明かされているかの違いになる。物語の創造者として、脚本家は何を明かして何を隠すか選択する。そうすることで、読者の心にもっと知りたいという強い興味を抱かせる。『カサブランカ』のリックの魅力があれほど巧みに維持されるのは、リックが過去に受けた何らかの災難が、パリの想い出の場面まで仄めかされ続けるからだ。ウーガーテやルノー等、他のキャラクターに尋ねられても、リックはのらりくらりと逃げる。だからこちらは、ますます彼の過去を知りたいと思うわけだ。逃げられたルノー達と同様、私たちも勘ぐり始める。好奇心を持ち続けるのだ。キャラクターに秘められた**能力**や謎に包まれた出生の経緯を、まるでじわじわと効く遅効性の薬のように明かすことでも、キャラクターへの興味を増進できる。『ロング・キス・グッドナイト』のサマンサや『ボーン・アイデンティティー』のジェイソン・ボーンがわかりやすい例だ。秘密工作員だった過去を覚えていない両者は、自分の隠された過去を知りたくて仕方がない。読者も同じ気持ちになるわけだ。キャラクターが抱える**秘密**も、謎を深め魅力を増進する。それが恥ずかしくて明かせないような秘密、傷つくのが怖くて、または危険なので明かせない秘密、その秘密を守るためなら何でもするようなものなら、なお結構だ。『チャイナタウン』のエヴリン・モーレイの抱えた謎の魅惑を考えれば、その絶大な効果がわかるだろう。

・**謎めいた現在**。つまりキャラクターの現在の言動や反応に関して好奇心を抱かせるということだ。例えば、キャラクターが不可思議な行動をとったら、または過剰に反応したら、そして何かの話題を避けるようなことがあれば、読者は理由を知りたいと思い、何を隠しているのかと勘繰る。ある登場人物が主人公に対して謎の振る舞いをすれば、その登場人物は読者の知らない何かを知っているということだから、読者の好奇心は刺激される。

・**謎めいた未来**。現在わかっているキャラクターの人格から考えて、その人がこのように行動、または反応するのではないかという期待感は、読者の好奇心を刺激する。先が見えないので、読者は常にそのキャラクターが次に何をするか、いつまた驚かせてくれるか期待し続けることになる。この手の**驚き**は、キャラクターの態度や欲求と矛盾しなければ何でも構わない。ちょっとした台詞でも、行動でも反応でも良いのだ。複雑で魅惑的なキャラクターなら、驚かせる機会も多くなる。強烈な**ジレンマ**を与えることでも、驚きに満ちたキャラクターにできる。アリストテレスは『詩学』で、観客の心を掴むドラマには、強烈なジレンマがあると考察している。ジレンマが危機を招き、決断を迫り、行動を呼び、解決に導くのだ。選ぶのが苦痛極まりないような選択肢の板ばさみになったキャラクターは、読者の心を掴む。やらなければいけない、のっぴきならない事情があり、同時にやってはいけない強い理由もある。どちらをとっても正しい、または間違っているという状況。キャラクターを辻に置いてどっちに行くか選ばせる。愛と義務や義理。結婚と仕事。野心と犠牲。そのような選択を迫られたキャラクターを見ると、読者は膨れ上がる好奇心を抱えて椅子にしがみつきながら、決断のときを待つ。『ソフィーの選択』の主人公のジレンマは、2人の我が子のどちらかを殺せば、もう1人と自分が助かるというとてつもない窮地だった。だからハリウッドの脚本家たちは、解決不可能なジレンマを「ソフィーの選択」と呼ぶのだ。

即座に読者の心と共感を掴む技

脚本を読むというのは、感情を相手に踊るようなものだ。その点については次の章で詳しく触れるが、キャラクターに関する限り、共感（好き、気になる）と反感（嫌い、どうでもいい）という2本の線上を踊ることになる。相手はすぐに反応する。人間誰しも批判的で、何かとイチャモンをつけたいものだ。キャラクターが登場した瞬間、そのキャラクターの品定めが始まる。キャラクターの一挙手一投足が、品定めの対象になる。だから、1秒でも早く、読者の共感を得てしまわなければならない。つまらないキャラクターだと読者に思われてしまったら、脚本の最後まで何が起きてもどうでもいいと思われてしまう。物語に関心を持ってもらえずに、終わる。

キャラクターを見た読者に「これは自分のことだ」と思わせる技はいろいろある。ありすぎるくらいあるので、ここでは3つに分けて紹介する。

①犠牲者が気になる。可哀想だと思わせる。
②人間味溢れるキャラクターで共感を誘う。
③誰もが望むような資質で憧れを持たせる。

1 犠牲者　可哀想に思えるキャラクター

人間である以上、何か酷い目に遭っている人には情を持ってしまうものだ。だから、キャラクターを何かの犠牲者にする。そうすれば、即座に共感が得られ、犠牲者の置かれた状況や感情的帰結を通して、これは自分のことだと思ってもらえるのだ。キャラクターを犠牲者にするシナリオはいくらでも考え得るが、ここでは特に効果的なものを選んで挙げる。下手をすると古臭い手になりがちなので、工夫して新鮮で今までになかったようなものを考えて欲しい。

身に覚えのないあつかい、不当・不正義、不平

他の登場人物が、主人公を不当に酷くあつかうようにする。度を超えて**からかわれる**（『街の灯』、『ダンボ』）、**恥**をかかされる、**嘲笑の的**になる、**侮辱**される（『アメリカン・ビューティー』では、妻と娘がレスターをからかう）。**無視**される、昇給を**見送られる**（『ゴー！ ゴー！ アメリカ／我ら放浪族』や『ワーキング・ガール』）。差別、例えば**人種差別**や**性差別**がもたらす社会的不正義（『夜の大捜査線』のティップス、『フィラデルフィア』のベケット、『ライフ・イズ・ビューティフル』のグイド）。**濡れ衣**による不正義（『北北西に進路を取れ』、『逃亡者』、『ショーシャンクの空に』）。そのあつかいが残忍で無慈悲なら、共感も2倍増しだ。主人公は2倍好かれ、敵役は2倍嫌われる。『告発の行方』のように**レイプ**されたら。『恋愛小説家』のサイモンのように**半殺し**にされたら。『エレファント・マン』のジョン・メリックや、『カラーパープル』のセリー、『オリヴァ・ツイスト』の孤児たちのように、戦う術を持たない者が搾取されたり、乱暴されたり、苦しい目に遭わされれば、痛々しさはさらに増加する。

予期せぬ不幸（悲しい運命、不運）

不幸、つまりいいことが全然ないということ。何も悪いことをしていないのに降りかかった不幸であれば、共感を呼べる。『許されざる者』で妻を亡くしたマニーのように**最愛の者を失う**、『素晴らしき哉、人生！』で８０００

ドルを失うジョージ、『ファインディング・ニモ』で行方不明になる息子のように**大切な何か、または誰かを失う**、『真夜中のカーボーイ』のバックとリッツオ、『フル・モンティ』の登場人物全員、『怒りの葡萄』の登場人物たち、そして『大逆転』のビリー・バレンタインのように**運に見放される**、『エリン・ブロコビッチ』の主人公のように「事故」に遭ってしまう、『The Cooler』のバーニー・ローツのように、ともかく**ついてない**人、どれも共感を呼べる。

身体的、心理的に不利な条件。健康や経済的な問題

『エレファント・マン』のメリックや、『ノートルダムのせむし男』のクワジモドのように**重度のハンディキャップ**を持って生まれついてしまった者。『マイ・レフトフット』のクリスティ・ブラウンや、『シザーハンズ』のエドワード・シザーハンズのように**体が不自由**な者、『チャンス』の主人公や、『レインマン』のレイモンド・バビット、『フォレスト・ガンプ』の主人公のように、ある種の**知的障害**を持つ者も、共感を呼びやすい。特殊な環境に囚われた人も、共感を呼ぶ。ギプスで身動きがとれないせいで覗き屋になってしまう『裏窓』のL・B・ジェフリーズ、高所の恐怖から逃げられない『めまい』のスコッティ・ファーガソン、不細工な外見に囚われて人づきあいができない『マーティ』のマーティ・ピレッティや、『ゴーストワールド』のシーモア。巨大な鼻に翻弄される『愛しのロクサーヌ』のC・D・ベイルズ、車椅子に縛りつけられた『7月4日に生まれて』のロン・コーヴィック等。アルコール依存症、鬱、癌、アルツハイマー病等、何らかの**依存症**や**難病**。『評決』のフランク・ギャルヴィンはアルコール依存症、『愛と追憶の日々』のエマは癌だった。そして、パンも買えないほど貧乏で空腹であるという具合に**極度の貧窮**または、**経済的な困難**。このような人は全員**負け犬**のカテゴリーに分類され、強力な共感を誘発することで知られている。ロッキー、エリン・ブロコビッチ、そして『グラディエーター』のタイタスのように、絶望的な逆境にあり

ながら、最終的に勝利を手にするキャラクターたちだ。

逃れられない過去の深い傷

少し前に、バックストーリーと過去の亡霊によって、キャラクターのことをもっと知りたいと思わせる技を解説した。過去の亡霊が痛々しい傷跡を見せれば、それは読者の共感に繋がる。『普通の人々』で溺死した兄に対する罪悪感に苛まされるコンラッド。モーツァルトを殺してしまった罪悪感に苦悩するサリエリ。最愛のイルザとの恋が成就しなかった心の痛みに勝てずに感情が麻痺してしまった『カサブランカ』のリック・ブレイン。どれも、共感を呼ぶキャラクターだ。

弱みを見せる瞬間

キャラクターが弱みを見せているときも、共感を呼びやすい。希望を失い、どん底で、脆さを曝け出しているキャラクターの弱さを、脚本家が見せるのだ。痛みを覚えている、悲しみに沈んでいる、疑心暗鬼、不安、または恐れを感じているキャラクター。ウディ・アレンの作品はほとんどすべてに該当する。インディアナ・ジョーンズの蛇恐怖症も一例だ。

裏切りと欺瞞

同情に値するキャラクターに対して確実に同情を呼ぶ技の1つとして、別の登場人物を使って騙させる、または裏切らせるというのもある（敵役にこの技を使うと、反対の効果を生む）。例えば、『評決』で主人公のフランク・ギャルバンが心惹かれる相手は、実は敵側のスパイだった。『北北西に進路を取れ』のイブも同じだ。

本当のことを言っているのに信じてもらえない

知り合いが本当のことを言っているのに、信じてもらえないのを見たら、見ているこっちも腹立たしく感じる。そこには劇的なアイロニーがあるのだ。『E.T.』のエリオット、『ゴースト／ニューヨークの幻』のモリー、『北北西に進路を取れ』のロジャー・ソーンヒル、そして『ビバリーヒルズ・コップ』のアクセル・フォーリーが良い見本だ。

見捨てられる

愛する誰かに捨てられる、または見捨てられる。私たちの本能の深い部分に訴えて、憐みの気持ちを呼び起こす。『オリヴァ・ツイスト』のオリヴァは、未婚の産みの母の手で孤児院の玄関先に捨てられた。『クレイマー、クレイマー』の冒頭で、テッドの妻は息子を残して夫の元を去る。『ホーム・アローン』では、ケヴィンを1人家に残して家族は旅行に出かけてしまう。

除け者と拒絶

集団に属したいという欲求、そして家族の愛情を求める欲求は、普遍的なものなので、除け者にされたり拒絶されるキャラクターは、それだけで強く訴える力を持つ。『リプリー』で、ディッキー・グリーンリーフに愛を訴えて受け入れられなかったトム・リプリーや、ジェニーに断られるフォレスト・ガンプのような、「叶わぬ恋」もこれに含まれる。自ら望まないのに集団から排除された者や一匹狼、人生の王道から外れた不適合者も、他のキャラクターを立たせる要素と合わせ技で心を掴むことができる。彼らもまた、『チャンス』の主人公や『シザーハンズ』のエドワードのように、普通の人の集まりから疎外されたキャラクターたちだからだ。

孤独／無関心

孤独を感じている、または他の人に相手をしてもらえない。人は、このようなキャラクターを応援したくなるようにできている。広大な屋敷で独り死を迎える『市民ケーン』の主人公。潔癖症と鼻持ちならない性格が災いしていつも孤独な『恋愛小説家』のメルヴィン。この技は、10代の少年少女に使われることが多い。ジェームズ・ディーンと、ナタリー・ウッド、サル・ミネオが悩み多きティーンを演じた『理由なき反抗』では、3人が無関心な親の気を引こうと、トラブルに巻き込まれ続ける。

失敗と後悔

人間なら失敗する。だから、主人公が誰でも犯し得る失敗を犯しても、読者は嫌いになるどころか、同情する。失敗によって、同じように失敗するあの人も私と同じ人間と認識できるのだ。失敗を犯した主人公が**後悔**したら、主人公と私たちを結ぶ絆は一層強くなる。『ファインディング・ニモ』のマーリンは、過保護に育ててしまった息子が失踪して、後悔する。『スパイダーマン』で、見逃した強盗に後で叔父を殺されるピーター・パーカーも同じ。誤った判断を下したパーカーを責める代わりに、私たちは最愛の家族を失って痛恨の念に苦しむ彼に同情する。罪悪感に悩むパーカーは、犯罪と闘うことで贖罪を求めるのだ。

怪我に苦しむ

主人公が怪我をして、手当てが必要なときも共感を呼びやすい。手当てするのが医者でも恋人でも同じことだ。アクション・アドベンチャーやスリラー映画に出てくる、ほとんどのキャラクターがこれに該当する。インディアナ・ジョーンズ、ジェームズ・ボンド、『ダイ・ハード』のジョン・マクレーン。この技を使った最高のハイ・コンセプトを1つ。自分の殺人事件を、自分で解決するのだ。フランク・ビゲローは毒を盛られたことに気づくが、毒が回るまでの2時間しか命がないというのが、『D.O.A.』のコンセプトだった。[タイトルは「来院時心肺停止」]。

危機

誰でも、自分が関心を持つキャラクターが危機に陥るのを見るのが大好きだ。大変であるほど、大喜びだ。例えば自分の命とか、恋人とか、信頼とか、何か大切なものを失いそうになったキャラクターを見たら心配せずにいられない。どんな脅威も最高の装置として機能する。囚われの脅威、秘密をばらされる脅威、命の脅威。『フェリスはある朝突然に』や、『追いつめられて』、『レイダース／失われたアーク《聖櫃》』、どれをとっても危機また危機の連続だ。『トッツィー』は、主人公のマイケルと対峙する敵役の親玉がいないという意味で、興味深い例だ。この場合の主な脅威は、マイケルがどこまで嘘をつき通せるかということになる。女装する度に、危機の連続なのだ。だから脚本を読む者は、目が離せなくなる。

2 人間味あふれるキャラクターで共感を誘う

人間性とは、人間的な美徳の集積だ。それぞれの美徳が他者に正の影響を与える力を持っている。美徳というのは、他に対する行動や態度なのだ。愛、品行、正義、寛容さ、情感、寛大さといったものが、美徳に含まれる。このような資質を垣間見せた人に会うと、その人のことを気にかけずにはいられなくなる。キャラクターに美徳を持たせて人間味を与えるということは、読者の心と絆を作る効果的な手段の1つなのだ。

困っている人を助ける

人を助けるという行為は、誰でも認識できる普遍性を持っているので、これも原始的な共感装置として有効に機能する。大変なときは助け合うのが人間というものだ。助けてくれた人には好感を抱く。マザー・テレサの例を出すまでもないだろう。『素晴らしき哉、人生！』のジョージ・ベイリーは、文句なく映画史で一番好かれるキャラクターの1人だろう。彼の自己犠牲的な行為の数々。片耳の聴覚を失いながらも溺れる弟を救い、病気の子どもに誤って毒を渡しそうになった薬屋の代わりに殴られ、大学と楽しみにしていたヨーロッパ旅行を諦めて、ベイリー・ビルディング&ローン社を顧客のために守った。そんな男を嫌いな人がいるはずがない。キャラクターを奉仕型の職業に就かせれば、人助けも自然に起きる。医師、心理学診療師、教師、看護師、牧師、警察官、消防士等。自分のことだけではなく、他人に優しいキャラクターは、心を掴む。

子ども好き、または子どもに好かれる

子どもは純真さを象徴するので、子ども好き、子どもの気持ちがわかる、または子どもと遊べる、さらに子どもに好かれるキャラクターは、自動的に相手の心を掴む。『メリー・ポピンズ』や、『サウンド・オブ・ミュージック』、『シックス・センス』の心理学者マルコム・クロウも良い見本だ。『ザ・エージェント』のジェリー・マグワイヤも、

ドロシーの幼い息子に1発で気に入られた。

動物好き、または動物に好かれる

子どもと同様、動物好き、または動物に好かれるキャラクターも読者の心を掴む。ハリウッドで「撫で撫で」として知られる技だが、動物の頭を撫でたり、抱っこしたり、餌をやったりして可愛がるキャラクターのことだ。他者に対する優しさと、身勝手でない性格を表している。例えば、いじめられていた犬を助ける『リーサル・ウェポン』のマーティン・リッグス。『偶然の旅行者』のメーコン・リアリー、『ワンダとダイヤと優しい奴ら』の魚好きな主人公。さらに、たとえ鼻持ちならない役柄でも、動物に嫌われないキャラクターは、観客にも嫌われない。社会的な仮面の裏に隠された素顔を動物が見抜く力は信用できるからだ。『恋愛小説家』で、メルヴィンに懐く犬が最高の見本だ。ダスト・シュートに放り込まれた後も、犬はメルヴィンを嫌わない。

心境の変化、または許し

キャラクターに心境の変化があると、観客は嬉しくなるものだ。最初は嫌っていた人を受け入れたり、反発していた人に同意したり。例えば、ヤクザのボスの借金を踏み倒した男の親指を折りに行ったはずなのに、結局は説教だけして帰るロッキー。あるいは、『アルマゲドン』。娘と付き合っているA・J・フロストに腹を立て、殺してやるとすら言った石油採掘屋のハリー・スタンパー。最後には娘を頼むと言い残して、隕石阻止に命を捧げる。

命がけ、または自己犠牲

他人、特に愛する者のために自分を犠牲にする行為は、かなりの共感を呼ぶ。『美女と野獣』のベルは、身を挺して父を救おうとする。『カサブランカ』のリックはすべてを失う覚悟でイルザを助けるのだ。

大義のために戦う、あるいは死ぬ

自分のことでもない何かを大切にするキャラクターも、共感を集める。正義のために戦うというのは、勇敢で利他的な行為だと認識される。『アルマゲドン』で身を挺して世界を救うハリー・スタンパーが、ここにも当てはまる。『カサブランカ』のリックは、ナチスに抵抗するためにイルザとの幸せを犠牲にする。『ブレイブハート』のウォレスは、自由のために命を投げ打つ。『波止場』のテリー・マロイは、汚職に立ち向かう。

倫理的、道徳的に正しく、誠実で責任感があり、頼れる

いずれも、人間の徳の中でも特に相手の心に訴えるものだ。利己的な動機に基づいているのでなければ、どれをとっても正の資質とみなされる。例えば『ミセス・ダウト』は、禁煙広告を拒否した会社に倫理的な問題を感じて辞めたダニエルの話だ。他には『素晴らしき哉、人生！』のジョージ・ベイリー、『アラバマ物語』のアティカス・フィンチ、そしてフォレスト・ガンプも、良い見本だ。

誰かを愛している（家族、友人、隣人）

誰かに、または何かに深い愛情を注ぐ者。とりわけ家族や友人に深い愛情を持つキャラクターも、読者の心に訴える。だからこの技は、犯罪者や嫌われ者、アンチ・ヒーローに共感を抱かせるために使われる。ヴィトー・コル

レオーネやトニー・ソプラノのように法を犯して活動するマフィアのボスにも、これで共感が抱ける。家族に愛され、友人たちに囲まれているなら、悪いばかりじゃないだろう、というわけだ。

みんなに大事にされる

物語の中で人々に好かれているキャラクターには、私たちも好意を抱く。職場でいつも周りに人が集まってくる。家で人に囲まれている。好かれている。尊敬されている。能力を高く評価されている。何かの専門家だったり、問題解決の重要な鍵を握る人物には好意が持てる。アティカス・フィンチ、ジョージ・ベイリー、フォレスト・ガンプ等のことを考えてみれば、このようなキャラクターの持つ心を掴む力が理解できる。

独りでいるときに人間味を見せる

独りきりになり、誰も見ていないところでガードを下げてふと人間的な素顔を見せるキャラクターは、共感を誘う。これと、からかわれたり侮辱されるといった不当なあつかいを組み合わせれば、さらに同情を集められる。そして、主人公のプライバシーを侵害する敵役は、さらなる反感を呼ぶことになる。

優しい振る舞い

親切な行為、思いやりのある言動、寛大な態度。毛布をかけてあげる、怪我人の世話。特に相手が子どもならなお結構。路上生活者にお金をあげる。このようなキャラクター相手なら、すぐに心の絆が結ばれる。

3 誰もが望むような資質で憧れを持たせる

あるキャラクターが思いやりを感じさせる言動をしたら、それに伴って感じられる人間味が他者に影響を与える。今まで、思いやりを感じさせる言動を通して、溢れる人間味が他者の心を動かすという例を見てきた。ここでは、他者に影響をおよぼす個人的な性癖や行動を挙げる。正義のために死ぬとか子どもに好かれるという人間性ほど大きな効果はないが、誰もがそうありたいと望むような、魅力的な、そして読者の心を掴む属性だ。

・**権力、カリスマ、リーダーシップ**。他者に対して力を持っている（『ゴッドファーザー』、『市民ケーン』、『パットン大戦車軍団』）。やるべきことをやる（『ランボー』、『ブレイブハート』）。周りを気にせずに意見を述べ、気持ちを口にする（『ビバリーヒルズ・コップ』、『カッコーの巣の上で』）。

・**華麗な職業**。憧れの職業。芸術家、広告会社の重役、建築デザイナー、作家、写真家、冒険家、民間航空のパイロット、レーサー、スパイ、怪盗、アスリート、シェフ等など。

・**勇気（身体的、精神的）**。誰でも、自分で問題を解決してしまう勇気を持った人に憧れる。常に勇気凛々である必要はない。最後に勇気をもって解決する人ということだ。『恋愛小説家』のメルヴィンは、部屋の中で小便をする犬に業を煮やして、犬をダスト・シュートに投げ捨てる。もちろん普通の人はそんなことをしないが、行動を起こした彼の勇気に密かに憧れるのだ。また、自ら罪を購う人にも同じく憧れる。（『評決』、『テンダー・マーシー』、『シンドラーのリスト』）。伝統や組織に立ち向かう人にも憧れる（『ノーマ・レイ』、『アイ・アム・サム』、『クジラの島の少女』）。最後に身体的な勇気も、羨望の気持ちを刺激する（『プライベート・ライアン』、『ライトスタッフ』）。

・**情熱**。深い愛情や何かに対する情熱で満たされたキャラクターは、激しく感情を揺さぶることができる。『ブレイブハート』や『恋におちたシェイクスピア』に、そのような激情を見ることができる。情熱を高めるほど、観客の心に隠れている同じような感情が刺激される。

・**能力／専門性**、その業界最高の職人。何かの分野で引く手あまたの達人（インディ・ジョーンズ、ジェームズ・ボンド）。

・**魅力的**。言うまでもないが、外見が魅力的な人は心を掴む力も強い。

・**賢い、ウィット、頭の回転が速い**。このような特性は『スター・ウォーズ』のオビ＝ワン・ケノービ、『ロード・オブ・ザ・リング』のガンダルフといった指導者役、または『恋はデジャ・ブ』のフィル、『ビバリーヒルズ・コップ』のアクセル・フォーリーのようなやんちゃなキャラクターのためにとっておかれることが多い。脚本を読む人は、賢く問題を解決していく頭の切れる人が好きだ。自分の知恵とウィットひとつで世界に立ち向かっていくキャラクターが好きなのだ。

・**ユーモア、遊び心**。絶対に好きになれないようなキャラクターでも、面白い人なら少しだけ一緒にいてもいいと思うだろう。例えば『バットマン』のジョーカーとか。遊び心満載のキャラクターといえば『ビバリーヒルズ・コップ』のアクセル・フォーリー、オースティン・パワーズ、『ティファニーで朝食を』のホリー・ゴライトリー、『初体験／リッジモンド・ハイ』のジェフ・スピコリ等だ。

・**子どものような純真さ、または子どものような熱意**。『チャンス』の主人公、フォレスト・ガンプ、アメリ、そして『オズの魔法使』のドロシー等。

・**身体性と運動能力**。ダンサー、戦士、アスリート。

・**粘り強さ（弱みがあっても努力してやり抜く心、根性）**。問題を解決しようと奮闘するキャラクターがいると、脚本の読者はご褒美として同情を与えてくれる。それが、ロッキーや、フォレスト・ガンプのように、よりよい自分になろうと苦労する負け犬キャラクターならなお結構。障害を乗り越えて前に進もうとするキャラクター。見込みがなくても当たって砕けるキャラクターに、観客は憧れる。決して諦めようとしない者には賞賛が与えられる。自ら行動を起こして問題に立ち向かうキャラクターの方が、何か起きるまで待っている人よりも好まれるのは当然だ。弱点や障害を抱えたキャラクターなら、ますます好まれる。もし『ファインディング・ニモ』で、ニモがいなくなっても父親のマーリンが不憫に思うだけで何もしなかったら、観客もそこで父親が気の毒だと思うことをやめてしまうだろう。

・**はずれ者、反逆者、奇人変人**。誰の真似もしない。権威をあざ笑う。独特の生き方で世間を渡り、誰に何を言われようと自分は幸せという人。それは集団に属しない、アウトサイダーであり、はずれ者だ。本質的には「陸に上がった河童」と同じ。『ハロルドとモード　少年は虹を渡る』、『ダーティハリー』、『カッコーの巣の上で』の主人公がこれに当たる。

実例：キャラクター造型の脚本術

ここでは、『恋愛小説家』のメルヴィン・ユドールを取り上げよう。これほど色彩豊かで複雑なキャラクターは、なかなかいない。まるでお伽話の世界の住人のように、悪意に満ちていると同時にとてつもなく魅力的。マーク・アンドラスとジェイムズ・L・ブルックスの2人によって書かれた脚本を追いかけながら、2人がどのような技を駆使して、この欠点だらけのキャラクターに私たちが関心を寄せるように仕向けたのか、詳細に見ていこう。メルヴィンという男の、不愉快で、人当たりの悪い、厭世的な態度を、2人は見事に拾っていく。ご近所では嫌われ、お隣さんの犬バーデルをダスト・シュートに投げ捨て、近くにいる人は誰彼構わず罵倒する。メルヴィンの陰性の性格と釣り合いを取るために、この章で見てきたキャラクターを魅力的にする技の数々が使われているので、1つずつ見ていこう。

メルヴィンが隣人のサイモンとやりあった直後、最初の技が使われる。ドアを勢いよく閉め、鍵を5回かけ直した後、ほとんど沸騰している湯の中で開封したての石鹸2つで手を洗い、その石鹸は捨ててしまう。洗面所の棚には石鹸の山があるので心配しなくても大丈夫。この奇妙な儀式を見ながら、私たちはこの男が潔癖症を患っていることに気づく（心理的な障害）。

メルヴィンが恋愛小説の作家だということも明かされる。そしてニューヨークにある彼の洒落たアパートを見れば、作家として結構な成功を収めていることも理解できる。後で明かされるが、メルヴィンは62冊目の小説を執筆中（能力／専門的技能、華やかな職業）。サイモンが犬のことで文句を言ってくると、メルヴィンは、仕事中は絶対に邪魔はさせないと言い張る（権力、勇気、賢さ）。しかし、サイモンのアートディーラーであるフランクがメルヴィンを脅すとき、明らかに潔癖症が原因のパニックを起こしながら「触るな！　触るな！」と叫ぶメルヴィンを、観客は哀れまずにはいられない（弱さを見せる瞬間、脆さ）。

メルヴィンが外に出たお陰で、さらに彼の症状が露呈する。歩道を歩くとき、タイルの繋ぎ目を踏めないのだ。メルヴィンがお気に入りの食堂に入り、お気に入りの席に着いたところで、観客はウェイトレスのキャロルに紹介される。キャロルは、おそらくニューヨークでただ1人、メルヴィンという男に興味を示し、彼の容赦ない嘲りと悪口の背後に潜んでいる一片の良心を感じ取った人だった。このとき観客はメルヴィンの人間らしさを、彼がキャロルの病気の息子の具合を尋ねるという行為によって垣間見る（実際にこれは食堂への2回目の訪問で、1回目はお前の息子はどうせもうすぐ死ぬと悪態を突いてキャロルに説教される）。

サイモンが強盗に遭い酷く殴られて負傷する。フランクはメルヴィンに、サイモンの入院中に犬のバーデルの世話を見るように命令する。犬に酷い仕打ちをしたメルヴィンがその犬と同居する羽目になるとは、なんとも皮肉な展開だ。そのときメルヴィンは「うちに入ったのはお前が初めてだ」と独り言で明かす。内面を曝け出す見事な台詞だ（脆さ、孤独）。おかしなことに、犬はメルヴィンに懐く（動物に好かれる）。メルヴィンの氷の心も少し柔らかくなるが、それでも周囲の人が近づきすぎないように悪口雑言を欠かさない。食堂では、犬のことを気にかけながら、ベーコンを残してやる。この行動から彼が実は犬が好きだということがわかる（撫で撫で）。

ある日、キャロルが食堂を休んだので、メルヴィンの日課が滞ってしまう。そこで彼はキャロルのアパートを訪れ、腹が減ったから食堂に戻るように言う。事が早く進むように、メルヴィンは頼まれもしないのに、医者を呼んでキャロルの息子を診させる（友人を助ける、他者に大事にされる）。回復中のサイモンにも中華スープを持って見舞いにいく（親切）。

やがてメルヴィンは、キャロルとサイモンをバルチモアに車で連れて行く羽目になる。宿泊先のホテル、つまりこの映画の一番の見せ場で、キャロルはメルヴィンに何でもいいから褒めてくれないと出て行く、と迫る。メルヴィンは何とか「君といると、ちゃんとした人間になりたいと思わせてくれる」と、褒め言葉を搾り出す。しばし無言だったキャロルは「人生で最高の褒め言葉かもしれない」と言う（心境の変化、薬に頼るのではなく、キャロルとのちゃんとした人間関係を持とうとする）。ところがうっかりキャロルを傷つけることを言ってしまい（傷つけて後悔）、その後キャロルはニューヨークに帰るまで口を開かない。キャロルはもうメルヴィンには会いたくないと言い、メルヴィンが息子のことで資金援助を申し出ても首を縦に振らない（拒否）。サイモンの部屋がまた貸しされてしまうことになり、メルヴィンは自分の部屋に居候させることにする（友人を助ける）。

キャロルなしでは生きていけないことに気づいたメルヴィンは、キャロルが自分にとってどれほど大切で、世界中で自分ほどキャロルのことを思っている人は他にいないと宣言してキャロルの心を動かし、彼女にキスするのである（脆さ、勇気）。

このように、さまざまな技を駆使して、メルヴィンというキャラクターが読者の心を力強く掴む仕掛けが施されている。メルヴィンの過剰な人間嫌いがあれば、それだけで読者の注意を引きつけるのに十分だったのではないかと言う人もいるだろう。確かにそうだ。もしメルヴィンのキャラクターが主役でなければ、もし彼を通して物語が体験されるのでなければ、それで十分だったに違いない。しかし物語の主役である以上、その言動に関心を持ってもらわなければならない。だから脚本家の2人は、登場したときには極めて魅力的でないこのキャラクターを、技を駆使して魅力的にしていったのだ。

魅力に乏しいキャラクターは、実に簡単に読者に嫌がられてしまう。そんなキャラクターを、読者が自分のことのように気にかけるようにするための技巧。そんなキャラクターの冒険に、脚本の最後まで付き合わせるほど気にかけさせるための技巧が、役に立つのだ。

さて、プロの脚本家がどんな技を使うか紹介した。今度は、あなたが自分で創ったキャラクターにその技を使ってみる番だ。キャラクターが立体的になったら、そしてページ上でその内面を明かす方法を見つけたら、脚本を読む人の心とキャラクターが絆で結ばれたら、少しずつプロットが浮かび上がってくる。でも、それだけでは読者の心を掴む物語を紡ぐことはできない。だから次の章で、すべての物語に共通する本源的な感情を探ってみよう。

CHAPTER 5

STORY:
RISING TENSION

物語

高まる緊張感

読者を泣かせたきゃ、まず作家自身が泣け。読者を驚かせたきゃ、まず作家自身が驚け。

――ロバート・フロスト

コンセプトという世界観とキャラクターができあがったなら、大まかな物語はできているはずだ。なにしろ、キャラクターの目標と感情的な変化の道筋、そして達成の報酬または代償が決まれば、それこそが物語なのだから。そこに欠けているのは、対立だけだ。目標に到達しようとするキャラクターを阻む障害物だ。

初心者は、物語を書くのは簡単だと言う。基本的にはただの出来事の連なりに過ぎない、つまり、誰かが何かをして、または何かが誰かに起こる、その繰り返しだと思っているからだ。もちろんそれだけではない。書き直しの無限ループにはまりたくないなら、初心者でも物語の正体をよく理解しておいて損はない。

基礎：物語について知っておくべきこと

劇的な物語とは何か

物語とは何なのか。大抵の脚本指南書には、物語の定義が書いてある。掘り下げの深さにもよるが、どれも大体役に立つ。例えば、物語とは要は問題を抱えたキャラクターのことだと書いてある本もある。何かが誰かに起きて、何とかしなければならないのが物語だというのもある。

UCLAの教授だったウィリアム・フローグによると、物語とは「鮮烈で、感情を刺激し、対立があり、はっと興味を引くような事件の連なり、またはその帰結」だそうだ。作家のジェームズ・N・フライは劇的な物語を説明してこう言っている。「お話としてまとめられた連続的な出来事で、その出来事の結果として、人間的な価値を持つキャラクターが苦労を経て変わる」。スクリプト・コンサルタントのマイケル・ヘイグは、物語とは「同情に値するキャラクターのこと。その人が、段階的により困難になっていく、一見不可能とも思える困難を乗り越え興味深い欲求を満たすこと」だと定義している。

他にも定義はいろいろあるが、まあそういうことだ。どれも同じことを言っているのだが、余計なものを取り払うと、物語というものの本質はこういうことになる。「簡単には手に入らない何かを求めるキャラクターがいる」。コロンビア大学映画学部副部長のフランク・ダニエルによる、私が知る限り最も端的な定義だ。これを紙に太字で書いて、物語の考案中はいつでも見えるところに貼っておくといい。「簡単には手に入らない何かを求めるキャラクターがいる」（他の定義がしっくりくるなら、別にどれでも構わない）。

はっきり言ってしまえば、今挙げた定義に当てはまらない物語は、**ドラマチックな物語**とは呼べない。対立や困難な障害を乗り越えようと必死であがく、それがドラマという言葉の元々の意味なのだ。誰かが何らかの困難に対処しようとする。すべての物語はその話を語っているのだ。だからどんな物語でも、焦点は必ず対立に置かれる。

そのような理由で、すべての物語は、対立、あがき、解決という3つの要素から成っていると言える。ある人に何かが起こる。結果として問題（対立）が発生するので、何らかの行動を起こして問題を解決しようと必死に奮闘（あがき）する羽目になる。最後にはうまくいくか、失敗して終わる（解決）。どこかで聞いたような展開だと思うかもしれない。なぜならほとんどの物語は、序（お膳立て→対立）、中（拗れる→あがき）、終わり（解決）という、古典的な構成で語られるからだ。構成については次の章で詳しく見ていくが、ここではまず物語の正体をしっかり理解しよう。

物語対プロット

物語とプロットの理解にも、混乱が見られる。脚本家の中でも、両者は同じだと考えている人が多いが、これは脚本の技巧を身につける上で実に有害な考え方だ。脚本家の卵は、良い物語を書くための魔法の公式やテンプレートを探しまわった挙句、プロット構築に重点が置かれることになる。しかしそのプロットが素晴らしい物語になって現れることは、まずない。現れるものといえば、何の驚きもない、型で抜いたような、そして、全部同じ式に当てはめて書いたような、物語の筋だけなのだ。プロットは物語ほど重要ではないと言っているのではないので、誤解しないで欲しい。しかし物語とプロットの違いは知っていた方が得だし、重点を置くべきはやはり物語なのだ。リリアン・ヘルマンが言ったとおり、「物語とは、キャラクターがやりたいと望むこと。プロットは、作家がキャラクターにやらせたいこと」なのだ。

物語は、脚本家であるあなたの創造物であり、あなたの創る芸術なのだ。プロットは、あなたが面白く語りたい物語を乗せる器であり、あなたの技巧なのだ。物語を通じて、読者は一連の出来事を経験し、結果として人間というものをより深く理解する。プロットは、その一連の出来事の展開のことであり、物語の構成そのものを示す。『市民ケーン』について考えると、物語とプロットの違いがわかりやすい。『市民ケーン』は、チャールズ・フォスター・ケーンという、人を愛せないまま愛を求める男の生涯の物語だ。「薔薇の蕾」という言葉に秘められた意味を記者が探っていく筋立てがあり、それに従ってケーンの物語を明らかにするために、脚本家が場面を配置したのがプロットなのだ。

プロットは、基本的な問いに対する答えだ。誰が、何を、どこで、どうやって、どうして。物語の底に横たわる意味に辻褄を与えるのがプロットなのだ。一連の劇的な状況が、論理的に繋がっただけであり、さっきこうだったから、今これが起きたというのがプロットなのだ「プロットという英語には「画策する」とか「図面を作表する」というような意味もある」。

物語にプロットを与えるとき、つまり出来事をどう配置するか考案するときには、脚本を読む人にどのような影響を与えたいかが鍵になる。そもそもプロットというのは、物語を創りだすためではなく、読者を感情的に満足させるための設計の手段なのだ。物語を創るのは、コンセプトと、テーマと、世界観と、キャラクター造型だ。その物語を、プロットを通してどのように語るか考案する作業が、次にくるのだ。それがこの章であつかう内容だ。プロットによって物語を配置する技巧。プロットによって、期待感、緊張感、好奇心、驚きといった主要な感情的反応を引き起こす方法を探っていこう。アーウィン・ブラックラーが言ったように、「プロットは、ただ出来事を並べたものじゃない。感情を順番に並べたのがプロットなんだ」。

プロットの技巧：読む人の心を最後まで釘づけにする

自分で創ったキャラクターが何を望んでいるか。その邪魔をしているのは何か。そのキャラクターはどう変わるのか。これがわかっていれば、あなたは自分が書く物語の行方を理解しているということだ。次は、脚本を読む人を110ページの旅に誘い、関心を手放すことがないように手を引いて、満足のいく、そして腑に落ちる結末に導いてやる方法を考える番だ。私に関する限り、どちらかと言うと物語を創造するのは簡単な方だ。その物語を、いかに読者が興味を失わないように、巻き込み、魅惑して、紙の上で語るか。ここで技巧が物を言うのだ。最初のページから最後まで、どうやったら感情的に訴え続けることができるのか。具体的に見ていこう。

面白いと思わせることが、すべて

心を掴むということの肝は、読者が面白いと思うということだ。つまり、関心が引けるかどうかにかかっている。すべては、そこから始まる。面白そうと思ってもらえるかどうかは、最初から最後まで読者の関心を繋ぎとめられるかどうかで決まる。

「面白い」と「関心」の反対語は、「つまらない」と「どうでもいい」だ。この2つはハリウッドでは最高の重罪であり、脚本家が従うべき唯一の法を犯したことになる。残念ながら、それは素人脚本家に見られる最大の欠陥でもある。つまらない脚本を推薦する下読みはいないし、制作に踏み切る重役もいない（スターが出演したがっているなら、話は別）。そしてそんな映画を2時間もかけて観るために、高い入場料を払う客もいない。エルモア・レナードが、ファンからもらった手紙にまつわるこんな小噺を披露したことがある。ファンが言うには、「私がベッドであなたの本ばかり読むので、主人がうんざりだと言うんです。だから、こう言ってやったんです。『私の気を引く努力くらいしたら？』」。

読者の気を引き、心を繋ぎとめておくことで面白いと思わせ続ける。それがすべてだ。巧く書かれた文章は、読者の心に何かを感じさせるから巧く書かれた文章なのだ。そこが巧くいっているから、3時間の映画でも時間を忘れて観ることができる。戯曲家のウィリアム・ギブソンが言うとおり、「脚本家の最初の仕事は、書いた脚本を下読みに捨てさせないようにすること」なのだ。あなたは、腰を下ろして脚本を書く度に、どのページのどの部分でもお客さんを失う可能性があるという事実に恐れおののくべきなのだ。

読者の関心を最初から最後まで保つ唯一の方法は、その読者が理屈抜きで感じたいと望んでいる感情を体験させてやることしかない。物語の中で、誰もが最も体験したいと思う感情は何だろう。問題が解決されるのを見たいのは当然だが、何より日常では体験できない凝縮された感情的体験が望まれているのだ。それは、楽しいという感覚、期待する気持ち、好奇心、他者に共感する気持ち、興奮、魅惑、恐怖、希望、知りたい気持ち、緊張感といった感情だ。お客さんはこのような感情体験にお金を払う。それはまさに読者が求めているものでもある。このような感情的反応こそが娯楽の要なのだ。それはこの章の要でもある。まずは感情的反応の中でも一番本質的な、面白いという気持ちから見ていこう。

興味／魅力／洞察／畏敬

興味という気持ちが、読者から引き出したい最も本質的な気持ちだと言うのは、お話を語るときに刺激したいあらゆる気持ちが、興味に集約されるからだ。脚本を読んだり映画を観たとき、ある場面で何かがあなたの心を掴んだとする。厳密に言うと、これが「興味を覚えた」、つまり「面白いと思った」ということだ。キャラクターが目標を明言し、それを聞いたあなたが「うまくいくかな」または「失敗するかな」と思ったら、あなたはその物語に興味を覚えたということだ。スリラーを観ていて、強烈な緊張感に心奪われたなら、あなたは興味を覚えたということだ。前にも書いたとおり、「面白い」の反対語は「つまらない」だ。そして退屈なのはハリウッドでは眉をひそめて敬遠される。そう考えれば、理想的には読者の関心を全ページで繋ぎとめたい。脚本の成否はそこにかかっていると言っても、決して言いすぎではないのだ。

脚本を読んで面白いと思うか、つまらないと思うかというのはあくまで主観的な判断に過ぎない。それでも、時代を超えて世界中で大成功を収め、批評家大絶賛という映画を観ると、世界の観客から引き出した反応とその技巧に、何らかの共通点を見出すことができる。ある映画が、年齢、民族、地理的条件も世代も超えて、さまざまな観客の心を動かせるなら、そこからは必ず、観客から感情的反応を引き出すように書くためのテクニックが見つけ出せるはずだ。ウェイン・C・ブースが著書『The Rhetoric of Fiction』［未邦訳「フィクションの修辞学」］で、こう言っている。「良く書けたものも、そうでないものも、およそ文字的表現というのは、読者の興味に繋がる複数の線を操って、読者を繋いだり切り離したりしていく複雑な操作のシステムなのだ。読者のことを考えながら書いたかどうかは、関係ない」。脚本を書くときは、オープニングで早速読者の心を掴んでおくのが理想的だ。第一幕を展開させながら読者の関心を繋ぎ、障害物が現れ、話が拗れることで読者の関心は膨らみ、クライマックスで最高潮に達し、結末で持ち続けた興味が満たされるのだ。

興味、期待、緊張、驚きといった感情を喚起するようなドラマを構築する技巧は後で解説するとして、ここでは脚本上で読者の単純な関心を掴むための方法を紹介する。興味、魅力、洞察、そして畏敬だ。

原因と結果

人というのは、論理的な生き物だ。何を見ても辻褄を合わせようとする。物語が人生を象徴した1つの型である以上、誰でも先天的に理に適ったプロットをたどれるだろうと期待する。プロットをたどっていけば、明確な原因と結果に導かれてクライマックスと結末にたどり着けると期待してしまう。刺激と反応という組み合わせによって人は人生の辻褄を合わせる。すべてのものは何かの反応であり、原因があるから結果が起きたと了解するのだ。だから刺激と反応は、物語を構成する建材のようなものなのだ。誰でもものごとの道理を理解したい。世界の、そして宇宙のあり様が、辻褄に合っていると信じる必要があるのだ。何にでも原因があり、原因がわかれば結果も理解できるということだ。E・M・フォースターが、次のような例を示した。「王が死んだ。女王が死んだ」。これでは、ただの年代記だ。しかし「王が死んだ。悲しみにくれた女王が死んだ」とすれば、より満足できる文章になる。原因が付け加えられたからだ。2つの事件が原因によって繋がり、より読者の関心を引き、満足を与えるものになった。だから、ランダムなエピソードの羅列よりも、それぞれの出来事が次の出来事の原因になっているということが明確に理解できるプロットがあった方が、関心を維持しやすい。非直線的でエピソードがばらばらに並んでいる印象を与えるプロットを避けろと言っているわけではない。そのようなプロットに面白い場面がないと言っているのでもない。直線的で緊密な原因と結果に貫かれたプロットと較べると、読者の関心を維持しにくいと言っているだけだ。1つの行動が次に繋がり、その積み重ねがある点に達したとき、読者の感情と知性に触れるのである。

キャラクター

Chapter 4で読んだとおり、独特な個性を持ったキャラクターは魅力的であり得るので、読者の興味を引きつけられる。キャラクターを構築する上でなくてはならない要素、つまり目標、動機、失敗の代償、個性、欠点、そして人間関係は、それぞれ脚本上で読者の興味を掻き立てる要素でもある。だから重要なのだ。キャラクターを構成する層が1つずつ露出する度に、読者の興味は高まる。まだこの技を自分の脚本に適用していないのなら、Chapter 4に戻って詳細をおさらいして欲しい。

対立

大抵の脚本指南書やセミナーは、物語が持つ対立によってドラマを盛り上げることを強調しているが、それにはちゃんとした理由がある。対立がなくては、ドラマは存在しない。ドラマがなければ、読者は脚本に興味を示さない。物語そのものに、そしてキャラクターに対する興味を持続させるために、対立はなくてはならないのだ。対立についてはありとあらゆる解説がし尽くされているので、ここで同じ話をする気はないが、1点、読者の興味に大きく関係することだけ触れておく。もう理解しているというあなたは、基礎のおさらいとして読み飛ばして欲しい。理解していないあなたは、よく読んで理解するように。なぜなら対立というものは、物語の本質だからだ。物語を前に進める燃料であり、読者の関心が脚本から離れないようにする糊なのだ。

だからといって、面白くするためには毎ページに対立がなければいけないと言っているのではない。読者の興味を持続させる技は、他にいくつもある。しかしこれに勝る技はあまりないということは、知っておいて欲しい。だから、いつも念頭に置いておこう。対立が物語にもたらすインパクトは、人間というものに関する興味深い逆説を見せてくれる。普通の人は日常生活の中で対立を好まないのに、ドラマの中には対立を求めるのだ。日常で経験したくないことであるほど、脚本上で架空のキャラクターが経験することで、面白さも増すのだ。

では、対立とは一体どのようなことを指すのだろう。対立を一言で説明して、「犬が二匹に骨一本」と言った人がいた。対立というのは、**あるキャラクターの意志（目標、ないと困るもの、欲しいもの）**が、何らかの**妨害（障害）**に遭うということだ。目標達成の強い意志を持った2つの対立する勢力が衝突すれば、必ず面白くなり、緊張感も高まる。この目標と障害という原理があれば、それだけでも十分に面白いドラマが生み出される。しかし、さらにドラマを盛り上げる第三の要素がある。**絶対に妥協しないという意志**だ。失敗の代償が大きい上に、双方譲らないのであれば、ドラマは苛烈になっていく。妥協しない意志が無かったら、どんなに効果的じゃなくなるか考えてみて欲しい。母親のために手術代が必要な若者がいたとする。億万長者の友人に頼ろうとするが、断られる。若者の反応は、「そうか、じゃあいいよ」というもの。このような妥協をするキャラクターが出てくる脚本を読んでいても、面白くもない。絶対に妥協しないという意志があったら、このキャラクターは食い下がる。友人を脅して、銃を取り出し、それでも同意が得られなければ傷つけるかもしれない。進退窮まって殺してしまうかもしれない。場面の緊張感は高まり続ける。対立とは、この三要素が描く三角形だと考えればいい。目標、障害、妥協しない意志だ。

脚本家は、**対立の帰結**に関しても頭を使わなければいけない。対立の帰結には次の3つの可能性が考えられる。①キャラクターが勝つ、または負ける。そして緊張は消える。②キャラクターが妥協する。読者の関心を維持したいなら、これは選択肢に入らない。③対立がより深くなって拗れる。③が読者の心を離さない選択肢だ。一体どうなるんだろうと、最後まで気を揉み続けることになる。

同じ対立を繰り返さないように、注意すること。常に新しい情報を流し込み、次の対立を用意し、新しい捻りを加えなければならない。物語は常に動いているべきなのだ。すべての対立は、反復なしに次の対立に繋がっていく。だからキャラクターは、さらに困難な問題を解決するために新しい行動をとらざるを得なくなる。

目を離せないような対立を用意する。行く手に立ち塞がる障害が簡単すぎたら、読者にどうでもいいと思われてしまう。ビル・ゲイツが100ドル失くしても、大した問題ではない。しかし貧乏な宅配屋が自転車を失くしたら、それが原因で職を失い、家族を養う手段も失ったとしたら、顛末が気になって目が離せない。対立が大きいほど、困難が増える。のんびりしていられなくなる。そして読者は、あなたが創造した酷い状況からキャラクターがどうやって抜け出すか知りたくなるのだ。これこそ、面白いということだ。『脚本を書くための101の習慣』で、マイケル・シファーがこう言っている。「障害がなければいいドラマにはならない。書いている脚本のある部分が平坦だったとする。自分にこう聞いてみる。『これじゃ登場人物たちにとって簡単すぎる。この人たちにとって、もっと難しくて痛々しくて八方塞になるようにするには、何をさせればいい?』。登場人物がAからBへたどりつく上手い話を思いついたら、どうしたらAからBへの道のりがもっと見ていて面白くて、ワクワクさせるものに出来るか考えてみるんだ。登場人物を妨害する困難が大きいほど、そしてリアルであるほど、いいドラマになる。そして登場人物が求めるものを手に入れようとする気持ちが本気であるほどね」。

ここで覚えておいて欲しいのは、**対立というのは、怒鳴り合いではない**ということだ。「言った!言ってない!赤だ!違うバーガンディだ!」というような口喧嘩でもない。キャラクターが2人出てきて口論していれば対立だと考えている初心者は多い。主人公が感情的に失うものが大きいという場合は別にして、口論や不同意の類は、浅い対立だ。主人公が欲しいもの、ないと困るものを妨げる口論なら、話が別だ。対立とは、**欲求とそれを邪魔する障害**。覚えておこう。

変化

人生とは変化であり、すべての物語は変化について語られている。外面的な変化、内面的な変化、そして現状の変化。**どんな物語も、どんな場面も、どんなやり取りも、変化について語っている**。発見があれば、知識が変化する。キャラクターが何か決断すれば、行動が変化する。満たされぬ思いを抱えてA点を出発したキャラクターは、Z点にたどり着いたときには満たされている。悲劇ならば、破滅している。どっちに転ぼうと、キャラクターの足取りは変化そのものなのだ。終点は、必ず出発点とは違うものになる。そうでなかったら、何のための物語かわからない。物語の中で何かが変わったら、それが場面でも、場面を構成するやり取りでも、面白くなる。

かつてアルフレッド・ヒッチコックは、観客はせいぜい1時間ほどしか我慢ができないと言った。1時間を過ぎると疲れを見せる。だから、映画にはアクションや動きを注入し、興奮を注ぎ込む。そうすれば、観客は心理的に忙しくなって疲れを忘れる。観客の心を繋ぎとめておくには、**状況をどんどん変えていく**。だから、脚本家はアクションをどんどん激しく、そして失敗の代償をどんどん大きくしなさいと教えられるのだ。90ページ目の対立が30ページ目と同じだったら、間の60ページには何の意味も無かったことになる。キャラクターが抱える内面的葛藤や、変化の足取りについても同様のことが言える。物語の最後には、キャラクターの心に変化がもたらされるのだ。

物語の中で、特にパワフルな変化が2つある。これは、人生でも同じだ。1つは知識的な変化である**発見**、そしてもう1つは、行動的な変化である**決断**だ。物語において、この2つはプロットの要点になる。場面の中では一連のやり取りになる。どちらの場合でも、発見や決断は、キャラクターに、そして読者にも感情的反応を引き起こす。

独創性と鮮度

読者の心に興味を起こすもう1つの方法といえば、もう誰でも知っているようなことだが、何か目新しい、または他にはないような題材について書くことだ。「日の下に新しいものなし」と聖書に書いてあり、もしそれが本当だとすれば、所詮新鮮さとは書く人の物の見方次第ということになる。つまり、いかに独自の見方で普通の事象を見られるかということにかかっているのだ。脚本を読む人は、必ず自分の興味を湧き立たせてくれる特別なものを求めている。独創的な構成、プロット、キャラクター、テーマ、または台詞でも何でも構わない。プロの脚本家は、独創的なコンセプトの創造に能力を傾ける。コンセプトこそが物語を牽引する力であり、脚本を買ってくれるかもしれない人の興味を引く原動力だからだ。「ハイ・コンセプト」という概念は、そこからきている。コンセプトが新鮮なほど、訴える力も強くなるのだ。

サブテクスト

サブテクストについてはChapter9で改めて詳しく解説するが、サブテクストを使えば、物語中のいろいろな場面で読者の興味を喚起することが可能だということに、ここで触れておく。その名前が示唆するように、サブテクストというのはテクスト［本文］の下に隠された影のテクストだ。言葉の表面的な意味とは違う、その場面の本当の意味、それがサブテクストだ。表面的な、額面どおりの意味しかない場面では、面白くなかったり、不満が残ったりする。そこでサブテクストを使って、目に見えない対立をさり気なく示してやるのだ。サブテクストが喜ばれる理由は、読む方が謎かけをされたような気になるからだ。積極的に巻き込まれて、隠されたものをひも解く作業に参加できるからだ。読者の心を掴めば、自然にそのページに興味を持ってもらえる。

洞察的な情報の提示

深い洞察を興味深い方法で示すことでも、読者の興味を引き出すことができる。例えば『アメリカン・ビューティー』の冒頭のような、**洞察力溢れるナレーション**。あるいは、これから始まる物語のお膳立てになるような**期待を煽るような情報**を、『スター・ウォーズ』のオープニングの講釈や、『カサブランカ』の視覚化されたナレーションのように提示する。どういう方法が興味を誘うかというのはあくまで主観的な判断だが、そのような情報も、新鮮で、洞察力に満ち、引きこまれるほど興味深い方法で提示しなければならない。

バックストーリー

キャラクターに関するものと、状況にまつわるもの。バックストーリーには、その2種類がある。キャラクターに関するバックストーリーは、キャラクターの魅力を増す要素としてChapter 4で解説したので、もうご存知のとおりだ。脚本を読んでいる人が、あるキャラクターの過去に興味を持ったということは、脚本上に書かれたキャラクターの行動にも興味を持ったということになる。状況についても同様だ。物語が始まる前に何が起きたかという興味深い物語を考案することができる。言い換えれば**文脈**ということだ。例えば、『ジュラシック・パーク』の物語が始まる前には、恐竜のクローンを作ることに成功したジョン・ハモンドの物語がある。『マトリックス』の前には、ほとんどの人類が現実から切り離されて、知らないうちに電気供給源にされていたという物語がある。『羊たちの沈黙』の映画の物語が始まる前に、連続殺人鬼バッファロー・ビルはすでに何人かの女性を殺害している。他の技と同じだが、バックストーリーも使う以上は興味をそそるもの、読者の心に訴えるものにしなければならない。

好奇心でそそる、驚かせる

好奇心を持つというのは、感情的にもっと知りたいと飢えている状態、つまり頭に浮かんだ**問いに答えたい**、そして**辻褄を合わせたい**という知的な欲求を意味する。私たちは誰でも物語が好きだが、それは**次にどうなるか知りたい**からだ。好奇心が途絶えることがあれば、物語は失速し、止まってしまう。好奇心という感情を引き出す術を心得ている脚本家なら、間違いなく客がついてきてくれる。

質問の力

好奇心というのは、問いに答えたいという渇望から出てくる。だから、読者の好奇心を刺激し興味を持たせるために、**物語の問い**、つまり物語についていけば答えが見つかるような問いを仕掛けておく。質問されれば、答えたくなるのが人情だ。つまり、質問を仕掛けることで、問われた方は自動的に答えたさに疼くわけだ。物語の中で何かが展開する度に、読者の興味が刺激され、次はどうなるんだろうという問いが頭に浮かぶ。脚本家は、情報を小出しにすることで読者に問わせ続けることができる。一度にすべてを出し切るのではなく、仄めかしたり、結果を示唆したりすることで、読者が参加できるように導くことができるのだ。そして読者は、積極的に空白を埋め、勘繰り、仮定しようとする。積極的に参加するということは、興味を持ってくれているということだ。

さきほども書いたように、プロットとは、たんに一連の出来事にすぎない。しかし良く練られたプロットなら、読者に「どうなるんだろう」と思わせることができる。そして答えが出て好奇心が満たされるまで、それぞれの出来事を追いかけさせることができる。後ほど詳しく解説するが、すべての幕には問いと答えが用意されている。各幕には、すべてのシークエンスに問いと答えがあり、すべての場面に、そしてすべてのやり取りに、問いと答えがあるのだ。つまり脚本家は、読者がついてこられるように足跡のように質問を残していく。答えを知りたいという読者の気持ちは次第に強くなり、途中で答えが明かされる度に、満ち足りた感覚を覚えるのだ。

脚本の最初から最後まで問いと答えを用意しておくのは当然だが、理想的な場所はオープニングだ。なぜなら、最初に目に入る単語が、自動的に好奇心を掻き立てるからだ。『白いドレスの女』の炎や、『チャイナタウン』の粒子の粗い写真のように、心を奪うイメージで脚本を始めれば、「これは何だろう、ここはどこだろう、どこに行くんだろう、どういう意味なんだろう」という問いが直ぐに頭に浮かぶ。キャラクターを紹介した途端に、観客はそれがどのような人が知りたくなる。気にかけるに値するかどうか知りたくなるのだ。あるいは『ブラッド・シンプル』のように、ある場面の会話の途中から話が始まれば、何が起きているか知りたくなる。冒頭から、一連の質問によって読者を導きながら物語をたどらせてやるのだ。このとき気をつけたいのは、一度にたくさん質問しすぎないこと。そして答えを出し惜しみしすぎないこと。読者を混乱させ、苛々させてしまっては元も子もない。オープニングで使える技は他にもあるが、それは次の章で改めて。

オープニング以降、読者の興味を刺激し続けるための技には次のようなものがある。

中心的な問いを1つ仕掛ける

すべての物語は、ある中心的で劇的な質問について書かれている。そして脚本というものは、丸1冊かけてその答えを出すために存在するのだ。どうなるんだろうと思わせるプロットが作れるかどうかは、答え欲しさに読者が物語の最後までついてきてくるような問いができるかどうかで決まる。例えば、アーネスト・リーマンの古典的名作『北北西に進路を取れ』では、広告会社の重役ロジャー・ソーンヒルがジョージ・キャプランというスパイと間違われる。そしてキャプランの正体を探りながら命を狙う何者かから逃げる羽目になる。この場合、中心的な問いは「スパイ嫌疑をかけられたソーンヒルは生き延びることができるか」になる。そして、答えは脚本の最後のページまでお預けなのだ。

幕ごとに問いを1つ仕掛ける

幕ごとに問われる質問は変わる。『北北西に進路を取れ』の場合、「ソーンヒルは自分がキャプランではないと証明できるか」というのが第一幕の問い。国連ビルの外で外交官殺害犯の濡れ衣を着せられたところで、第一幕は幕切れ。その勢いで始まる第二幕で、「ソーンヒルは無実を証明できるか」という問いが加わる。観客は、キャプランは存在せず、潜入捜査中の本物のスパイから敵の目を欺くための仕掛けにすぎないことを知らされるが、第一幕の問いの答えは、まだ出ない。第二幕は、ソーンヒルが競りの会場でイヴと対決し、自ら警察に捕まって悪者から逃れるところで幕切れ。第三幕が始まると教授がキャプランの秘密とイヴの正体を明かす。これで第二幕の問いに対する答えが出る。そこで第三幕の問いが設定される。「ソーンヒルはイヴを救うことができるか」。この問いの答えは、ラシュモア山頂上でのクライマックスが終わってから明かされる。

読者の関心を常に引き留めておくのが脚本家の目標なのだから、幕ごとに中心的な問いを1つ仕掛けておくのは、その目標への第一歩だ。しかしそれだけでは足りない。退屈という魔物は、どの幕にでもにじり寄ってくるが、特に第二幕という難関では注意が必要だ。そこで、今度はシークエンスごとに何をすべきか考えなければならない。

シークエンスごとに問いを1つ仕掛ける

『北北西に進路を取れ』の脚本を頭からなぞって全シークエンスを分析するわけではないが、第二幕を選んで、アーネスト・リーマンがどのように読者の興味を引き続ける仕掛けを施したか見ていこう。第二幕はソーンヒルが指名手配され、警察から逃亡するところから始まる。まず寝台列車のシークエンスで第二幕は始まる。最初のシークエンスでは、「ソーンヒルは警察の手を逃れてシカゴに行けるか」という問いが仕掛けられる。次のシークエンスでは、イヴの裏切り。「ソーンヒルは、彼女の手で殺されてしまうのか」という問いが仕掛けられ、農薬散布の軽飛行機の場面で答えが出される。第二幕の3番目で最後のシークエンスは、ソーンヒルの逆襲だ。競りの会場でイヴとヴァンダムと対峙する。ここでの問いは、「ソーンヒルはイヴの正体を掴むか」になる。

場面ごとに問いを1つ仕掛ける

次は、列車の場面で構成されるシークエンスを見てみよう。場面ごとに問いがある。最初の場面は駅。「ソーンヒルは列車に乗るか」。列車に乗ったソーンヒルは、警官をやり過ごさなければならない。「ソーンヒルは逃げられるか」。イヴに出会い、かくまってもらう。「イヴはソーンヒルを警察に突き出すか」。少し経ってから、乗務員がソーンヒルをイヴの席に座らせる。何故? 明らかに2人は惹かれあっているからだ。ソーンヒルは、喜んでイヴの誘惑に乗る。「2人はベッドを共にするのか」。列車が止まり、刑事が入ってくる。「ソーンヒルは捕まるのか」。イヴがソーンヒルを2段ベッドに隠す。「イヴは助けようと嘘をつくのか」。2人は再び誘惑しあう。ソーンヒルが洗面所に入っている間に、イヴは赤帽にメモを渡す。「何が書いてあるのか」。メモに「朝になったら始末しますか」と書いてあるのを見て、観客はイヴがヴァンダムの手下だと知る。当然のように「朝になったらソーンヒルの身に何が起きるのだろう」という問いが浮かび、その問いと共に次のシークエンスに突入していくのだ。

やり取りごとに問いを1つ仕掛ける

さらに細かく踏み込んで、場面の中のやり取り単位で問いを仕掛けることもできる。ページ数の関係で一場面丸ごと詳細に分析はできないが、Chapter7ではこの「やり取り」について解説するのでそちらを参照して欲しい。今は、1つの場面というものは複数のやり取りで構成される小さな物語だということを理解していれば十分だ。このやり取りは脚本家の専門用語で「ビート」と呼ばれ、お話を語る最小単位になる。［幕＞シークエンス＞場面＞ビートの順で小さくなる］。キャラクターの感情に変化があったとき、または欲するものを手に入れる戦略に変更があったときに、一連の「やり取り」という単位が一度終わったとみなされる。やり取りと場面の関係は、場面とプロットの関係と同じなので、やり取りごとに問いを仕掛ければ、その場面を通じて読者の好奇心を高め続けられる。

情報を出さないことで謎を仕組む

良質の物語というのが、書き手が仕掛けた質問に導かれて進んでいくものである以上、すべての物語は謎解きだと言える。謎解きと言っても推理物という意味ではなく、最後まで答えを知ることができない問いがあるという意味だ。1つ1つの問いが、読者を少しずつ話の終わりに向けて引っ張っていく鉤のようなものだと考えればいい。物語は、問いから答えへ、そして疑念から確信に向かって進んでいく。問いがなければ、脚本は存在し得ない。そして答えがなければ、感情的な満足は得られない。

謎を仕組む方法の1つは、読者が知りたくてうずうずしている情報を引っこめることだ。例えば、動機がはっきりしないキャラクターを出したとする。物語の他の要素が面白ければ、読者は最後までそのキャラクターの動機を勘ぐり続けるだろう。セルジオ・レオーネの『ウエスタン』に出てくるハーモニカの男の行動の動機は、最後の最後、フランクと決闘するときまで教えてもらえないのだ。

非合法な行為や秘密を強調して好奇心を煽る

キャラクターに秘密を持たせることでも、読者の好奇心を煽ることができる。『チャイナタウン』のエヴリンが良い見本だ。秘密を仕組めば、必ず「何だろう」と思わせることができる。秘密の策略、隠密任務、情報の隠滅、暗殺の謀略（『JFK』には全部がある）、何でも構わない。それが違法ならなお結構だ。この章の後半で「驚き」の話をするときに、秘密のことをもう少し詳しく解説する。

期待／希望／心配／恐れ

期待する。この場合、良い悪いにかかわらず将来何が起こるか待ちわびること。大当たりを楽しみに待つことでも、強敵との一騎打ちを不安とともに待つことでもあり得る。何か1つでも情報を植えつけられたら、読者は期待する心に引きずられて先のことが知りたくなる。何が起きるのか見たくなり、ページを捲る手に力が入る。サスペンスの神様アルフレッド・ヒッチコックが、かつてこう言った。「銃声そのものには、感じるべき恐怖はないのです。恐怖はそれを待つ不安の中にあるのです」。期待して待つ心を持たせられなければ、読者の興味を維持することはできない。そもそも、読者や観客に期待感を植えつけるために一連の出来事を配置したものをプロットと呼ぶのだ。植えつけられる期待感は、**好奇心**（何が起こるんだろう？）という形をとることもあれば、**サスペンス**（起こるか？ 起きないか？）、**緊張感**（いつ起こる？）、**希望**（起こるといいなあ）、**心配**（起こると嫌だなあ）という形で現れることもある。植えつけられた期待感が満たされたとき、その反応に対して理屈抜きに刺激される本能的な感情がある。どういう形で期待が応えられたかによって、**驚き**（予期せぬ期待感）、**失望**（期待外れ）、**安堵**（無駄な心配）と形を変えて現れるのだ。これは絶対に忘れないで欲しいのだが、期待感を植えつけた以上は必ずその期待に応えること。そうしないと、読者に不満を抱かせてしまうかもしれない。かかってくるはずの電話がかかってこないあのガッカリ感。期待感を仕掛けたら、必ず褒美を与えること。

期待感によって、物語を前に進める勢いを作り出せる。期待感を物語に適用する技がいくつかあるので、紹介する。

キャラクターの特徴を作りこむ

キャラクターの章で解説したとおり、主要キャラクターを創造するためには、種々の特徴をしっかり作りこまなければならない。一度キャラクターの特徴がしっかりすれば、読者が期待感を持ちやすくなるからだ。例えば『羊たちの沈黙』。ハンニバル・レクターは、凶悪な人食い連続殺人鬼というキャラクターなので、彼が逃げだしたら猛獣のように危険に違いないという、こちらの不安な期待を煽る。この期待感は、警備の警官を襲って脱走する場面で、さらに最後の場面で「友人を食事に招いた」と示唆するときに応えられる。

キャラクターの目標を設定する

キャラクターが持つ目標を使っても、読者に期待感を植えつけることができる。カート・ヴォネガットが以前言ったとおりだ。「お水を1杯とかでも構わない。ともかく必ず何か欲しがらせること」。それは、主人公と敵役だけに限ったことではない。登場するキャラクターは、1人残らず常に何かを欲しがるべきなのだ。欲しがることで、期待感が発生する。脇役が欲しいものにあわせていちいちサブプロットを用意してやる必要はないが、ちょっとした瞬間に高まる期待を利用することはできる。ある物語に気になるキャラクターがいたとする。テスと名づけよう。ある場面で、殺人現場を目撃してしまったテスを悪役の男が殺そうと画策していることが明らかになる。この情報が仕込まれたら、観客はテスのことが心配になる。悪役の計画が失敗に終わるといいと願う。悪役がテスを殺そうとするときを先回りして期待するので、観客は心配と希望の両方を抱えることになる。明確に設定された目標によって生じる期待感が、物語を前に進める力を発生させているのだ。決して台詞やアクションではない。悪役がテスを訪ねたときに、観客が悪役の目的を知らなかったとしたらどうなるか、考えてみよう。2人の会話は格好よくて、新鮮で、エッジが効いて、またはウィットに富んでおり、場面も読者が飽きる前に首尾よく終わったとする。でも、そこには物語を前に引っ張る力がない。達成されるべき目標も意図も存在しないからだ。今度は、この場面で悪役の男がテス殺害を目論んでいることを観客が知っているとする。テスと会った悪役は、天気の話をする。それがどんなに退屈な会話でも、この場面には物語を前に引っ張る力がある。悪役の意図が明らかにされているからだ。サスペンスがある（悪役は成功するのか、それともうまくいかずに苛立つのか）。緊張感もある（いつ牙を剥くのか）。ここに好奇心を足してやると、この場面をさらに観客の気を引くものにできる。テスを殺す意図を観客に知らせる代わりに、悪役の男がテスに裏切られていたということを知るというのは、どうだろう。男がテスを訪ね、2人は天気の話をする。その間、観客は男がどういう行動に出るか興味津々だ。このようなサスペンスと、緊張感と、好奇心の組み合わせは、『北北西に進路を取れ』でソーンヒルが軽飛行機に襲われた後、イヴと対峙する場面で効果的に使われている。

問題と解決、質問と答えを重複させる

この技は、問題は解決されるまで私たちの関心を惹きつけ続けるという原則に基づいている。一度主人公が目標を達成したら、私たちは興味を失うものだ。だから興味を維持するために、問題解決という褒美を出すタイミングを遅らせるだけでなく、小さな問題群と小さな目標群を作って物語全体に散らしてやるのだ。さらに忘れてはならない重要なことは、1つの問題が解決してしまう前に次の問題を出すということ。問題――解決を表に配列して、物語全体に問題がまったく存在しない瞬間が出ないように目を配ろう。少なくとも未解決の問題が1つある限り、読者は感情的に入りこんでいるので、ページを捲り続ける。

未来について話す

キャラクターが未だ起きていない何かについて話すとき、読者は期待感を持つ。その何かが起きるのを心待ちにするので、それが物語を前に引っ張る力になるのだ。例えば『サンセット大通り』のオープニング。ジョー・ギリスのナレーションが、こう教えてくれる。「ある屋敷のプールで、若い男の死体が浮いているのが発見された。背中に2発、腹に1発銃で撃たれた跡があった。別に大した人物じゃない。B級映画の脚本を2、3本書いたという程度だ。気の毒に。プール付きの家に住みたがっていたっけ。最後にはプールをものにしたが、少し高くついたようだ。6ヵ月ほど遡って、この話がどう始まったか見てみよう」。これは、過去に戻って、ギリスの殺害という未

来の出来事を待つという、興味深い効果を生んでいる。『アメリカン・ビューティー』の物語も、同じ手法で始まる。レスターというキャラクターが、彼自身のナレーションによって紹介される。「これが私の町だ。これが私の住む通り。これが私の……人生。私は42歳。そして今から1年以内に、私は死ぬことになる」。これがレスターの死の予兆となる。読者は誰が彼を殺すことになるのか知りたくて、心を掴まれる。

別にナレーションでなくても構わない。どのキャラクターでも、未来のことを話せば同じ効果を持つ。『カサブランカ』のオープニングでは、ヨーロッパ系の男がカサブランカの流儀を説明してくれる。「難民と政治犯が数時間で釈放される。いつものことだ。女が釈放されるのはその後だ」。これによって観客は、未来に引っ張られる。この台詞が視覚的に表現されるのを観ながら、ナレーションの意味を理解するからだ。後の場面で、観客はリックのカフェにいる男を盗み聞きする。男が言うには、「待てど暮らせどだ。もう出られっこない、俺はカサブランカで野垂れ死ぬんだ」。そして、ルノーが言う。「リック、今夜は少しばかり荒っぽくなるぞ。君の店で捕り物をさせてもらう」。どれも、未来について話すキャラクターの良い見本だ。

計画と夢想

キャラクターが、何かしようという意志を示したとき、段取りを組んで目標を達成しようと決めたとき、脚本を読んでいる人は自動的に期待感を持つ。また『カサブランカ』を例に引くが、ルノーがシュトラッサー少佐に、連絡員殺害のホシを知っていると伝える。そしてこう付け加える。「でも急ぐことはない。今夜、必ずリックの店に来るさ。みんなリックの店に来る」。これからの計画を知らされることで、観客はその晩起こるであろう逮捕劇を予感するのだ。ウーガーテがリックに「今夜で足を洗うよ、リック。カサブランカを出て行く」と言う場面、さらに後で「これを全部売って金に換える。そしたら、さらばカサブランカだ」というところも、同様の効果を持つ。計画と夢想は、期待感を利用して読者の心を掴む効果的な道具になる。

しかし、何かをしたいという計画が、必ずしも明らかになる必要はないのだ。むしろ明らかにされない方が、好奇心という要素が入ってくるので効果的になる。**明かされない計画**というのは、例えばこういうことだ。ある登場人物が「お前の考えはお見通しだ」と言い、他のキャラクターの耳元でその「考え」を囁いてカット、観客には聞こえない。同じ仕掛けが、敵役が欲しいものを手に入れるための秘密の計画でも使える。『ダイ・ハード』では、敵役の目標は人質の身代金だと思っていると、実はFBIがビルの電源を切るのを待って、地下の金庫を開けるのが目的だった。テレビの『スパイ大作戦』［『ミッション：インポッシブル』の原作テレビシリーズ］の全エピソードは、この技を使っていた。オープニングでは、必ずスパイチームが作戦について話し合っているのが聞こえる。作戦の全容は伺い知れないが、準備された特殊用具類を見ながら観客は周到な計画の存在を予感し、これから遂行されるのを待ちわびるのだ。

約束と時間制限

誰かと待ち合わせたり、どこかに行かなければいけない約束も、目標であると言えなくもない。それが読者の期待感を生むのは間違いない。時間制限も同じだ。誰かがある日程までに、または、ある時刻までに何かをすることを強要される場合、目標というには強烈すぎるかもしれないが、ある種の目標が設定される。時間制限を加えることで、より強烈な期待感、そう、サスペンスを生み出せる。時間制限、または「時を刻む時計」については次のセクションで説明するが、ここでは、とりあえず読者に期待感を持たせる技として、例を1つ見てみよう。キャラクターが他の誰かに「公園で3時な」または「テレビが始まる前に宿題やっちゃいなさいよ」というようなことを言ったとき、観客の興味は未来へ飛ぶ。その手を使った映画は山のようにある。例えば『北北西に進路を取れ』。ホテルから逃げ出したソーンヒルが、タクシーに乗り込み、「国連ビルまで」と言う。これも、基本的にある場所へ行く約束と同じだ。だからそれを聞いた観客の心は、先んじて「国連ビル」に飛ぶのである。

心配と予感

何かを心配するということは、まだ起きていないことに対して不安を抱くということ。だから、キャラクターを不安にさせるというのは、何らかの予感を抱かせるのと同じで期待感を植えつける。このとき、読者にも一緒に不安になってもらえれば、一層効果的だ。その身に何が起こるか気になるキャラクターに危機が迫るような状況だ。『北北西に進路を取れ』の諜報機関の場面。実在しないスパイと人違いされたソーンヒルの災難について話し合っている。ソーンヒルは先が長くないと心配するメイドに向かって、株式ブローカーが、ヴァンダムか警察のどちらが先にソーンヒルを殺すか早く知りたいと言う。この小さなやり取りが観客に先への期待を植えつけ、心配させるのだ。

警告

警告および予告、前兆といったものは、何か良くないことが起こる前ぶれなので、読者や観客に対立を予感させることができる。誰かが警告を発する度に、観客の意識は未来に向けられる。「影を落とす」という言い回しがあるが、やがて起きる対立の心の準備をしているわけだ。警告によって影を落とせば、脚本を読んでいる人は期待感を持つ。『E.T.』の一場面。エリオットのお母さんが、誰かに電話して異星人を連れて行ってもらったらと言うと、エリオットが、「そんなことしたら、ロボトミーされるかもしれない。実験台にされちゃうよ」と応じる。再び『北北西に進路を取れ』だが、イヴが列車に乗りこむ刑事たちを見て、「私ならデザートは頼まないと思う」とソーンヒルに警告する。後にイヴは客室で、「あなたがさっきから話をしているジョージ・キャプランという人のことだけど、彼を探してシカゴの街をうろうろするのは危険だと思う。顔を見られた途端に警察に捕まるから」とも警告する。

マクガフィン

マクガフィンは、アルフレッド・ヒッチコックによる造語であり、ヒッチコックはプロットを機能させる仕掛けとしてこのマクガフィンを多用した。この仕掛けの唯一の目的は、キャラクターに動機を与えて、物語を進めることだ。マクガフィンは、金では買えないような手に入りにくい何かであることが多い。登場人物のほとんどがその何かを欲しがっており、手に入れるためには殺しも辞さないというキャラクターもいる。『マルタの鷹』のマクガフィンは鷹の像。『汚名』の場合はワインの瓶に隠されたウラニウム。『市民ケーン』のマクガフィンは、「薔薇の蕾」という言葉の謎。『北北西に進路を取れ』の場合は、「ジョージ・キャプラン」という架空の人物。敵スパイに追われ、正体を暴こうとソーンヒル自身にも追われる。マクガフィンという仕掛けは、実は目標として機能するので、物語を前に引っ張る勢いを発生させる。だから、読者に期待感を植えつけられる。

ムード

正しいムードを設定することで、脚本を読んでいる人の心を物語に対して適切な方向に向けてやることが可能だ。

ムードは感情的な空気感とでも言えるもので、脚本家の意図が喜劇的な空気か、またはサスペンス溢れる空気なのかを物語全体やある場面の中で伝えることができる。ムードによって期待感を植えつけることができるのは、ムードがこれから体験することになる感情を約束するからだ。例えば『羊たちの沈黙』のオープニングでは、そしてほとんどのスリラー映画では、観客のために体がこわばるような緊張感を用意してくれる。これを観た観客は無意識に「これからもっと怖くなりますよ」というメッセージを受け取るのだ。物語やジャンルに相応しいムードを使ってお膳立てすれば、脚本を読む人の心に上手に期待感を植えつけることができる。ここまで解説してきた技と違って、ムードは無意識に訴えかけるのでより効果的だ。様々なムードの仕掛け方は、Ｃｈａｐｔｅｒ８で解説する。

劇的アイロニー

最後に、物語や場面に勢いを与える最もパワフルな、とっておきの技を紹介しよう。劇的アイロニーつまり「ドラマ的皮肉」として知られるこのテクニックは、キャラクターが知らない情報を知らせることで観客を「優位」に立たせるという技だ。観客や脚本の読者だけに、そっと耳打ちするようなものだ。キャラクターが知らない情報を明かされた読者は、キャラクターの身に何が起こるか（または起らないか）を知ることになる。だから、そのキャラクターが間違った判断を下すのではないかと、やきもきするわけだ。このとき発生する希望と恐れの感情が、読者にまだ起きていない事件への期待を植えつけ、積極的に巻きこんでいく。サスペンスを解説するために、ヒッチコックがこんな例を挙げている。レストランで座っている2人。テーブルの下には時限爆弾が刻々と時を刻んでいる。この状況で考えられる2つの場面。まず、2人のキャラクターも観客も爆弾の存在を知らないバージョン。突然爆発があり、観客は驚くが、それだけだ。別バージョンでは、カメラが下を向いて爆弾を見せてくれる。設定された時間に向かって時を刻む爆弾を見て、観客の心には様々な感情が湧き上がる。こちらの方が力強い。明かされる情報は、別に爆弾でなくても構わない。壊滅的な破壊力のある秘密を盗み聞きしている人の存在でもいい。アパートで待ち伏せしている殺人者。味方と思わせて実は敵という人。タイタニック号の運命を知らずに恋に落ちる2人。『北北西に進路を取れ』を例に取ると、アーネスト・リーマンがこの技を使って、次に挙げるような仕掛けで私たちの心を離さない工夫をしているのがわかる。「ジョージ・キャプラン」が架空の人物だと私たちは知らされるが、ソーンヒルとヴァンダムは知らない。イヴが書いた「朝になったら始末しますか」というメモ。イヴがキャプランと会う約束をした場所で襲ってくる軽飛行機。イヴが味方側のスパイだということ。ヴァンダムの前でソーンヒルが撃たれたふりをすること。イヴの正体に気づいて彼女を飛行機から突き落とそうとするヴァンダム。イヴを救出しようとするソーンヒル。

この技を応用して、観客が知らないことをキャラクターは知っているという状況を作り出すこともできる。この場合は観客優位ではなく「観客劣位」となり、これも好奇心を刺激する。キャラクターの動機がわからないことで生じる謎によって、秘密が明かされる瞬間を待つ期待感が植えつけられる。『チャイナタウン』のエヴリンの秘密のように。

キャラクター間の**誤解**という形でも、この技は使える。この仕掛けは喜劇によく使われる。2人の間に誤解があることに私たちが気づいたら、誤解が明らかになるときを期待して待つ。『赤ちゃん教育』、『お熱いのがお好き』、『トッツィー』などは、誤解を利用した素晴らしいコメディ映画だ。テレビ番組の「Three's Company」〔未放映「3人で大騒ぎ」〕では、3人のキャラクターの誤解と勘違いが毎週騒動を巻き起こした。悲劇では、誤解がしばしば死をもたらす。『ロミオとジュリエット』はその典型だが、キャラクターが知らないことを知っている観客は、主人公たちに憐憫の情を抱き、手を出すことができないもどかしさに無力感を覚えて焦れる。これはホラー映画でも使える手だ。家の中に殺人者がいて、犠牲者は気づかない。

欺きという技も、観客またはキャラクターの優位性を利用したプロットの仕掛けだ。問いを仕掛けることで、期待感を植えつけるだけでなく、サスペンスをも生みだす。「欺かれたキャラクターたちには、危害が降りかかるのか」、そして「手遅れになる前に欺かれたことに気づくだろうか」。楽しくない期待感というのは不安を生む。これがサスペンスの正体であるが、サスペンスについてはこれから詳しく解説する。

サスペンス／緊張感／不安／心配／疑念

見出しに書かれているように、ここではサスペンスをあつかう。それは、決定されない、または正体がわからない不安が生じる理屈を超えた本能的な反応であり、緊張感と不穏な気持ち、そして疑わしさのことなのだ。ここでも、日常生活の中ではこのような気分を味わいたいと思わないのに、映画館では喜んで求めるという逆説に気づく。サスペンスがあれば脚本を読む人の心を最初から最後まで釘づけにできるので、サスペンスはドラマ的な物語を語る上で最も重要な要素だと言うこともできる。物語というものが、必ず何らかの不確かさに支えられている以上、そして常にこの先何が起こるのかと観客に勘繰らせておく必要がある以上、スリラーやアクション・アドベンチャーに限らず、どんな物語にもサスペンスは不可欠だと言える。どんな話でも、次はどうなるのだろうと知りたくなる熱意を発生させなければならない。

ハリウッドで多くの脚本が不採用になる大きな理由の1つは、サスペンスと不確かさが不足しているということだ。要するに先が読めてしまうのだ。サスペンスは脚本全体に存在しなければいけない。物語のサスペンス、「主人公は目標を手にするのか」。場面のサスペンス、「今欲しがっているものを手に入れられるのか」。そしてやり取りのサスペンス、「主人公はどんな感情的反応を見せるのだろう」。

サスペンスとは、ただ漫然と何かについて不確かに感じているということではない。明日何が起こるかわからないからといって、特に不安に苛まれるわけではない。それでは何かが足りないのだ。欠けているものを突きとめるために、サスペンスが何によってできあがるのか解説しよう。

キャラクターを気にかける気持ち。まずこれがなくては始まらない。だからこの章は、キャラクターの章の後にあるのだ。サスペンスのすべてはキャラクターから始まる。キャラクターと読者の心を絆で結んで、初めてサスペンスを発生させるための脅威や不確かな状況を用意できるのだ。脚本を読む人が気にもかけないキャラクターが危機的状況に陥っても、サスペンスは発生しない。

次のステップは、**危機的状況の不可避性**を明確にすること。何のことかと言うと、7秒で起爆する爆弾、燃料が切れそうな飛行機、酸素がなくなりそうな潜水夫、倒壊寸前の橋のように、危機的な事態が起こりやすいほど、サスペンスが大きいということだ。1ヵ月は爆発しない爆弾を前にしても、同じような緊迫感は得られない。当分その危機は起きないからだ。これが、爆弾の存在を明かして読者優位の状況を作り出した方がいいという理由だ。何も知らなければ驚くだけなので、危機的状況の可能性を共有させるのだ。爆弾の存在に気づいていれば、危機的状況の不可避性が高まる。同じ理由により、時間制限がサスペンスを与える最も効果的な手段になる。時間になったら起爆する爆弾や、酸素切れ等、時間制限が加わると、失敗の確率も高くなるのだ。危機的状況が起こりそうであるほど、サスペンスは高くなる。『スピード』の脚本は、バスに仕掛けられた爆弾が爆発しないはずがないと思わせ続けることに成功しているので、最初から最後までサスペンスに貫かれているのだ。

最後は**結果の不確実性**だ。つまり、脚本を読んでいる人の同情を獲得したキャラクターが、半々の確立で成功または失敗するかもしれないということだ。そうすれば読者は事態の帰結を勘繰り、疑い続ける。成功を期待する気持ち（時間内に爆弾を解除する）と、失敗の恐れ（木端微塵）の間を揺れ動く。要するに、あなたが気にかけているキャラクターに悪いことが起こる可能性がサスペンスの正体だ。何が起こり得るかという知識と、実際には何が起こるかわからない不安が綱引きをしている状態が、サスペンスなのだ。この強烈な感情がサスペンスを生み出し、あなたを座席に釘づけにする。これでサスペンスの公式を成立させる等式が完成する。キャラクターへの共感＋危機的状況の不可避性＋危機の不確実性＝サスペンスだ。

サスペンスと緊迫感が同じものだと考える人は多いが、実は緊迫感はサスペンスの一部にすぎない。緊迫感というのは、**結果に対する期待感を引き延ばす**ということだ。サスペンスを生むものは、それが何であっても緊迫感を生む。緊迫感に当たる英語（tension）、つまり「緊張」の語源はラテン語の「引っ張る」だ。輪ゴムをゆっくり引っ張ってみよう。もっと、もっと引っ張ってみよう。それが緊迫感だ。腕の経つ脚本家は、いつも読者が結果を気にするように仕組む。そして答えを出すまで、ぎりぎりまで待たせる。結果発表が伸ばされるほど、緊張も増す。ウィリアム・ゴールドマン曰く、「客を笑わせろ。そして泣かせろ。そして何より待たせろ」。緊迫感は物語全体を覆うものかもしれない（主人公は目標を手にするか）。そして、ある場面だけのものかもしれない（今欲しいものを手に入れるか）。

サスペンスと間違えやすい感情について、いくつか注意をしておこう。特に好奇心と驚きの感情だ。好奇心とサスペンスは混同しやすい。どちらも、心理的な疑いによって強烈に読者を巻き込むという反応が似ているのだ。読者はどちらの場合でも何が起こるのだろうと考えるが、好奇心はキャラクターが望むものを知らないことから発生する。対してサスペンスは、目標を達成できるかどうかわからないから発生するのだ。例として、テレビの「24」は、常にこの2つの感情を刺激し続けた。まず暗殺者がライフルを準備して待つところを見せる。標的が誰かは明かされない。だから好奇心が湧き上がる。標的がアメリカの大統領だとわかると、好奇心は消え、サスペンスが入れ替わる。暗殺者は成功してしまうのか？　好奇心は、目標を知りたいという欲求だ。対してサスペンスは、目標を知らなければ感じようがない。目標を知った瞬間、サスペンスが好奇心を乗っとってしまう。

サスペンスは、しばしば驚きとも混同される。ヒッチコックの、レストランにいる2人とテーブルの下の爆弾の例を思い出してみよう。爆弾が突然炸裂すれば、私たちは驚く。予期せぬショックが数秒続いて終わり。しかし、もし爆発の時限に刻々と迫る爆弾を見せられ、次にのどかに食事を楽しむ2人を見せられたら、サスペンスを感じる。爆発まで待たされるほど、緊張感がより高まる。この感覚は、爆発まで15分あっても持続する。15分のサスペンスは10秒の驚きに勝ると言ったヒッチコックは正しい。

ではここで、このサスペンスと緊迫感という強烈な感情的反応を引き出す技の使い方を、解説しよう。

苛立ちとご褒美のつり合いをとる

今読んだように、サスペンスを成立させる要素の1つは、結果の不確実性だ。確実ではないという疑いの気持ちは、苛立ちとご褒美のつり合いを調節することで生じさせることができる。どういうことかと言うと、キャラクターがうまくやる確率を操作するのだ。苛立ちは目標達成を阻むものや、達成の遅れから生じる。目標が達成されたら、それがご褒美だ。つまり、いつも成功してはすぐに手の内が見えてしまうので、勝ったり負けたりさせるのだ。いつも勝っていては、あるいは必ず負けるのでは、結果の不確実性がない。つまりサスペンスもない。だから勝ったり負けたりが肝なのだ。これは安手のホラーの常套手段だ。ヒロインが怪物から逃げる（褒美）。怪物が追いついてくる（苛立ち）。ヒロイン、車にたどり着く（褒美）。鍵がない（苛立ち）。鍵を見つける（褒美）。ドアを開けようとして鍵を落とす（苛立ち）。鍵を拾い、ドアを開けて中に入り間一髪でドアを閉める（褒美）。エンジンがかからない（苛立ち）。怪物が窓を叩く。エンジンがかかる。ヒロイン、怪物を煙に巻いて逃げる（褒美）。

切迫させる

早く！　今すぐ何かしなければならない状況。一刻も早く！　人間は、この「今すぐ」に昂ぶる。今こそが、一番生き生きと感じられるからだ。スリラーとホラーは、巧みにこの切迫感を発生させて受け手の心を操る。生きるか死ぬかという状況は、必ず切迫するのだから。これは、危機的状況の不可避性から発生する。時間がなくなるにつれ失うものも大きくなり、緊迫感と切迫感が増していく。『スニーカーズ』には、こんな効果的な場面があった。ビショップが、世界を網羅できるように9つの中継基地を繋いで自分の居場所が直ぐに探知できないようにしてから、取引のためにアメリカ国家安全保障局に電話をかける。電話で交渉中に、中継基地を1つずつ国家安全保障局が逆探知していく様子が地図上で示される。もう1つでビショップが現在いる場所がばれる。緊張の一瞬。ホイッスラーが「切れ！　見つかるぞ！　切れ！」と叫ぶ。これぞ切迫感だ。脚本を読む人も引き込まれてしまう。

邪魔する、阻む、拗らせる

反対するものがなければ、目標は簡単に達成されてしまう。だから、サスペンスが欲しければ対立するものを用意しなければならない。対立がなければ、疑念も生じない。だからサスペンスも生まれない。これが、すべてのドラマの本質は対立だという理由なのだ。対立について解説しない脚本指南書は存在せず、対立に触れない脚本セミナーもない。本書でも、すでに興味を引き出す手段として解説済みなので、ここで基本をやり直すことはしない。劇的な対立が疑いの気持ちを生み出し、キャラクターが目標を達成するかどうか不確かになって、サスペンスが生まれる。それだけは明確に理解しておいて欲しい。

2つの出来事を交互に見せる

サスペンスという言葉の語源は、ラテン語の「ぶら下げる」だ。脚本家の仕事は文字通り、読者を可能な限り長い間、助けの手を差し伸べずに宙ぶらりんにすることなのだ。アメリカのテレビ番組は、シーズンの終わりに「続く」とテロップが出て、視聴者を宙ぶらりんにして終わる。あれと同じ要領だ。クロス・カッティングという編集手法、つまり2つの場面を結果が見えないままに交互に切り替えて見せるのも、同様の効果を持つ。最高の例の1つが『羊たちの沈黙』だ。クロフォードと特殊部隊。監禁した女性に犬を奪われたバッファロー・ビル。最初の犠牲者について捜査を進めながらバッファロー・ビルを見つけるクラリス。この3つの場面が交互に展開していく。

結果を遅らせて緊迫感を出す

緊迫感、または緊張感とは、引き伸ばされた期待感だということはすでに解説した。期待に応じることで生じる満足感を焦らせば焦らすほど、緊迫感は増す。期待して待つ気持ちは、どんなものでも焦らすことができる。陪審員の評決を待つとき。何か重大な決断をするとき。緊迫感を出すために結果を引き延ばすのは、何か驚くようなことが明かされた後であることが多い。ここでまたヒッチコックのレストランと爆弾の例を使う。爆弾の存在を知らされてあなたは驚き、それを知らずに呑気に食事を続ける2人を見て緊迫感を覚える。『北北西に進路を取れ』では、イヴがヴァンダム宛てに書いたメモの内容が明かされて驚きを覚える。イヴが敵のスパイであることにまずショックを受け、続いて生じた緊張が脚本の最後まで持続していく。あまり出来の良くないアクション映画のクライマックスでも、同じ手が多用される。主人公をいつでも殺せる立場にいる敵役が、何やらスピーチを始めたりして行動を遅らせ、主人公に脱出の手を考える時間を与えてしまうのだ。

主人公を無理やり見知らぬ場所に置く（陸に上がった河童）

主人公を馴染みの環境から引き離す。いわゆる「陸に上がった河童」の状態にする手法は、キャラクターの反応に迷いや疑いという対立を生じさせるためによく使われる。キャラクターの特徴や態度を考案したら、その正反対が何か考え出す。そしてその正反対の特徴に対応する環境にキャラクターを置く。内気なキャラクターをパーティーに行かせるとか、水を怖がる人にクルーズに行かせてみる。この技を使って書かれた脚本は山ほどある。『ビバリーヒルズ・コップ』、『オズの魔法使』、『クロコダイル・ダンディー』、『E．T．』、『カッコーの巣の上で』等だ。

物に焦点を合わせる

何か主人公を危険な目に遭わせそうな物があれば、その物に注目することで緊迫感を出せる。ゆっくり解ける吊り橋の縄。テーブルの下の爆弾。敵対する2人の真ん中に置かれた1丁の銃。『汚名』の鍵。『ロープ』のアンティークのチェスト。緊迫感を煽るためには、物に注目する前にまずちゃんとお膳立てすることをお忘れなく。

キャラクターをジレンマに追い込む

同じくらい魅力的な選択肢、またはどちらを取っても同じくらい悪いという選択を迫られたキャラクターは、ジレンマに悩まされる。一般的に、第二幕の幕切れ近くに主人公が立たされる岐路が、このジレンマにあたる。「良い対立」と言っても、白黒はっきりできるとは限らないことを覚えておいて欲しい。答えが明確な対立では、対立にならないのだ。もし、自分が死にたくなければ小児性愛者と窃盗愛好者のどちらかを殺せと迫られたとしたら、選択は容易い（と信じている）。これではジレンマにならない。しかし、何の罪もない警察官と消防士のどちらかを殺せと脅されたら、簡単には選べない。政治的信条と愛情の選択を迫られた『カサブランカ』のリック。正義感と信義を選ぶ『トレーニングデイ』、倫理感と家族を選ぶ『ゴッドファーザー』、そして究極の選択中の究極の選択、2人の子どものどちらか一方の命を選ぶ『ソフィーの選択』等がある。

内面に抱えた恐怖に向き合わせる

なにか怖いもの、恐れるものがあると、キャラクターは複雑さを増すということを、前の章で解説したが、恐れるものに向き合うように仕向けると、サスペンスが高まる。『レイダース／失われたアーク《聖櫃》』のオープニング・シークエンスの最後の方に、素晴らしい見本がある。インディが飛行機の操縦席にいる蛇に立ち向かう羽目になる場面だ。後で墓所の中でも蛇と対面する羽目になる。場面内で怖いものに立ち向かい、何とかしなければならないときは、緊張が生じる。そのキャラクターは、どう対処するのだろう。そして結果として何が起こるんだろう。

危機を増やす

負傷する可能性、または死亡する可能性のある危険なことは、どんなことでも危機だと認識できる。キャラクターが死ぬかもしれないと思わせる、それが危機なのだ。だから危機は、サスペンスを発生させるいい手段だ。危険度が高くなれば、緊迫感も増す。スリラー、アクション・アドベンチャー、そしてホラー映画では、脚本家が使う常套手段だ。

隠されたものを露呈する

キャラクターがそのことを知ってしまうとプロットに影響してしまうほど、とてつもなく重要なこと。キャラクターがその情報を得たときが、露呈の瞬間だ。スリラーやミステリーにおいては、主人公が目標に近づくと、露呈されるものも多くなり、観客は切迫感を覚え、ゆえに緊迫感も高くなる。結果を遅らせて緊迫感を出すということは、すでに解説したとおりだ。そのとき、観客を驚かせる何かが露呈したときには、その露呈を遅らせることで緊迫感につなげられるというのも見たとおりだ。『帝国の逆襲』の終盤近く、ルーク・スカイウォーカーに向かって自分が父だと告げるダース・ヴェイダー。衝撃的なこの情報の露呈は激しいサスペンスを発生させ、観客はルークがどう反応するか手に汗握って見守るのだ。

さらに予測しにくくする

ご存知のとおり、暴力的な脅威はサスペンスを高める。その脅威に対する褒美がいつ出るかわからないと、緊張は耐えがたいものになる。それは、予測が不可能かどうかに左右される。脚本を読んでいる人の期待を悪い方に裏切ると緊張はさらに高まる。例えば、人質救出に7日あることを読者が知っていたとして、そこに急に核攻撃の危機があることが知らされれば、緊迫感は高まる。時間制限を急に繰り上げたりして、予測不可能にするという手もある。間違った配線を切断したお陰で秒読みが早まる時限爆弾というような手もある。

読者の優位性

約束どおり、「劇的アイロニー」として知られる強力な道具についておさらいしよう。キャラクターには知らされない情報を、読者だけが知ることで生じる期待感という技だ。その情報が脅威をもたらすものなら、サスペンスをもたらすことになる。この手を使えば、幾層もの感情を操って読者の心を掴むことができる。例えば、はらはらする場面だらけの『ダイ・ハード』の中でも、特に緊迫感あふれるこの場面では、主人公と敵役が1対1で対峙する。ハンス・グルーバーは人質のフリをし、あなたはそれを知っているが、マクレインは知らない。サスペンスが植えつけられ、2人の会話を通して緊張がどんどん高まる。マクレインがグルーバーに拳銃を手渡したときに、緊迫感は頂点に達するのだ。

読者に、失敗の代償を思い出させてやる

代償というのは、キャラクターが目標に手を伸ばした結果（手を伸ばして失敗した結果）、失うものを指す。欲しいものを手に入れ損なったときに、そのキャラクターに起き得る最悪の事態は何なのか、脚本家は常に頭を捻っている。これがわかっていると、そのキャラクターの行動と動機がより力強くなり、信憑性も増す。失敗したら失うものについては前の章で解説したので、ここでは詳しく述べないが、その重要性についてはここでもう一度念を押しても損にはならないだろう。念押しと言えば、主人公が読者に対して、自分が失敗すると何を失うのか念を押す

のも有効だ。『カサブランカ』では、通行許可証の重要性が何度も言及されるのを思い出して欲しい。その度に、そのことを忘れかけていた読者が思い出すという利点もあるが、何よりサスペンスが高まっていく。当然、失敗の代償が大きいほど効果的になる。だから、失敗の代償は生か死であることが多いのだ。感情が破壊されるか助かるか。あるいは、生きるか死ぬかだ。

失敗の代償を大きくする

失敗の代償が大きいほど、サスペンスも大きくなる。だから、それを次第に大きくすることで、キャラクターはより必死になり、緊迫感も増加する。前の章でも触れたマズローの欲求段階が、ここで役に立つ。一番なくても困らないもの（自己実現）から、一番ないと困るもの（生存）まで階層化されているので、失敗したら失うものの概念とも関連しているのだ。個人の生存がかかっているというところまで大きくなったら、今度は世界の存続まで拡げていく。クライマックスにたどり着くまで、事態をどんどん悪化させる。最終的には主人公の生死だけの問題ではなく、世界の命運がかかっているのだ。

不明確な動機を持たせる

キャラクターの動機を隠すことで、好奇心を生み出せる。動機が明確に見えない状態が続けば、読者は緊迫感を覚え、そしてそれが明確になるまで感じ続ける。古典的名作『ウエスタン』の物語を進める主要な牽引力の1つは、悪役フランクと決闘を望むハーモニカの男が最後まで明かさない動機なのだ。手がかりはそこかしこに撒かれるが、最後の最後に動機が露呈するまで、緊迫感は高いまま維持される。動機を物語の始めから終わりまで不明確にしておく必要はまったくない。ここで一場面、あそこでもう一場面という感じで、緊迫感を増すのが良いかもしれない。

おかしな2人という状況を作り出す

陸に上がった河童的な状況でキャラクターと環境を対比させることで、サスペンスを生み出すことができるが、対照的な2人をくっつけて喧嘩させれば同様の効果が得られる。この方法がコンセプトの魅力を増加させる良い方法だということは、ご承知のとおりだ。「バディもの」の映画に人気があるのは、そのためだ。場面ごとに脇役を使ってこの技を適用しても、その場面にサスペンスを注入することができる。

危険な仕事をさせる

爆弾処理班、深海に潜るダイバー、消防士、警察官、兵士、スパイ等、危険な職業に就いている人を見ると、自然に緊迫した何かが感じられる。つまり、任務が危険ならサスペンスが確立できるということだ。脳外科手術でも良いし、宇宙飛行士、アマゾンの探検、連続殺人鬼の追跡その他、いろいろな可能性がある。

時間的制約、または時間制限を設ける（時を刻む時計）

8時間で爆弾が起動する！　後1時間で潜水艦内の酸素がなくなる。21歳になるまでに結婚しなければならない。これが「時を刻む時計」として知られる有名な仕掛けだ。最も頻繁に使われる仕掛けだが、なぜかというと効果的だからだ。時間的な重圧はサスペンスを生じる。時間という障害物が加わるので、失敗する可能性が高まるからだ。時間制限は、『真昼の決闘』のように映画全体に適用することも可能だし、『007／ゴールドフィンガー』で核弾頭を解除するジェームズ・ボンドのように、一場面だけに適用することもできる。

時間制限は、実は時間でなくても構わない。例えば**次の犠牲者**。『羊たちの沈黙』や『セブン』のような連続殺人ものがそうであるように、次の殺人が起きる前に刑事が阻止しなければならない。または、濡れ衣を着せられた無実の人にとっての**失敗の代償**。警察に捕まる前に無実を証明しなければならない『北北西に進路を取れ』や『逃亡者』のような例だ。高いビルから落ちた人なら、**地面**に落ちるまでの時間。例えば『スーパーマン』で、落ちたら死亡間違いなしのロイス・レイン。果たしてスーパーマンは救えるだろうか。『スピード』なら、バスの**速度**。『アポロ13』なら**空気**だ。

空間的サスペンス

何かが時間内に達成できるかどうか疑う気持ちが時間制限のサスペンスだが、どこに脅威が潜んでいるかわからない気持ちを操作するのが、空間的サスペンスだ。すべては、知らないという不安から生じる。人殺しはどこにいるのか。爆弾はどこにあるのか。空間的サスペンスは、当然だが、限定された空間を必要とする。狭い宇宙船の中で異星生物を探すような状況だ。時を刻む時計の代わりに、どこに隠れているかわからない異星生物が跳びかかってくるのだ。いるのはわかっているが、どこかはわからない。だから肝を冷やすサスペンスが生まれる。『エイリアン』が持っていた緊張感のほとんどは、この技によって生み出された。

キャラクターの予期せぬ反応

予期せずに起きるものは迷いと疑いを生み、サスペンスが生じる。これは何かに対するキャラクターの反応を、予測できないものにする技だ。何かが起きたときにそのキャラクターの反応で困惑させるのだ。『グッドフェローズ』の忘れられない場面といえば、ジョー・ペシが「おちょくってるのか」とキレる場面だ。レイ・リオッタが何の悪気もなく「お前、面白いよな」と言う。すると突然ペシが怖い顔で、「面白いって何だよ、オラ。どう面白いってんだ。道化みたいだってのか？　おちょくってるのか？」『ディア・ハンター』のロシアンルーレットの場面も、予測不能のキャラクターによって緊迫感溢れるものになっている。何をしでかすかわからない『レザボア・ドッグス』のミスター・ブロンドも、警官の耳を削ぐところで、緊迫感が最高潮に達する。

罠、または試練

対立というものには、目標と障害物と、何よりも妥協しない気持ちが必要だと書いたのを、思い出して欲しい。対立が効果を持つには、キャラクターが目標とがっちり結びつけられている必要がある。気楽に逃げ出せるようでは、物語が成立しない。それ以外に手がないから、そのキャラクターは目標を達成しなければならないのだ。これは「罠」または「試練」と呼ばれ、一般的にはキャラクターが逃げ出せないような閉ざされた環境を指す。『アポロ13』や、『キャスト・アウェイ』、『フォーン・ブース』、『ダイ・ハード』や数多のスリラー。このような作品のキャラクターは、のっぴきならない事情でそこから出られない。逃げたくても逃げられない。キャラクターが閉じ込められたと感じるものなら、「罠」は何でもあり得る。結婚でも構わない。家庭、監獄、時を刻む時計、島、怪物の乗った宇宙船、あるいは『恋愛小説家』のようにキャラクター自身の性格ですら罠になり得る。『ターミネーター』の場合、殺人サイボーグそのものが「試練」になる。それが有無を言わさずサラ・コナーを対立に引きずりこむからだ。キャラクターを逃げ道のない行動に追い立てるものは、何でも「罠」または「試練」になり得る。

緊張感の解放

緊張は生理的な現象なので、度が過ぎると不快になり得る。映画批評家のロジャー・イーバートは『オープン・ウォーター』を観終わってから、外に出て日差しの中を歩いて緊張感を振り払いたくなったそうだ。あの映画が最初から最後まで緊張しっぱなしで、一息入れる瞬間をまったく用意してくれなかったからだ。ジャンルに関係なく、もし濃密な緊迫感を伴う場面があるのなら、緊張を解く仕掛けを用意した方が良い。笑う、泣く、どんなものでも構わない。『ターミネーター』では、激しくない場面が緊張を解く働きをして、映画全体のバランスをとっている。最初から最後まで、猛烈なアクションに次ぐアクションだったら、やり過ぎだ。『レイダース／失われたアーク《聖櫃》』で一番大きな笑いを取ったのは、刀を振り回して長々と決闘を段取った挙句に、インディに1発で撃ち殺されてしまう剣の達人の場面だ。直前の追いかけから積み上げられてきた緊張感が、銃声1発で解放される。それが今までにない表現だったので驚きを生み、笑いを誘ったのだ。オリバー・ストーンが書いた『スカーフェイス』でも、この技が巧く使われている。トニーがボスの用心棒を2人撃ち殺す。それから緊張感が張りつめた長い間があり、3人目の用心棒が汗だくになったとき、トニーが相棒に、「そいつを雇おう」と言う。用心棒も観客も、安堵の溜息を漏らすのだ。愛する者とついに再会を果たしたときにも、涙によって緊張をほぐすことができる。『ジョイ・ラック・クラブ』のクライマックスは、その良い見本だ。

驚き／狼狽／笑い

興味、好奇心、期待感、サスペンス。物語を語るという行為に欠かせないこの4つの感情について解説してきた。これであなたも、また一歩脚本を読む人の心を奪うという目標に近づいたはずだ。残念ながら、どんな脚本でも先が読めてしまう危険に陥るものだ。なぜかというと、脚本を読む人は、必ず先を読み、可能性を探り、次にどうなるか考えながら読むからだ。それが脚本を読む楽しみなのだから。このとき、予想が当たれば当たるほど、先が読みやすい脚本になってしまい、最後に待っているのは死の接吻ということになってしまう。物語の展開が予想どおりではがっかりだ。キャラクターの次の一手、そして台詞まで読めてしまっては、落胆の極みだ。しかし脚本家は、読者が先読みをしようとする習性を利用して、驚きを与えて先を読まれてしまうことを避けることができる。

「何ができれば、もっと上手く脚本を書けるようになりますか」と聞かれたジャン・コクトーは、「私を驚かせてください」と答えたという。驚きの感情はサスペンスの前または後に現れるので、サスペンスを豊かにしてくれるのだ。殺人者が家の中にいると知れば、読者の心にサスペンスが生じる。そして犠牲者が家に入って来るまでの間には、緊張が生じる。ここで殺人者が犠牲者を襲えばありきたりの展開だが、要は脚本家の腕次第。犠牲者に逆襲させることで、裏を掻いて読者に驚きを与えることもできる。

驚きというのは、期待していたのと違うということだ。ウイリアム・ゴードンは脚本家たちに、「観客が欲しがっているものをあげてください。ただし予期せぬ方法で」と助言している。この場合、脚本家が考えるべきは「主人公は最後に勝つのか」ということではない。それは緊迫感の問題なのだ。「どうやって勝つのか」を考えよう。男が女にキスしようとする。読者は、キスするんだろうなと期待する。最後にキスして、めでたしめでたし。問題は、どのような過程を経てキスを勝ち取ったかということ。それは予想のつかない、驚きのある過程であった方が良い。驚きを獲得するには、**予期せぬ捻りと展開**という技を使う。予想もしていなかったことが起きた衝撃。いきなり明かされる重要な何か。予期せぬ突然の逆転。脚本を読む人は、巧みに足元を掬われると嬉しいものだ。驚きは大きいほど良い。驚愕の展開一つで物語が完全にひっくり返ってしまうというような脚本は稀だ。それができれば、その脚本はその場で売れるだろう。『クライング・ゲーム』、『ユージュアル・サスペクツ』、『セブン』等がその例だ。

巧みな脚本は、驚きに満ちている。驚きはプロットを巧みに組むことで作り出すが、それ以外にも方法はある。突然それまで隠されていた主人公の欠点が明かされるのも､良い手だ。悪役の予期せぬ人間性が明かされても良い。台詞を通して読者を驚かせることもできる。それが読者の予想を超えた何かで、論理的に破綻していなければ、何でも構わない。言い換えると、捻りというものは何もないところからは出せない。絶対に理に適っていなければ効かないのだ。

驚きというのは満たされない期待感から発生する。だから、まず期待感を植えつけてやらなければいけない。その上で、期待感をいじるのだ。喜劇は、植えつけた期待感を使って笑いを生み出す。オチが笑いを誘うのは、観客が期待していた答えが捻られたからだ。では、読者の心に驚きを生じさせる方法を探ってみよう。

予期せぬ障害物と混乱

対立についてては前の章で解説したが、ここでは予期せぬ障害物と混乱という観点から対立を見直してみよう。予期せぬ障害物と混乱は、表裏一体ではあるが、同じものではない。両者を混同する脚本家は多いので、分けて解説する。障害物。目標達成を妨害する何か。人、物、出来事等、何でもあり得る。障害物に阻まれると、キャラクターは目標達成のために余計な努力を強いられ、時間も余分にかかるわけだが、これがポイントだ。障害物が克服されれば、キャラクターは元の道に戻って前に進む。例えば、ロサンゼルスからニューヨークに行く途中、道が冠水していたとしよう。ちょっと回り道をして、元の道に戻れば問題なしだ。

一方、混乱を喩えていうと、車が故障したので残りの行程を飛行機で行くということだ。最終的に目的地に到着することに変わりはないが、別の道で行く羽目になるのだ。障害物と同様、混乱をもたらすのは人、物、出来事、状況等何でもあり得る。ただ、混乱が起きた後のキャラクターの行動が変わるというところが違う。障害物は一時的な変化を強いる。混乱が起きたら、まったく違った道を進むことを強いられる。前と同じ道には戻れない。就職面接会場に行く途中でエレベーターが止まっていたら、それは障害物だ。面接官に恋してしまったら、それが混乱だ。混乱は、つまり「プロットの捻り」なのだ。当然そっちに行くと思われていたキャラクターを、別の方に押しやってしまうのだ。障害物や混乱を使うときも、予期せぬ方法で読者の心に驚きを生じさせるのが肝だ。

発見と露呈

主人公がそれを知ったことで、物語が前に進む情報。手がかり、秘密、証拠、武器、日記等は、発見または露呈の手段となる。発見と露呈のどこが違うのかと言うと、発見は能動的なプロセス、つまり主人公が自ら見つけ出すものであるのに対して、露呈は、何か他の人や物によって情報がもたらされるという受動的なプロセスになる。エヴリンの妹が本当は実の娘だったというのが『チャイナタウン』の最大の秘密だが、それは本人がジェイクに告白することで（無理やりではあるが）伝えられる。もしジェイクが、記録を照合するなどして自ら捜査によってこの秘密を探り当てたなら、それは彼の発見ということになる。能動的な発見と受動的な露呈。両者の差は小さなものだが、しかし物語のバランスを取る上ではこの上なく重要な差なのだ。

発見は、キャラクターが何か重大なことに気づいたときに起き得る。何かが腑に落ちる瞬間、頭に電球が煌めく瞬間だ。パズルの解き方が見えた瞬間。『ザ・シークレット・サービス』で、フランク・ハリガンが殺人者の計画の全容を理解し、ホテルに走っていく、あの瞬間だ。

一般的には、重大な情報の露呈があるときは、その情報は主人公と脚本の読者に同時に明かされるので、どちらも驚くことになる。しかし、読者優位の状況を作り出すとき、つまり読者にだけ何かが知らされるときには、その方法は露呈でしかあり得ない。例えば、『北北西に進路を取れ』で教授たちによってジョージ・キャプランの謎という重大な謎が明かされるとき、ソーンヒルは完全に蚊帳の外なのだ。

発見または露呈を物語の最後までとっておけば、一般的に捻ったエンディングで観る者にショックを与えたり驚かせたりできるが、それ以上に、それまでの物語の展開を完全に転倒させてしまえる。『シックス・センス』や『ユージュアル・サスペクツ』が良い見本だ。

何かが発見されるためには、まずそれを隠さなければいけない。驚くというのは、知らなかったことを見つけるということだから、驚きに満ちた発見や露呈を仕掛けるためには、脚本家が情報を隠して明かす術を熟知していなければならない。いつ、どれだけの頻度で、どれだけの情報を明かしてやるか、制御するのだ。一番巧い手は、明かしたい情報を画面の外に隠しておくことだ。『シックス・センス』では、一番重要な情報は最後まで巧みに隠された。そう、マルコム・クロウの死や葬式といったものは隠され、誰も彼の死について触れない。この見事な隠蔽の仕掛けにより、最後の最後で彼の死が明かされたときに、観客の視点が完全に転倒してしまうのだ。

逆転

逆転は、発見や情報の露呈以上に心を掴む技だ。何しろ、物語をひっくり返すのだから。ある状態から正反対の状態に転倒する、それが逆転だ。富豪から貧民、幸福から不幸、味方から敵、あるいはその逆。『お熱いのがお好き』で、ジョーとジェリーが駅から女装して再登場というのも逆転だ。

逆転がそれほどまでに強力に心を揺さぶるのは、これ以上に予測不可能なことがあり得ないからだ。１８０度以上は回りようがない。『月の輝く夜に』のように、キスする場面だなと思って観ていると代わりに張り手なら、こちらはその逆転にびっくりする。『レイダース／失われたアーク《聖櫃》』の剣の達人の場面のように、期待していた決闘が銃声1発で片づいたら、その逆転に笑いが起きる。こうなるだろうと思わせて、いつもそうなるとは限らない。裏を掻くのが驚かせるときの肝だ。

発見や露呈と同様、行動、出来事、台詞等何でも逆転に使うことができる。ともかく読者の期待の正反対にいけるなら何でも構わない。『アメリカン・ビューティー』で、レスターが解雇されるだろうと思って観ていると、彼は上司から金を脅し取って歩き去る。『ファインディング・ニモ』では、物覚えが悪いドリーというキャラクターが、しばしば物語の鍵を握る。彼のお陰で全編に渡って逆転が繰り返されるのだ。ドリーがマーリンを助けて、観客は希望を抱く。するとドリーは何故助けていたのか忘れてしまうので、じりじりとした失望が残るのだ。『カサブランカ』で使われた古典的な逆転の手法は、リックがシュトラッサー少佐を撃ったときに使われる。リックが逮捕されるという観客の期待に反して、ルノー署長が「容疑者を集めろ。面通しをするぞ」と言う。こうして、逆転によって驚きを与えることで、脚本の鮮度を保ち、予測を難しくし続けることができるのだ。

秘密

驚きという感情の本質は、明かされた秘密なのだ。だから秘密と驚きは、片方だけでは存在し得ない。『チャイナタウン』や、『ユージュアル・サスペクツ』、『シックス・センス』のように、**物語全体の秘密**が脚本全体を最後まで引っ張っていく場合もある。ある場面の中だけで機能する**場面の秘密**もある。就職面接で自分に関する秘密を隠すというような場面だ。あるいは、**キャラクターの秘密**というのもある。あるキャラクターの隠された素顔とか、過去の秘密。もう知り尽くしたと思っていたキャラクターに、新たな側面が加わったら、観ている方にとっては嬉しい驚きだ。脚本を読んでいる人に秘密が明かされたら、状況は読者優位になる。そして読者は、いつその秘密が暴露されるかもしれないという緊張感を覚えることになる。『トッツィー』や『お熱いのがお好き』がそうだった。『ユージュアル・サスペクツ』のような場合は、読者と一緒に主人公も驚くのだ。

読者劣位

読者が知っているのに主人公が知らないことがあるのが読者優位なら、読者劣位はその逆転現象で、主人公だけ知っていることがある。この技を使うと好奇心を喚起できるが、なによりも、ついに情報を明かすというときに、読者を驚かすことができる。この手は、『オーシャンズ11』や『オーシャンズ12』といった金庫破りジャンルの常套手段だ。キャラクターたちは実行計画を把握しているが、こちらが知っていることは限られている。以上が情報を明かすための3つの技だ。キャラクターと読者が同時に情報を知ることになる**発見と露呈**、読者は情報を得るがキャラクターは知らない**読者優位**、そして読者が知らない何かをキャラクターだけが知っており、その情報が明かされることが驚きに繋がる**読者劣位**だ。

衝撃

激しい驚きが突然くると、そしてその驚きがあまりに激しすぎると、気分を害して嫌な思いをすることもある。恐怖を感じて身が凍りつくこともある。これがショック、衝撃と言う感覚だ。映画の中の衝撃的な瞬間を思い出してみよう。『エイリアン』で胸を突き破って出てくる異星生物。『ゴッドファーザー』の馬の首。『エクソシスト』のあれこれ。ホラー映画の血まみれ描写だけがショッキングということではない。コメディの中でも衝撃は使われる。『トッツィー』で初めて女装したマイケルがお目見えする場面は、ショッキングだ。実際、コメディで一番笑いを取るのは、ショッキングな瞬間であることが多い。その瞬間が、まったく予想に反して、唐突に、そして極端な形で訪れるように仕組むのが肝だ。『サイコ』でヒッチコックが試みたように、第一幕で主人公が死ぬように仕向けるのも、衝撃的だ。これをやるときは、物語の中できちんと整合性がとれるように気を配ろう。不自然に感じられたら、読者を苛立たせてしまう。

引っかけと誘導

期待を裏切られるのが驚きであるなら、読者を驚かせる一番の方法は、関心を他の方向に向けて間違った期待を持たせることだろう。観客の注意を逸らしてその隙に手にコインを隠す手品師と同じ要領だ。「引っかけ」と呼ばれるこの技は、例えば間違った手がかりを追う刑事や、思わせぶりなキャラクターという形で適用される。『羊たちの沈黙』でＦＢＩが間違った家に突入する場面のように、思わせぶりな出来事で読者を引っかけることも可能だ。ＦＢＩが探し当てた家の玄関にジェイム・ガムが出たと思ったら、ドアの外に居たのはクラリスだった、という驚きの場面だ。もちろん、脚本家が意図的にこちらを引っかけて誘導したのだ。外せないのは『シックス・センス』の、屈指の引っかけだろう。真実が明かされたときに、観客はそこにいたるまでの場面をもう一度見せられる。そして、銃弾を浴びた主人公の死が、巧妙な仕掛けで隠されていたことを理解するのだ。

引っかけはミステリーの常套手段だが、間違った目標を追うキャラクター、あるいは間違った誰かを信用して後で裏切られるというように、他のジャンルでも使える。どのように引っかけるにしても、意図的に読者を誤った方向に誘導している限り方法は問われない。そのとき、物語内の整合性から外れないように気をつけなければならない。そして、後で誘導があったことを、ちゃんと読者に教えてやろう。そこにあっという驚きがあるのだから。

お膳立てと種明かし

記憶に残る良い映画というのは、驚きに満ちている。今まで見てきたように、映画の驚きというのは、観客の期待を脚本家が裏切って応えることで生じるのだが、それはお膳立てと種明かし、つまりフリとオチという技によって可能になる。脚本を書くときは、全編いろいろなところに種を撒いていく。撒かれる種は、物でも、行為でも、場所でも、台詞でも構わないが、いずれも後に開花して、驚きを伴った種明かしを迎えるのだ。『北北西に進路を取れ』のブックマッチ。『羊たちの沈黙』のペン。『レイダース』の蛇恐怖症。『チャイナタウン』の「グラスに良くない」という台詞。『ターミネーター』の「後で来る」。覚えておいて欲しいのは、お膳立てはよくある手でも構わないのだが、種明かしは驚きを喚起する独創的なものでなければならないということだ。『パルプ・フィクション』が、その暴力的な内容にかかわらず楽しい映画であり得るのは、食堂で強盗を働こうというカップルや、八百長試合を反故にして高飛びする羽目になったボクサーなど、どこかで観たようなフリに対して、仰天するようなオチがあるからだ。

奥の手（ライフライン）

南カリフォルニア大学のポール・ルーシー元教授が書いた『Story Sense』〔未邦訳「物語という感覚」〕の中に「ライフライン」という言葉が解説されている。それは、物語全体を覆う大きな問題を解決するために主人公が使う何かを指す。能力、道具、武器、味方、情報、作戦等、何でも構わない。つまり、奥の手だ。例えば『エイリアン』の宇宙服。『エイリアン2』のパワーローダー。『ダイ・ハード』でマクレインが背中に貼りつけた銃。奥の手を使うときは、ちゃんと先にお膳立てすることで、満足のいく種明かしが得られる。そこで失敗すると、次に説明する「デウス・エクス・マキナ」に陥ってしまう。

偶然（デウス・エクス・マキナ）

一般的に、物語の中で起きる出来事は理屈に合った展開に沿って起きるべきなのだが、稀にまったくの偶然が問題なく成立するときもある。たまたま運悪くそこに居合わせて犯罪を目撃してしまったとか、ばったり知り合いに会うといったときに、偶然は成立する。実際、物語の中のきっかけになる出来事は偶然であることが多く、そこから、理屈に適った結末に向かって物語が転がり始めるのだ。

だから、偶然を障害物や混乱として使って、主人公の置かれた状況を困難にしても大丈夫なのだ。しかし、間違った使い方をすると眉をひそめられるということを覚えておこう。偶然を使って問題を解決すること。そして、偶然によって主人公を危機から脱出させること。これは「デウス・エクス・マキナ」、つまり「神の機械」として知られるギリシア演劇の手法で、物語全体を貫く問題が難しすぎるとき、神様に解決してもらうことを指す。現代では、燃え盛る家の中で絶体絶命の主人公が突然の嵐で助かるとか、ヤクザの借金を不意に当たった宝くじの賞金で返済するといったことが、それにあたる。怠慢な脚本家が使う手だ。主人公が楽に苦境を乗り越えられるような手は、可能な限り避けるべきなのだ。脚本を読んでくれる人にとって屈辱的なばかりか、大きな不満を残してしまう。後で「神の機械」ではなくて偶然だと解釈してもらえるように、前もってお膳立てすることを忘れずに。ちゃんとお膳立てしたとしても、一番大きな問題の解決には使わないように。主人公を怠けさせてはならない。自分の能力によって、または仲間の助けを得て問題を解決させるのだ。勝利は自分の手で勝ち取らせるのだ。

緊張と安堵を組み合わせる

驚きとサスペンスと緊張からの解放という三段攻撃は、強い感情的インパクトを発生させるので、脚本家がよく使う。特にホラーの脚本では好んで使われる。例えば、少女が1人でいる。何か音が聞こえる。こちらは殺人鬼の存在を知っているが、少女は知らない。サスペンスが生じる。少女は怖がっているが、読者優位の状況なので、こちらは一層強い緊迫感を感じている。暗闇を手探りで歩く少女。緊張度が高まる。また音がする。猫がソファから飛び降りる。驚き、そしてゆっくり安堵。すかさず殺人鬼。衝撃。まあ、よくある手だが、効果的だ。感情を操作する術にたけた、腕の良い脚本家の手にかかればなおのことだ。この例には、偽の種明かしとサスペンスの積み上げが仕込んである。迫りくる悲劇を予感して、こちらはショックに備えてはらはらしている。しかし何も起きなかったので、リラックスした途端、悲劇は襲いかかり衝撃を受けるのだ。

スリル／喜び／笑い／悲しみ／勝利

ここであつかうのは、映画の中でキャラクターが何らかの行動をとおして感じると同時に、脚本を読んでいる人も感じるという感情群だ。イントロダクションで書いた、「わかるという気持ち」と「理屈抜きで感じる気持ち」だ。キャラクターが喜べば、または悲しんだら、読者も一緒に喜んだり悲しんだりするということだ。もちろん読者の心がキャラクターと一体になっていることが不可欠だ。あるいは、読者優位の立場からキャラクターに知らされないことを知ってしまい、喜んだり悲しんだりするという場合もある。

これから解説する感情群は、今まで見てきた5つの感情ほど本質的ではないが、それでも十分大事な役割を持っている。映画館で映画を観るときは、お金を払ってこれらの感情を体験しに行くのだ。特にスリル、勝利、そして笑いの3つだ。早速そのような感情を引き起こすための道具の使い方を見ていこう。

スペクタクル

ほとんどの脚本家は、読んでくれる人の心にスリルを巻き起こすために、スペクタクルを用意する。現実離れした出来事、命を懸けたスタント、特殊効果満載の描写を書き込んで感覚を刺激し、「オオッ！」と言わせるのだ。ジェームズ・ボンドの映画のオープニングは、いつもスペクタクルだ。沈没するタイタニック号。『ジュラシック・パーク』の恐竜。『マトリックス』のスタントとイメージ。『スター・ウォーズ』。脚本がスペクタクルで始まるように書けば、瞬時に読者の関心が引けるので良い戦略だ。だからと言って、やり過ぎて物語を台なしにしないように。スペクタクルもちゃんとプロットの一部だということを忘れずに、主人公をしっかりその場面に絡ませよう。

セックスとバイオレンス

スペクタクルの形の1つとして、セックスとバイオレンスがある。ジークムンド・フロイトによると、人間を突き動かす最も単純な衝動は性本能と攻撃心だ。だから、物語に組み込まれることで、理屈抜きに感情に訴えかける。バイオレンスは、最も視覚的に訴える力の強い対立の形態であり、セックスは最も視覚的に訴える力の強い愛の形態だ。どちらも、脚本を読む人に強力な反応を引き起こすので、使うときには注意が必要だ。スペクタルと同様、オープニングに使っても良い。『氷の微笑』はセックスもバイオレンスも両方使って、映画をいきなり垂直離陸させる。

ユーモア

コメディは興行的には鉄板なので、プロデューサーにとっては有難いジャンルだ。つまり、脚本を読む人の心を掴みたければ、笑いを誘うのは有効ということだ。残念ながら、ページ数の関係上、ユーモアの力学について深く考察する余裕はない。笑わせるということについて書かれた優れた文献はたくさんあるので、初心者の皆さんは是非一読することをお勧めする。ここではとりあえず、笑いの基礎は驚きの感情と裏切られる期待であるということを理解してもらおう。つまり、この章で驚きについて解説した部分が笑いを生み出す第一歩になる。

喜劇に笑いが不可欠というのは当然だが、笑いは他のジャンル、例えばドラマでも役に立つ。それは、笑いが緊張をほぐす力を持っているからで、だから気の抜けない激しいドラマの中で、箸休めとしてバランスを取る役目を果たすのだ。

脱出

危険な状況から、あるいは刑務所のような閉じた環境から脱出する主人公は、ある種の安堵感を感じさせる。さらに、身の安全を確保し自由を勝ち取った高揚感をも感じさせてくれる。『レイダース』の冒頭で、ベロックと原住民たちから逃げ切るインディアナ・ジョーンズや、『大脱走』のヒルツ大尉を例に出すまでもないだろう。こちらが気にかけるキャラクターが危ない目から逃げ切れば、喜びと安堵が湧き上がる。一方『羊たちの沈黙』でハンニバル・レクターが見事に脱走したときのように、それがもし凶悪な敵役だったら、恐れと絶望を味わうのだ。

別離と再会

こちらが深く気にかけている2人のキャラクターを引き離したら、あるいは再び巡り会わせれば、脚本を読む人の心の中にある別離の悲しみと再会の喜びに共鳴して揺り動かすことができる。『E.T.』で、エリオットと異星の友人が引き離されたときに、あなたが感じた悲しみを思い出して欲しい。そして『タイタニック』で、凍りついたジャックの手を離すローズのことを。『ジョイ・ラック・クラブ』のように、長すぎる別離の末に果たされた再会の喜びもパワフルだ。

勝利と敗北、または獲得と喪失

勝利と敗北についても同じことが言える。あるキャラクターが勝ち目の少ない戦いに勝てば、こちらもキャラクターが感じている勝利の高揚感を味わうことができる。それは試合の勝ち負けでも、心理的な勝利でも同じだ。そして、勝つ見込みが少ないほど力強くなる（『ロッキー』、『ベスト・キッド』、『シービスケット』）。

同様に、キャラクターが試合に負けたら、あるいは大事なものを失ったら、(『タイタニック』、『E.T.』、『ゴースト』)、こちらも一緒に悲しみを味わう。前の章で解説したとおり、負けたとか何か不幸な目に遭えば読者に憐みの気持ちが生じ、反対に勝ったり良いことがあれば、幸せな気持ちが生じる。読者の目を釘づけにしたいときに使える証明済みの手段は、主人公の勝利と敗北、または喪失を、物語全体をとおして交互に出してやるのだ。脚本を読む人が「主人公は目標を達成できるのだろうか」という中心的な問いを持つような場面で、まずは小さな勝利を与えて「できます」と答えてやる。次は小さな敗北で「できません」と答える。「できます」、「できません」を繰り返して、読者が希望と恐れを、幸福と不幸を、勝利と悲劇を潜り抜けていくようにしてやるのだ。

因果応報

英語で「poetic justice」つまり詩的な正義と言ったら、法的な正義ではなくて、業による正義または天罰というようなことを指す。法の手で触れることができない悪人が天罰で滅び、罪なき弱者が救われれば、大きな満足感を引き出すことができる。例えばこういうことだ。妻を殺した男の話を書くとする。法の目を逃れて保険金でボートを購入するが、逃亡中にボートは沈没、男は溺死する。これは男に天罰が下ったということになり、満足がいく。悪役が悪行の報いを受ける、または何をやっても上手くいかない善人が、最後に良い目にあうというようなことが、詩的な正義なのだ。これは、特に物語の最後に配置すると効果的だ。

共感／情／賞賛／軽蔑

前の章でも触れたのだが、改めてこれらの感情を簡単におさらいしておこう。映画の物語を感情的体験に満ちたものとして味わうために、きわめて重要な感情群だからだ。キャラクターと絆で結ばれずに映画を観た場合、物語そのものによって好奇心を覚えたり驚くことはあっても、わくわくしながら、びくびくしながら、どきどきしながら映画の展開を待つような深い満足は得られない。それでは、一緒に泣いたり笑ったりする満足感にはかなわないのだ。主人公に共感して情を覚えることなしに、または敵役を軽蔑する気持ちを持たずに脚本を読んでも、物語にどっぷり浸ることはできない。

メロドラマと感傷

ドラマチックな状況でキャラクターの気持ちをどうあつかうか。大袈裟にするのは避けよう。どのような強烈な事情があった結果、キャラクターが号泣したり、怒髪天を突いたり、そのような過剰な感情を爆発させるにいたったのか。脚本を読む人には、その手続きをちゃんと飲みこんでもらわなければいけない。そこを端折ってしまうと、メロドラマになってしまう。ドラマを発生させる代わりに、感傷を発生させるだけになる［「ドラマ」という言葉には、性質の異なる登場人物の対比や対立で語られる物語という定義がある］。キャラクターたちの感情が本物でなければ、ドラマチックな場面が嘘くさいものになってしまう。キャラクターの感情が信じがたいものでは、それはメロドラマなのだ。ちゃんとしたドラマとして成立している場合、表現された感情は正直できちんとした動機から生じる。メロドラマの場合、きちんとした動機は省かれている。つまり、ドラマが無駄に盛られているということだ。結果として、いわゆる昼メロのような浅薄で笑えるものとなってしまい、感情的な満足を与えられなくなってしまう。

本物の感情を書くための一番効果的な方法は、その物語の中の状況に身を置いて、自分でも同じ感情が湧き上がるのを感じてみることだ。「自分がこのキャラクターで、こういう状況に置かれたら、どう感じてどう行動するだろう」と自分に聞いてみよう。ロバート・フロストが言ったとおり、「読者を泣かせたきゃ、まず作家自身が泣け」ということだ。

実例：物語創りの脚本術

ここでは『北北西に進路を取れ』を取り上げる。あらゆる面で面白い映画だし、本章であつかった様々な技法がてんこ盛りなのだ。

もちろん、脚本を丸ごと分析する余裕はない。それに、第一幕と第二幕に関しては、すでにたっぷり例を挙げて解説済みだ。だから、残りの第三幕に注目して、いろいろな技がどのように使われているか取り上げていく。第三幕を丸ごと、やり取り単位で抽出し、どのような技法が使われて、どのような感情を読者の心に呼び起こしているか分析するので、何がこの幕をエキサイティングにしているのか実例を見ながら納得できるというわけだ。

第三幕は、ソーンヒルが競売で警察に逮捕されるところから始まる（勝利と敗北）。その後、警察ではなく教授の元に連れていかれる（逆転）。教授は真相を明かす（情報の露呈）。ヴァンダムがマイクロフィルムに収められた国家機密を国外に持ち出そうとしている。ジョージ・キャプランは実在しない。キャプランは、本物のスパイから敵の目を逸らすための囮なのだ。

教授はソーンヒルに、もう24時間キャプランとして過ごしてくれないかと頼む。危険な状況に陥った味方のスパイを助けるためだ（切迫感、ジレンマ、失敗の代償、危険な職業）。ソーンヒルは、自分はただの市民だからと断る（反対）。そこで教授は、危険が迫っているスパイというのはイヴ・ケンダールだと明かす（露呈、逆転、秘密、衝撃）。ソーンヒルは渋々、ヴァンダムを追ってラピッドシティに行き、イヴの命を救うためにキャプランを演じることを承諾する（計画、期待感）。

ソーンヒルは、ラシュモア山の食堂でヴァンダム、レナード、そしてイヴと会う。そこでイヴを解放すれば、出国の邪魔はしないと提案をする（好奇心、緊迫感）。ヴァンダムは提案を拒否する。イヴの腕を掴んで連れ去ろうとするソーンヒルを、イヴは拳銃を取り出して撃つ（驚き、逆転、衝撃）。ソーンヒルは担架に乗せられ、教授に連れ去られる（好奇心）。

後ほど、森の中でイヴは無傷のソーンヒルと落ち合う（逆転、欺きの示唆、再会）。イヴはソーンヒルを騙していたことを謝る（共感）。そして、ヴァンダムと関わるようになった経緯と、今はソーンヒルを愛しているということを伝える（露呈）。2人はキスするが、イヴは諜報活動を続けるためにヴァンダムのところに帰らなければならない（喪失、反対）。ソーンヒルは任務が終わったらイヴと一緒の時間が過ごせると期待するが、イヴはヴァンダムと共にアメリカを去ったら戻ってこない作戦だと教授に知らされる（露呈、逆転、大きくなる失敗の代償）。騙された上にイヴを失うことになるソーンヒルは、かんかんに怒る（別離）。

ソーンヒルは、病院の一室に監禁されたまま、ラシュモア山で撃たれたキャプランは入院先で危篤状態だという、ラジオのニュースを聞いている（敗北、障害物）。バーボンが欲しいと教授に取りに行かせた隙に、ソーンヒルは窓から抜け出して隣室に移り、そこにいた女性の患者を驚かせる（逆転、脱出、緊迫感）。女性は「やめて」と叫ぶが、眼鏡をかけて改めてソーンヒルを見てから、今度は色っぽく「やめて」と言う（ユーモア、安堵）。

ソーンヒルは、永久に機上の人になろうというイヴを止めようと、ラシュモア山の麓にあるヴァンダムの屋敷にタクシーで乗りつける（危機、失敗の代償）。窓の外から、中にいるヴァンダムとレナードの会話を盗み聞きする（情報的優位）。レナードは、イヴがソーンヒルを撃ったのはヤラセだったのではないかと疑っている（混乱、危機、切迫感）。レナードはイヴの銃でヴァンダムを撃ち、自説を証明する（予期せぬ反応）。ヴァンダムはイヴに欺かれていたと知り失望する（発見、逆転、敗北）。そこでヴァンダムはイヴを飛行機から突き落とす策略をたてる（計画、大きくなる代償、情報的優位）。

ヴァンダムとレナードは、イヴも交えて居間で喉を潤す（引き伸ばされた緊迫感）。ソーンヒルはイヴに警告しようと、ROTという文字がデザインされたブックマッチに「ばれている」と書き殴り（物に注目、警告、帰結、露呈）、イヴの傍らに落とす。警告を理解したイヴは、ちょっと失礼して自室に戻る（褒美）。そこにはソーンヒルがいて、イヴに命を狙われていると伝える（代償の念押し）。しかし任務への情熱に負けて、イヴはヴァンダムたちと飛行機に向かう（逆転、別離、引き伸ばされた緊迫感）。

家政婦がテレビに反射して映っているソーンヒルを見つけ、逃げないように銃口を向ける（物に注目、障害物、逆転）。イヴが飛行機に乗り込もうとした途端、家の方角から聞こえる2発の銃声（予期せぬ混乱、心配、奥の手）。混乱に乗じてイヴはマイクロフィルムの隠された像を奪ってソーンヒルと共に脱出用の車に乗り込む（褒美、勝利）。しかし屋敷の門には錠がかかっている（苛立ち、障害物）。2人は車を捨てて、森へ走って逃げ込み、やがてラシュモア山の頂上にたどりつく（障害物、より大きな危機）。

レナードと手下たちに追いつめられて、イヴとソーンヒルは山頂の巨大な彫像を這い降りざるを得ない（スペクタクル、罠）。ソーンヒルがイヴにプロポーズして、緊迫感が一瞬解ける（ユーモア）。手下の1人がナイフを手にソーンヒルに跳びかかる（さらに大きな危機、予期せぬ行動、苛立ち）。そして崖から投げ落とされる（褒美、希望）。レナードはイヴから像を奪い取り、イヴを突き落とす。イヴは岩肌に命がけでしがみつく（失敗の代償、苛立ち）。ソーンヒルは片手で岩に掴まりながら、片手でイヴの手を掴む（危機、褒美、希望）。岩の上にレナードが姿を現し、意地悪くソーンヒルの指を踏みつける（苛立ち、逆転、失うもの、恐怖）。銃声が1発聞こえて、レナードが墜落して死ぬ（逆転、褒美）。

ヴァンダムは教授に逮捕され、ソーンヒルはイヴを安全なところに引き上げようと苦闘する（オマケの危機、苛立ち）。そして突然、引っ張り上げられた先は列車の寝台になり、ソーンヒルは「ほら、おいで、ソーンヒルの奥さん」と言って終わり（褒美、勝利、喜び）。

いかがだったろうか。古典的名作の第三幕、ドラマチックな技法はこのように適用されていたのだ。ほとんどの技法は、期待感、緊迫感、そして驚きを発生させるために使われたが、それはヒッチコック映画なのだから当然のことだ。皆さんはもう、どんなジャンルの、どんな物語を語るにもこのような技法が使えるということにお気づきだろう。技法を駆使することで、どんな物語も深みを増すのだ。

読者の心を掴む物語の作り方を覚えたら、今度はその物語を普遍的な形に構成していく番だ。早速、次の章に進んでみよう。

CHAPTER 6

STRUCTURE:
ENGAGING DESIGN

構成
のめりこませるための設計

脚本というのはファッションに似ています。服はどれも同じ構造を持ってますよね。シャツには袖が2つあり、ボタンがある。だからと言って全部同じシャツにはならないのです。

——アキヴァ・ゴールズマン

物語を語るという行為の中で、最も単純な考え方が構成という概念だ。最も単純であるが、同時に最も論議に晒され続けているものでもある。構成については、すでにありとあらゆるところで議論が展開し尽くされているので、ここで私に貢献できるものはあまり残っていない。この章が本書の中で一番短いのは、そのためだ。まだ構成について混乱しているという人のために、一応大事な基本だけおさらいしておこう。

［構成という日本語が一般的だが、実は「構造」という概念を併せもっており、構造と捉えた方が理解しやすいことも多いので、本文中に「構成」と「構造」が適宜使い分けられているのは、間違いではないのでお断りしておく］。

基本：構成について知っておくべきこと

構成というものを最も簡単に説明すれば、その正体は物語の形ということにすぎない。物語はいろいろな出来事でできあがっており、その出来事を、最も効果的に感情に訴えかけるように組み合わせて1つの形にすること、それが構成だ。つまり、建物にたとえれば構成とは物語の構造であり、設計された物語なのだ。構造なしでビルを建築できないように、構成なしでは物語を構築できない。物語が出来事の羅列なら、構成はその物語をどう語るかということだ。物語が創造物だとすれば、構成は創造された物語を注ぎこむ器なのだ。骨格にたとえて言えば、人体中にある骨を1本残らず調べて、その機能を理解し、すべての骨を組み合わせて骨格を形成し、そこに筋肉や、神経、そして皮膚をくっつけていく。この筋肉、神経、皮膚が物語にあたる。どんな人でも骨格が必要なのと同じ要領で、どんな物語でも構成は必要だということを、忘れないように。骨格がなくては、ただのボロ布を縫い合わせた人形だ。

英雄の旅や、脚本執筆の22段階、七幕構成等、構成に関する理論はたくさん存在する。あなた好みの構成理論がどれであっても、結局はどれを選んでも同じ結論が待っている。つまり、すべての物語は、始め、中、終わりという三楽章から成っているのだ。例えば別の観点から、物語を「お膳立て、混乱、解決」に分けても構わないし、読者に与える感情という視点から「関心を引く、緊張させる、満足を与える」と分けても構わないが、どうやら3という数字がぴったりはまる。それが、普遍的な物語の語り方を教える体系化された規範として、三幕構成が取り入れられた理由だろう。

この三幕構成というものは、誰かが長い間思索を巡らした末に考案して、今日から三幕構成に従うようにと宣言したというものではない。人間が話を作って語り始めた昔から、ずっとあったのだ。そして、それは科学者が自然の法則を発見したのと似た要領で、アリストテレスによって2400年ほど前に発見された。アリストテレスは、ただ芝居を観察しただけだ。感情的に満足感の高い、ゆえに人気の高い芝居が持っている共通の法則性に気づき、『詩学』にまとめたにすぎないのだ。

最近気づいたのだが、三幕構成と聞くと、公式とかテンプレだと言う人がいる。しかし、構成だけ見るとどれも同じにみえても、その構成で語られた物語はどれも同じではない。私たちも2人として同じ人はいないが、骨格だけ見ると大体同じ作りだ。つまり、人体を作りたければ、まずどれも同じに見える骨格を作らなければならない。そうしなければ、人間には見えない何か別のものができあがってしまう。物語でも同じことだ。『アメリカン・ビューティー』と『E.T.』は、どこからどう眺めても違う物語だが、実は骨格は同じなのだ。

というわけで、構成と公式を混同しないこと。大事なのは、同じ骨組みを使って「何をするか」の方なのだ。どこで始めて、どこで終わり、間に何を入れるのか。やり取りや出来事を集めて場面を作り、場面をまとめてシークエンスを、シークエンスをまとめて幕を、そして幕を集めて「脚本」というものにまとめ上げる。個々のやり取りは、次に何が起きるんだろうと読者に期待を持たせなければいけない。それに失敗すると飽きられる。脚本家が犯し得る、最大の重罪だ。飽きられないように三幕構成がある。対立が起きて変化が生じるように出来事を並べ、それを最後の対立とその解決まで積み上げ続けるのだ。三幕つまり、始め、中、終わり。プロットの視点で見れば、お膳立て、対立、解決。感情的な視点で見れば、関心、緊張、満足。テーマの視点で見れば、主題、積み上げ、成就ということになる。

構成の技巧：それぞれの幕が持つ感情的要素

ここでは、構成というものを感情的反応という観点から解説する。物語をどう構成すると、脚本を読む人の心を最も強く掴むのかという観点だ。今書いたとおり、物語は3つに分けると都合が良い。第一幕、つまり始め。ここで読者の関心をがっちり引き寄せる。第二幕、つまり中。クライマックスに向かって緊迫感と期待感を高めていく。第三幕、つまり終わり。感情的な満足を作り出す。何しろ、それがすべての娯楽の目的なのだから。

早速、それぞれの幕に必要とされる感情を分析しよう。そしてこれはテンプレートではなく、あくまで素晴らしい物語を語るために推奨された足場だと考えるように。

第一幕　関心を掴む

物語のお膳立てをして前に向かって転がす。それが最初の幕の仕事だが、一番肝心なのは、脚本を読む人の関心を掴んで、そのまま「終」まで離さないことだ。そのためには、まずジャンルとムードをわかってもらい、これから語られる物語に対する期待を持ってもらう。コメディなら笑いを、スリラーなら緊迫感だ。そして主人公を紹介し、絆を感じてもらう。次に主要な問題を導入して興味を引く。さらに、主人公がその問題とジレンマを解決できるだろうかという期待を持ってもらう。読者の関心は1ページ目でいきなり掴まなければならない。だから第一幕で一番大切なのは、オープニングでのつかみということになる。

オープニングのつかみ

オープニングは、脚本を読んでくれる人が脚本を読んでいることを忘れるほど、がっちり心を掴むように書かなければならない。何しろ横に座って、「最初の数ページは、まあお手柔らかに。読み進めればどんどん面白くなるから」等と教えることはできないのだから。第1球目でいきなり面白いと思わせられなかったらアウト。下読みにとってあなたの脚本は、書きたくもない1枚のつまらない映画のレポート以上の何ものでもなくなってしまう。後でどんなに素晴らしい感情的体験が約束されていたとしてもだ。オープニングのつかみが巧く書けているのは、プロの証なのだ。よく使われるオープニングのパターンを紹介しよう。

・**行動中の主人公。**これは、対立の最中にいる主人公を紹介する始まり方。一般的に使われる技であり、同時に

2つの意味でとても効果的だ。1つは、読者の心とキャラクターの絆が結びやすい。もう1つは、ドラマ的要素だ。『アビエイター』のオープニングを思い出してみよう。母から衛生について講釈を受ける若きハワード・ヒューズから入り、大人になって『地獄の天使』を監督する姿に移る。『評決』では、葬式会場で客引きをするアル中弁護士のフランク・ギャルビン。『ミッドナイト・ラン』の賞金稼ぎのジャック・ウォルシュは、まさに犯罪者確保中。主人公の行動の真っ最中で映画を始めることで、キャラクターの**独創的な個性**に焦点を当てられる。トランプ中に始まる『俺たちに明日はない』、ハロルド少年の自殺の真似事の最中に始まる『ハロルドとモード』少年は虹を渡る』、テルマとルイーズの日常に放り込まれる『テルマ&ルイーズ』。または、何らかの不当なあつかい（その他、Chapter4で解説した技の数々）を受ける主人公の紹介から入って、オープニングで**キャラクターへの共感**を呼ぶこともできる。エリン・ブロコビッチは最初の数ページの内に、就職面接で断られ、駐車違反で切符を切られ、自動車は事故に巻き込まれる。『ファインディング・ニモ』では、マーリンも早々に妻と子どもたちを失っている。

・**行動中の敵役**。主人公ではなくて、何かしている最中の敵役で幕を開けるのもありだ。『スター・ウォーズ』、『ユージュアル・サスペクツ』、不法侵入から始まる『大統領の陰謀』、霊柩車と警察の追いかけで始まる『お熱いのがお好き』、そしてオープニングで早速最初の犠牲者を血祭りにあげる『スクリーム』の殺人鬼等。

・**バックストーリー／プロローグ**。バックストーリーについては、キャラクターの人生の一部としてChapter4であつかったが、物語の中の過去に起きた興奮を喚起するような出来事をオープニングに持ってくれば、その後どうなるんだろうという期待感を盛り上げられる。『めまい』や『クリフハンガー』のような、心に傷を負うようなオープニングには、そのような効果がある。

・**スペクタクル**。前の章で解説したとおり、スペクタクル（スタント、特撮、あり得ない出来事）があると読者はわくわくするものだ。だからスペクタクルは、映画を始める最高の手段なのだ。もちろん、単に読者を幻惑するだけの、スペクタクルのためのスペクタクルに陥らず、ちゃんと物語の一部として成立していなければならないが。『プライベート・ライアン』の激烈な戦闘場面、『トップガン』のアクロバット飛行はスペクタクルの良い見本だ。『氷の微笑』や『ベティ・ブルー』のように、セックスとバイオレンスで幕を開けるのも効果的。『ゴッドファーザー』の結婚式のような楽しいイベントで映画を始めるのも良い。

・**謎**。読者の好奇心を煽って、何が起きているんだろうと思わせる出来事で幕を開けるのも、良いオープニングだ。『エイリアン』、『マトリックス』、『ブラッド・シンプル』、『ユージュアル・サスペクツ』、『市民ケーン』、そして『E.T.』。どれもオープニングで、読者の心に知りたい気持ちを植えつける。ここはどこだ？　この人たちは誰？　何の話をしてる？　何が起きている？　読者の心は奪われ、答えを求めずにはいられなくなる。

・**独創的な世界観**。誰も見たことのないような世界に読者を誘ってやることで、読者の興味を引き、その世界のことを知りたいと思わせることもできる。地球上で独自の生活を営む異星人たちを描いた『メン・イン・ブラック』、アメリカの小さな郊外の街と思わせて実は巨大なテレビ番組のステージだったという『トゥルーマン・ショー』、『刑事ジョン・ブック 目撃者』のアーミッシュの村、『ゴッドファーザー』のマフィアの世界、または、未来のロサンゼルスを鳥瞰した空撮で始まる『ブレードランナー』等が良い例だ。

・**説明**。これから始まる物語の世界についての情報を、オープニングで提示するのも良い作戦だが、必ず面白い情報、または物語を理解するために欠かせない情報でなくてはならない。例えば『スター・ウォーズ』の冒頭のスクロールしていく文字情報、そして『カサブランカ』の地図とラジオ音声によるナレーション等。

・**観客に直接話しかける**。常套手段ではないが、映画を始めるのに効果的な技。キャラクターが、直接こちらに話しかけるので、直接的な絆を結ぶことができる。『アメリカン・ビューティー』や、『サンセット大通り』のようなナレーションも同じ効果が出せるし、『ハイ・フィデリティ』や、『フェリスはある朝突然に』、『アニー・ホール』のように、**キャラクターが直接こちらに話しかけてくる**、いわゆる「第四の壁を破る」という手法も使える。

・本立て式回想。お伽話を魅力的に始める「昔々あるところで」という言い回し。それと似たような感覚で、時代劇や過去の捜査の場面から始まる探偵ものの幕を開けるのに使われる仕掛け、または構成の手法が、本立て式回想だ。物語の最初と最後だけが現在で、その間に語られるのはすべて過去を回想した物語になる。［本の列を挟み込むように置かれた本立てに見立てた命名］。『タイタニック』、『アマデウス』、『市民ケーン』、『マディソン郡の橋』、『深夜の告白』などが、この形式で語られる。過去の物語を現在の部分より重要にするのをお忘れなく。

オープニングに関して言えるのは、もし脚本の冒頭で心を掴めなかったら、どこまで読んでも同じだろうと読者に見放されてしまうということだ。負の先入観を持ったまま最後のページまで読まれるということだ。後で素晴らしい場面が待っているのなら、なおさらもったいない。最初が肝心だ。

主人公の紹介

先ほども書いたが、脚本を始める効果的な方法は、オープニングからいきなり主人公を絡ませることだ。もし別の方法で映画を始める道を選んだのなら、できるだけ早く主人公を登場させて、読者がどのキャラクターについていけば良いのか、誰に感情移入すれば良いのか知ってもらうのが得策だ。なぜなら、読者は、最初に登場したキャラクターが主人公に違いないという無意識の期待を持ってしまうからだ。だからほとんどの脚本家は、最初から主人公が何かしているオープニングを書く。また、主人公を導入する際、どれでもいいからChapter4で解説した技を使って、読者が気にかけるように、または同情するように仕向けること。その上で欠点を紹介する。いったん好きになったキャラクターなら欠点も受け入れやすいが、最初から欠点のあるキャラクターは受け入れにくい。

きっかけになる出来事

きっかけになる出来事は、第一幕の中で最も重要な要素だ。これがなくては、物語が始まらない。きっかけになる事件、きっかけ、発端、引き金等、いろいろな呼び名で知られるが、要するにこの出来事をきっかけとして、物語が転がりだすのだ。主人公の日常を、放置できないほどにかき乱してしまうという重大な出来事なので、「干渉」とも呼ばれる。これが起きるまでは、主人公はありきたりの日常を生きているだけだ。きっかけになる出来事が起きたことで、物語のギアが変わり、読者の関心に火を点ける。主人公はありきたりの日常からカオスへ放り込まれ、均衡を求めて行動を起こす羽目になる。偶然、出会い、発見。きっかけは何でもかまわない。『E．T．』の場合、地球に取り残されるのが宇宙人にとってのきっかけ。その宇宙人と出会うのがエリオットのきっかけになる。『ゴッドファーザー』の場合、マイケルにとってのきっかけは、父の暗殺未遂騒ぎになる。『お熱いのがお好き』の場合は、ジョーとジェリーが聖バレンタインデーの虐殺を目撃したのが、きっかけだった。感情的にインパクトを残すきっかけを書きたければ、その出来事が主人公に与えるインパクトも大きい方が良い。主人公にとって放置できないような大きな出来事。無視して問題がないのでは、物語にならない。

中心的な問い

きっかけになる出来事が力強ければ、読者の心に自然に「主人公は、どうやってこの問題を解決するのだろう」

という問いが浮かぶ。これが、あなたが書いている物語を貫く中心的な問いになる。読者の好奇心や、期待感、そして緊張感を維持しなければならないので、どんなに早くても、第二幕の幕切れより前にこの問いに対する答えを出してはいけない。きっかけとなる出来事の例をみるとわかるように、きっかけに対して生じた中心的な問いは、答えが出るまで読者の心を掴んでいく。エリオットがE．T．と出会ったとき、2人がどのように仲良くなっていくのかがこちらの関心事になる。マイケルの父親が撃たれたとき、マイケルがファミリーに加担するようになるかどうかが知りたくなる。そして父親が死んだとき、マイケルがどこまで深入りしていくかに関心を寄せる。そしてジョーとジェリーが逃げ出したとき、2人が組織から逃げきれるかどうか気になるのだ。

第一幕のクライマックス（後戻りできない点）

物語の中心的な問いが設定されたところで、主人公は、面倒に首を突っ込んで問題を片づけるべきか、無視するべきかというジレンマに悩む。人生の岐路で重大な決断を迫られるのだ。この決断をしたら、すべては永遠に変わってしまう。もうそれまでの人生には戻ることができない。だからこれを、後戻りできない点と呼ぶ。ここで問題を無視したら物語にならないので、決断は必ず「首を突っ込む」だ。この決断によって第一幕は幕を引き、読者の関心を第二幕に繋ぐ。『E．T．』の後戻りできない点は、宇宙人を押入れに匿って「飼う」ことを決めたとき。『ゴッドファーザー』では、マイケルが負傷した父と一緒に病院に隠れ、暗殺者を脅し、汚職警察署長マクラスキーと対決することを決めたとき。そして、『お熱いのがお好き』では、ジョーとジェリーが、女装してシカゴから高飛びしようと決めたときだ。

第二幕　緊迫感と期待感

主人公が目標を達成しようと障害物や混乱を乗り越えて行動するのが第二幕なので、当然多くのアクションが起きる。第二幕は量的に最もボリュームの多い幕であり、ゆえに脚本が一番崩壊しやすい場所でもある。だから、第二幕は脚本家の腕の見せ所でもある。読者が物語を楽しめるように感情を刺激する種々の技を前の章で紹介したが、それを駆使して第二幕を上手にペース配分すること。この幕では、一瞬でも読者の心を離してはならないので、緊迫感を利用して常に主人公が勝つか負けるか心配させよう。目標達成の切迫度が高いほど、対立する要素の障害が大きいほど、読者の関心も高くなる。主人公の苦闘と高まり続ける緊迫感。第二幕を一言で表すと、そういうことになる。

障害物と混乱

主人公に何とか目標を達成しようとあがかせるためには、対立が必要だ。障害物または混乱という形で主人公を足止めするのが対立だ。これについては、前の章で詳しく解説したので、そちらを参照のこと。毎回必ず違う障害物にすること。似たような障害物ばかり出てくると、読者が託す感情も薄れてしまう。『お熱いのがお好き』に現れる障害物と混乱に目を通してみよう。まず、女性だけの楽団に女装して加わる。楽団長の疑いの眼差しを避ける。女性に囲まれても鼻の下を伸ばせない。シュガーに惚れる。フロリダのホテルで、男性客をあしらう羽目になる。何より、ダフネとして女装しているジェリーにぞっこんのオズグッド・フィールディング3世を煙に巻かなくてはならない。

中間点

第二幕はとても長く、一方人間の集中力はとても短い。だから、この中間点が激しい転換点になることが多い。大きな捻りや逆転が仕組まれ、主人公の目標達成の旅に、活を入れるのだ。これが中間点と呼ばれるのは、第二幕のど真ん中にくることが多いからだ。ここで主人公が迷いを捨てて、脇目も振らずに目標を求めて行くことを決断することが多い。または、そうせざるを得ないということを受け入れる。目標達成のためなら何でもやるという必死さが生じる点なのだ。『E.T.』では、宇宙人が電話をかけなければいけないと伝え、エリオットがそれを助けると決めるとき。『ゴッドファーザー』では、マイケルが食堂でソロッツォとマクラスキーを殺し、シチリアへ高飛びするとき。『お熱いのがお好き』では、ジョーがシェル石油の御曹司に化けてシュガーを誘惑しようと決めたときだ。

深まる混乱と逆転

中間点を過ぎたら、障害物と混乱は第二幕のクライマックスに向かって、より激しくしていくのが良い。逆転や発見を仕掛け続けながら、読者の感情を刺激していく。『お熱いのがお好き』では、ジョーがシュガーを口説こうと決めてから、次のように混乱が深まっていく。やきもちを焼いたジェリーがジョーの計略を邪魔する。ジョーがシュガーを落とすために、ジェリーにオズグッドとデートさせ、ヨットを借りさせる。シュガーはジョーが億万長者だと信じてしまう。ダフネ（ジェリー）が、オズグッドとの婚約を発表。スパッツが組織の会合のためにホテルに現れる。

第二幕のクライマックス（最も暗い瞬間）

混乱が深まっていく最中、主人公はいくつかの決断を迫られる。この一連の決断が、主人公を「沸点」、つまり「最も暗い瞬間」としても知られる第二幕のクライマックスに導いていく。敵役は手ごわい。主人公が敵に勝てる見込みはない。すべては失われ、もしかしてここで諦めてしまうかもしれない。だから、ここが大きな決断のときになることが多い。主人公の決意を試す岐路だ。手詰まりの主人公が、どうしたら目標を達成できるのだろうか。『E.T.』では、宇宙人が死ぬときが最も暗い瞬間。『ゴッドファーザー』では、マイケルのシチリア妻が殺されたとき。そしてドン・コルレオーネが、マイケルが無事にアメリカに帰国できるように停戦協定の仁義を破ったとき。『お熱いのがお好き』では、スパッツから逃げるために荷造りをし、ジョーがシュガーと分かれたとき。この3度目の転換点が、読者の関心を第三幕に繋いでいく。

第三幕　満足

第三幕、つまり最終幕で、物語は解決をみる。第一幕と二幕で仕掛けられた問題が、ここで解決されていくのだ。ドラマの緊迫感は最高潮に登りつめ、主人公はすべての対立を乗り越える。ここできちんと感情的な要求に応えておけば、十分な対立と、緊迫感と、切迫感が仕込んであれば、未解決の問題が1つ残さず解決されて、腑に落ちる一方ではっとするような解決が用意されていれば、読者の心は満足で満たされるはずだ。

主人公の立ち直りと成長

第二幕は暗い終わり方をすることが多いので、第三幕は主人公が立ち直るところから幕を開け、最後の戦いに備えさせる。脚本家の手で暗い穴に落とされた主人公を、脚本家自身が引き上げてやるのだ。このとき気をつけたいのは、主人公をちゃんと物語の理に適った方法で立ち直らせること。体の血を半分失った主人公が、ぴんぴんしながら悪役を倒しに行くような映画はたくさんあるが、真似してはいけない。ここでデウス・エクス・マキナ、つまり偶然に頼って問題を解決する誘惑に負けてもいけない。もし偶然や、脇役が主人公を助けることになるなら、必ずそうなっても不思議がられないようにお膳立てをしておこう。そうしないと、折角結ばれた主人公と読者の絆が、切れてしまう。

主人公の立ち直りは、同時に主人公の変化の終点であることが多い。ここで内面的な成長があり、自分が抱えた問題を克服し、目標に向かっていく勇気と力を得るのだ。最も暗い瞬間で追い込まれたお陰で、良い方に変わるのだ（悲劇なら、悪い方に変わる）。心身ともに立ち直ったら、主人公は最後の戦いへの準備完了だ。この内面的変化は、クライマックス後に訪れてもかまわないが、観客は立ち直るときに変わるのを、つまりクライマックス前を好むようだ。

最後の戦い

第一幕と二幕がお膳立てだとすれば、最後の戦いは決着ということになる。最初の二幕が高まる緊迫感なら、最後の戦いは最も中心的な問題が解決される満足感だ。ここが、主人公と敵役が角突きあわせる最後の決闘の場になる。「クライマックス」、または「必須の場面」としても知られるが、なぜ「必須」なのかと言うと、これが第一幕で示唆された結末だからだ。例えば、『E.T.』の場合、科学者たちから逃げ隠れた宇宙人を観客が見ている以上、最後に両者が対峙するのが必然になる。『ゴッドファーザー』の場合、マイケルがドンの座を継ぐかどうかという中心的な緊迫感に対して、彼がその器を持っていることを証明する場面は必須だ。クライマックスでマイケルは、彼が名づけ親になった赤ん坊が洗礼を受けているときに、敵を皆殺しにさせてボスは自分であると宣言するのだ。『お熱いのがお好き』の最後の戦いは、ジョーとジェリーがスパッツから逃げてホテルを後にするのがクライマックスになる。クライマックスは一大戦闘シーンでも構わないし、小さな、しかし力強い瞬間でも良い。大事なのは、感情的に満足させられるかということだ。

効果的な幕引き

脚本をどう終わらせるべきか。これは、読者の心に残る印象を与える最後のチャンスなのだ。だからエンディングは気をつけて書くこと。下読みは最後に読んだエンディングの印象でレポートを書くのだから。観客の立場から見た場合、最高のオープニングは観る者の心を奪うものであり、一方最高のエンディングは、映画館を立ち去った後も長く心に余韻を残し、その映画のことを語りたくさせるものだ。「解決」としても知られるエンディングで、感情的に最も腑に落ちる、そして満足できる方法ですべての対立は解決され、すべての伏線は回収される。そうなるためには、解決の方法は驚きを与えるものであると同時に納得のいくものでなければいけない。つまり唐突ではいけないのだ。コンセプトのところで解説した、「見たことがあるが、斬新」に似て、「驚きに満ちて、当然」も一見矛盾したように思えるが、矛盾ではない。「当然」というのは、単に物語に対して最も理に適った終わり方という意味であり、「驚きに満ちて」というのは、対立を解決する方法が思いもよらないものだったということにすぎない。つまり予期せぬ、ということだ。驚きというのは、本能的な感情の中でもとても重要なものだと前の章で解説したが、つまりどんなエンディングにも、驚きは不可欠なのだ。主人公が敵役に勝利することは誰でも知っている。彼が彼女の心を射止めることなど、百も承知。それでも、エンディングには驚きが必要なのだ。

ここで「ハッピー」、「サッド」、「ホロ苦」、「捻り」、「未決定」の5つのエンディングを紹介しよう。

①**ハッピー・エンディング**。主人公は勝利し、敵役は敗北する。すべては上向き。ハリウッドでは1番人気の高い、そして最もよく使われる終わり方だ。例えば、『スター・ウォーズ』、『ダイ・ハード』、『恋人たちの予感』、『スニーカーズ』、『ショーシャンクの空に』等がある。

②**サッド・エンディング**。つまり悲劇的幕切れ。敵役が勝ち、主人公は負ける。そうなっても腑に落ちるように、主人公を巧くお膳立てしてやれば、ちゃんと感情的な満足は与えられる。例として、『チャイナタウン』、『セブン』、『明日に向って撃て!』、『ローズマリーの赤ちゃん』、『隣人は静かに笑う』、『タクシードライバー』がある。

③**ホロ苦**。皮肉の利いたエンディングとも解釈されるが、ホロ苦い幕切れでは、主人公が一応勝利を収めるが、どこかで負けている、または、負けたが勝っているというような場合を指す。大勢に尽くして自分を犠牲にする主人公や、追手が逆に追われる立場になる場合、大どんでん返し、そして自分が仕掛けた戦いで負けるようなときに、エンディングはホロ苦くなる。ホロ苦い幕切れを腑に落ちるように書くのは簡単ではないが、何かを勝ち取る代わりに何かを失うのが人生というものなので、このエンディングは高い満足を与えてくれる。『カサブランカ』、『E.T.』、『ゴッドファーザー』、『羊たちの沈黙』、『カッコーの巣の上で』、『タイタニック』、『ローマの休日』、『テルマ&ルイーズ』等が良い見本だ。

④**捻り**。捻った幕切れは、驚きのエンディングということでもある。今まで「こういう話だろう」と思って観ていたのが、最後の最後に明かされた何かでひっくり返されてしまうような終わり方だ。巧くやれば、これほど満足

度の高い終わり方はないだろう。スタジオの重役たちも、大喜びだ。その場で脚本が売れるかもしれない。『シックス・センス』、『ユージュアル・サスペクツ』、『アンブレイカブル』、『ヴィレッジ』、『アザーズ』、『猿の惑星』、『真実の行方』、『追いつめられて』、『ファイト・クラブ』、『12モンキーズ』、『アイデンティティー』等が最高の例だ。

⑤未決定。好んで使われるというわけではないが、とても効果的なのが、『街の灯』のように物語の結末を観客に預けてしまうこのやり方だ。「ここで終わりませんよ」と言いながら終わる映画。敵役が殺され、主人公は歩き去るが、敵役の指がピクッと動いて終わるとか、死体があった場所に何もないというようなのが、わかりやすい見本だ。『ハロウィン』や、ありとあらゆるホラーで使い古された手ではあるが。

以上5つのエンディングのどれを使って脚本を解決に導いても構わないが、決め手はいつも、感情的に満足できるかどうかだ。満足感を与えて終われない脚本は、下読みで止まってそこで終わる。

実例：構成の脚本術

前にも書いたとおり、構成についてはありとあらゆる指南書やセミナーで分析されているので、名作を1本選んで構成を分析することは割愛する。その手の本を読めば、この章であつかった構成の本質はカバーされているし、見本もたくさん示されている。構成についてもっと知りたければ、文献をいろいろ読んでみることをお勧めする。

さて、これで物語を創り構成を与える方法はわかった。今度は、その物語を作り上げている個々の出来事、そう場面について解説する。

CHAPTER 7

SCENES:
MESMERIZING MOMENTS

場面

心を奪って釘づけにする

脚本というものがかくも慎重に書かれ、そして巧みに整理されている以上、観客は脚本家の手の中で踊らされる以外に術はない。

――F・スコット・フィッツジェラルド

場面、つまり1つのシーンというのは、物語を語る基本単位だ。そして、脚本を読む人が受ける感情的なインパクトのほとんどは、場面単位で発生するという意味において、脚本の中で最も重要な要素でもある。誰でも、好きな映画は場面単位で覚えている。と言うより、力強い場面があるから、その映画は広く愛されるのだ。

基本：場面について知っておくべきこと

3つのタイプ

他の本では「劇的な場面」という1種類にまとめてしまうことが多いが、実は場面には3種類ある。だから、これから解説する3種類を良く理解しておいて欲しい。場面はすべて「劇的な場面」であると習った人は、ちゃんとした脚本が書けないのだ。それは確かに脚本の中で一番重要な場面かもしれないが、全部がドラマチックである「つまり対立や、対照的人物の対比がある」必要はないのだ。早速、3つのタイプを解説しよう。

説明の場面

その名のとおり、説明の場面は情報を提示し、それ以降の場面のためにムードや雰囲気のお膳立てをするためにある。『白いドレスの女』の、燃え盛る炎のオープニングが良い例だ。説明の場面は、「設定の場面」としても知られる。例えば『ブレードランナー』のオープニングのように、ここはこういうところですよと場所の設定をするからだ。「移動場面」と呼ばれるときもある。例えば『レイダース／失われたアーク《聖櫃》で、インディアナ・ジョーンズがチベットに飛ぶ場面のように、地図上を破線が結んでいくような場面だ。呼び方はどうであれ、説明の場面は、それ以降にくる劇的な場面に繋がる辻褄を正しく理解するための情報を提示する。対立は必要ない。説明の場面は、時代を表したり、テーマを示したり、時間経過を表現する。捲れていくカレンダー。移り変わる季節。回る時計。時間短縮によって高速で流れながら夕焼けに染まっていく雲。説明の場面は、緊張をほぐす目的でも使える。激しい場面の間に入れて、読者が一息ついて休憩できるようにしてやることもできる。

スペクタクルの場面

スペクタクルによって読者の心を掴むという技については、Chapter5で書いたとおりだが、「スペクタクルの場面」はまさにその技を使うところだ。スペクタクルの目的は「オオッ!」と言わせることだ。華麗な派手さがすべてなのだから、対立は必要ない。『E.T.』の自転車が月の前を通り過ぎる場面。『トップガン』や『スーパーマン』の飛行場面。『イングリッシュ・ペイシェント』のフレスコ画。『ジュラシック・パーク』の恐竜。『ブリット』のカーチェイス。そして、『ツイスター』の竜巻。スペクタクルに含まれるものとして、『雨に唄えば』で踊るジーン・ケリーや、『ビッグ』で巨大なピアノを足で弾くトム・ハンクス等も含まれる。ともかく肝心なのは、スペクタクルに目を奪われて、映画を観ているということを忘れてしまうということだ。その目的は、楽しみたいという衝動に訴えかけることなのだ。対立があるなら、劇的な場面を使えばよい。

劇的な場面

劇的な場面は、物語の核となる場面だ。物語=ドラマである以上、対立は不可欠なのだ。劇的な場面によってキャラクターは変化し、プロットは方向転換し、深い感情的インパクトが生み出される。きちんと読者の心を奪って揺さぶるように設計されてさえいれば、1つの劇的な場面は半ページでも、8ページでも構わない。一般的には2から3ページになる。これ以降は、「場面」と言ったら「劇的な場面」のことを指す。

それぞれの場面は、小さな物語である

場面というものが優れているのは、それが1つの小さな物語として完結するからだ。つまり、ちゃんと始めがあり、中があり、劇的な問いがあり、緊迫感が高まり、クライマックスを迎えて終る。1つの物語として構成されていなければいけないということだ。これは同時に、Chapter5で解説した技をすべて駆使して興味関心を掴み、心を揺さぶる仕掛けができるということでもあるのだ。

場面には3つの役目がある。対立を介して物語を進める。キャラクターの知られざる側面を明かす。そして何よりも重要なのが、読者の感情を揺さぶるという3つだ。緊迫感を生み出し、好奇心や期待感を喚起し、あるいは驚かせるのだ。中立的な場面は書くべきではない。中立というのは、退屈ということだ。昨今の市場に、退屈な場面が入りこむ余地はない。すべての場面が、そして、その場面が書かれているすべてのページが、その場面なりに面白くなければならない。場面は、物語と同じように書く。あるキャラクターが、何かを死ぬほど欲しがっているが、容易には手に入れられない。もう知っているように、目標を阻む何かがあれば、期待感と緊迫感が生じる。もし3ページ目で期待感が生じれば、読者は4ページ目を読む。4ページ目で緊迫感が生じれば、5ページ目を読みたくなる。

この調子で最後までページを捲らせたければ、すべてのページで読者の心にインパクトを与える以外に道はない。

劇的な場面に必要な要素

1つの場面が1つの物語であるなら、書く前にきちんと計画した方が良い。『脚本を書くための101の習慣』で、『レインマン』や、『ジョイ・ラック・クラブ』、『ベスト・フレンズ・ウェディング』のロン・バスが、場面を書き始める前にハコを割って、その場面に入れる要素を洗い出すと発言している。キャラクター全員の感情の状態。場面をどこから始めて、どこで終わらせるか。何を説明するか。感情的な雰囲気。キャラクターは変わるか。ここで、場面を書くときに考慮すべき要素を1つずつ掘り下げる。そもそもその場面は本当に必要なのか、というところから見てみよう。

目的

脚本コンサルタントという仕事柄、必ず物語の足しになっているとは思えないような、平坦な場面に出くわす。それを書いた脚本家に尋ねると、十中八九、「キャラクターを深めるために」その場面を書いたという答え。キャラクターを深めながら、緊迫感や期待感を煽り、ユーモアを出し、笑いや驚きを誘っていれば、それでも良い。劇的な場面の主な役目は、物語そのものと同じ。読者の心を揺さぶることだ。ちゃんとプロットを進めながらキャラクターも深めていれば、嬉しいオマケだ。それでも、絶対に感情的なインパクトを無視しないこと。脚本はトランプで組んだ家だと想像してみて欲しい。それぞれの場面がカードだとする。カードを1枚抜き去って、それでも家が倒れないなら、つまりある場面を取り去っても物語が崩壊しないなら、その場面は要らないということだ。ただキャラクターを深めるだけの場面は要らない。何かの手がかりを見せるためだけに、1つの場面を使ってはいけない。どんな場面も、対立を介してプロットを前に進めなければならない。少なくとも、読者の心にインパクトを残さなければ。

場所

場所というのも、場面に必要な要素だ。それがどこかということで、ムードや雰囲気が左右される。公園か、使われていない倉庫か。都会か、小さな田舎町か。海辺か、ジャングルか。バーか、高級レストランか。ムードの違いが、場面を支配する感情を左右できるのだ。場所を上手に規定すれば、場面のムードを説明する手間も省ける。場面が果たすべき役割を理解して、それに適した場所を選ぶこと。改稿のときに、場所を変えてしまうことで、その場面が予想もしなかった独自性を持つこともある。

時間

場所と同様、何時ごろかという違いも重要な要素だ。ニューヨークのセントラルパークのお昼時と深夜。同じ場所だが、連想される感情がまったく違う。［英語の脚本の場合］柱に指定できるのは「未明」と「夕暮れ」が許されるときもあるが、基本的には「昼」か「夜」だけだ。しかし、場面の雰囲気に関係するなら、ト書きにきちんと書き込むべきだ。

天候

『フォレスト・ガンプ／一期一会』や、『ALI　アリ』、『インサイダー』のエリック・ロスは、執筆中壁に当たったときに、その場面の天候を変えてみると『脚本を書くための101の習慣』で言っている。書いた場面がどうも思ったほど面白くならなかったときに、ロスが最初に試す手段なのだ。天候を変えるだけで、十中八九、問題は解決すると言う。天候によって連想されるものを考えてみよう。降りしきる雨の場面。陽光眩しい草原。轟く雷鳴。霧降る浜辺。雪、風、等など。

場面とキャラクター

誰の場面なのか

劇的な場面なら、必ず最低1人はキャラクターが出てくる。そして自分自身の持つ葛藤に苦しむか、他の誰かとの対立に悩むか、世界に苦しめられている。3つともあれば、なお結構だ。最も一般的なのは、対立する2人の登場だ。一方が何かを欲しがっており、もう一方がその何かを与えない、または邪魔をする。あるいは2人とも同じものを欲しがっている。脚本家は、それが誰の場面なのか理解しなければいけない。どのキャラクターが引っ張っていく場面なのかということだ。脚本を読む人は、誰について行けば自分も同じ感情的体験を味わえるか、場面ごとに探すものだ。それは敵役の場面かもしれない。サブプロットを語る脇役の場面かもしれない。2人以上のキャラクターが出てくる場面なら、必ず誰かがその場面の主役になる。そして、読者は場面の主役に寄り添っていくのだ。場面の主役は通常、明確な目標を持ち、達成する方法を知っていて、能動的な行動に移せるキャラクターだ。誰かが起こした行動に反応するだけのキャラクターは、おそらくその場面の主役ではない。『北北西に進路を取れ』を見てみよう。ソーンヒルが誘拐されて、初めてヴァンダムに会う場面。ソーンヒルがこの物語の主役で、こちらも彼に感情移入するのだが、この場面はヴァンダムのものになっている。なぜかと言うと、この場面ではヴァンダムの目標がはっきりしている。「キャプラン」に秘密を白状させたいのだ。一方ソーンヒルは、身の潔白を主張するばかりで、問題解決のための具体的な作戦がまったくない。

直前に起きたこと

脚本を読む人の関心を繋ぐ方法の1つとして、必ず場面同士にちゃんと因果関係を持たせるというのがある。ある場面で何かが起きるための種を撒いたら、その種明かしの場面が待ち遠しくなるものだ。これは、キャラクター自身の感情をあつかうときに効く。例えば、あるキャラクターが裏切られたことに気づいたとする。こちらはそのキャラクターの気持ちと、そこに発生したドラマを知っているので、裏切り者に反撃する場面を心待ちにするようになる。キャラクターが場面に登場する寸前には何をやっていたか考えておくように。失業したのか。恋に落ちたのか。子どもが生まれたのか。嘘に気づいたのか。直前に起きたことによって、キャラクターが今やろうと決めていることに、緊急性や切迫感を与えることができる。

気分と態度

直前にしていたことがわかると、そのキャラクターがどんな気分や態度で振る舞うかがわかる。それは、今この場面がどう展開していくかを決める要素の1つとなる。失業したばかりなら、失意に沈んでいるかもしれない。怒っているかもしれないし、渋い顔をしている、または苛々しているかもしれない（状況によっては喜んでいるかもしれない）。さっき恋に落ちたばかりなら、うきうきと希望に満ちて、何も怖くないような顔をしているかもしれない。

目的

場面について考え得ることはいろいろあるが、一番簡単なのは、誰かが欲しがっている簡単には手に入らない何かを考えることだ。簡単に手に入っては、劇的にはならない。その「何か」とは、通常今すぐ欲しいという欲求の表れであり、その場面が存在する理由になる。あるキャラクターが別のキャラクターから、今すぐ手に入れたい何か。それが何かを考えること。

プロットというものは、人々が交渉や相談を通して関係を築いていくことだと、洞察力溢れるジョージ・バーナード・ショーは言った。つまり、場面の可能性は、人の数だけ組み合わせがあるということになる。独創的な人であれば、欲しいものを手に入れるために訴える独創的な手段の数も多くなる。良く書けた場面においては、欲しいものが関係性そのものであることが多い。誰かから愛情を得ようとする。権力。セックス。友情。承認。仕事。または金。目的が同じ場面にいる別の人の反応によってもたらされるのであれば、他のキャラクターの反応として表現した方が得策なのだ。例えば就職面接の場面。ただ「彼は仕事が欲しい」と書くよりも、「彼は××さんに仕事を貰いたい」と書いた方が効果的ということだ。こうすると、主人公が目的を求めるために能動的に行動する一方で、それに反応する相手役を登場させることで、場面がより面白くなる。また、目標を表現するときには、否定ではなく肯定的な文章で書くようにする。例えば「独り身は嫌だから結婚したい」ではなくて、「家族が欲しいから結婚したい」にする。「したくない」より「したい」の方が、読者にとって目的意識が見えやすくなる。「台詞のことではないので、お間違いなく」。

キャラクターの能動的な行動

明確な目標を持ったキャラクターなら、どうやってそれを実現するかという明確な考え、つまり計画がなければいけない。そのためには、どのような手段をとるのか。1つ1つの能動的な行動は、その場面の大目標に到達するための小目標なのだ。その場面に登場する他のキャラクターたちが見せる反応に合わせて、手を変え品を変えて、いろいろな戦略を試す。この場合に能動的な行動というのは、身体的、心理的どちらでもあり得る。キャラクターが「やること」［「遊園地に行く」等］とは違う。また、俳優が演技にリアリティを与えるために作りこむキャラクターの仕草や、感情の表現とも違うので注意。能動的な行動というのは、キャラクターが目標を手にするために取る戦略の一部だと考えれば良い。例えば、ある場面で、キャラクターが絶対に就職面接をものにしたいというのが目標だったとする。ならば、その場面でのキャラクターの行動は、魅力的に振る舞い、説得し、安心させ、心を掴み、ユーモアのセンスを見せ、誘導し、説得し、インスピレーションを煽ることになるだろう。

主要な対立

劇的な場面の本質は対立だ。対立のない場面は、あるいは対立を予感させる緊迫感か期待感がない場面は、ただの説明になってしまう。説明の場面が書きたいのならそれで構わないが、それでは劇的な場面にはならない。対立といっても、ただの口論にしてはいけない。表面的な口喧嘩で「だめ！」「いいの！」とやり合うのではなく、内面的な対立に、または外面的な、あるいは対人的な対立になるように気をつけなければならない。突っ立ったまま口論しても本物の対立にはならない。対立は明らかに目標への到達を邪魔するものであり、やり取りを重ねながら自然に加熱し、クライマックスに向かっていくのだ。

代償

Chapter 4では、キャラクターが失敗したら失うものについて解説した。場面を書くにあたり、その場面を引っ張るのが誰か決めたら、今度はそのキャラクターが失敗したら払う代償は何か考える。目標を手にしそこなったら、何を失うのか。うまくいったら、何を得るのか。もしそのキャラクターが得るものも失うものもなく退場できてしまったら、失うものがないということになり、その場面は平坦になる。払う代償が大きいほど、目標を手にしなければという気持ちも強烈になるのだ。

やり取り

プロットが1つ1つの場面の積み重ねであるように、場面も1つ1つの「ビート」、つまり「やり取り」の積み重ねによって築き上げられている。［英語の］舞台用語で「ビート」と言ったら、台詞やアクションのちょっとした間のことも指すので混同しないように。やり取りのビートは、ドラマを構成する最小単位だ。新しく出てきた考えと、能動的な行動と反応が1つのやり取りを作り出す。やり取りの性質が変わる度に、そこからは新しいやり取りが始まったと数える。一連の動作でも台詞でも、1つ1つのやり取りは目標到達への手段なのだ。すべてのやり取りは、ダンスのように華麗に反応し合うべきなのだ。予期せぬ反応が出れば嬉しいオマケだ。この章の最後、実践の項で、古典的名作を例にやり取りを詳細に分析する。

説明

聞き手の関心を掴み続けるために、どこまで明かしてどこまで隠すか。それがお話を語るということだ。明かしすぎると物語が神秘性を失い、読者は飽きる。隠しすぎると読者の混乱を招き、話が追えずに苛々させてしまう。正しいバランスを見つけるのが、脚本家の挑戦ということになるが、バランスは何稿か重ねるまで見えてこない。だから、最初は書き込みすぎても後で削れば良いという方法論が推奨されるのだ。場面を書くときに、その場面の目的さえわかってしまえば、どの情報をどのように明かすかということも、自然にわかるはずだ。脚本家の武器はト書きと台詞だけだが、それ以外にもいくつか使える仕掛けがある。まずは、**ナレーション**（『サンセット大通り』、『アメリカン・ビューティー』）、そして**カメラ目線の独白**、つまり観客目線の独白（『アニー・ホール』、『フェリスはある朝突然に』、『ハイ・フィデリティ』）、**テレビやラジオのニュース**（『カサブランカ』）、**文字情報**（『スター・ウォーズ』のオープニング）、**紹介**場面、つまり面接官が履歴書を見ながら、そのキャラクターについて話すような場面、**モンタージュ**（初デート、強盗の準備、ボクシングの試合に備えた練習）、または、重要な情報を伝える**イメージや標識**等だ。例えば、「ポルシェ・ボクスターが1台、ハイウェイを疾走、『ようこそカリフォルニア』と書かれた標識を通り過ぎていく」と書いたとする。ボクスターが時代［90年代以降］を、標識が場所を伝えている。地理的目印、衣装、家具調度品、髪型等でも同様の説明ができる。

場面の構成

1つの場面は小さな1つの物語なのだから、ちゃんと物語として構成してやらなければならない。明確な始めがあり、中で対立と、緊張と、逆転が加速しながら混乱を呼び、クライマックスで解決というオチを迎え、次の場面への興味を繋ぐのだ。

場面の振れ幅

場面の中に出てくるすべての能動的な行動は、陽の行動と陰の行動の2極に分けられる。いかなる行動もどっちつかずではいけない。キャラクターの態度や会話についても、同じことだ。場面を考えるときは、**陽極**（そのキャラクターにとってすべてがうまくいっている）の行動で始めるか、または**陰極**（うまくいっていない）の行動で始める。そして、変化があるということが場面の意義なので、反対のエネルギーを帯びて終るべきだ。もしあるキャラクターが職場で満足している状況で場面が始まるのなら、それを反転させて、失業や何らかの大失敗といった陰の出来事で終わらせる。同じ極性の出来事で始まって終わるのでは、その場面には変化が起きなかったということだ。つまり、ドラマとしての存在価値はないということになる。陽と陰の中間で始まった場面は、陽と陰どちらで終わらせることもできる。強烈で幅広い行動があれば、陰で始まり陰で終わる、または陽で始まり陽で終わることもできる。例えば、妻が夫を殴る夫婦喧嘩という陰の極から場面を始めて（陰）、激怒した妻が夫を刺す（もっと陰）という展開。逆に、陽極からさらに陽へと転じることもできる。要は、どちらの方向に変わったかをはっきり見せることだ。

追う、逃げられる、または捕える

振れ幅と似た場面展開の考え方に、逃げられる／捕えるというのがある。これは場面の終わらせ方を指している。

一般的に場面というのは、他の人が持っている何かを欲しがるキャラクターを必要とする。あの人が持っているあれが欲しい（追う）。その帰結は2種類しかあり得ない。その何かがすべて、または部分的に手中に収められる（捕える）。あるいは、その何かを逃す（逃げられる）。

ト書きと台詞

以上、劇的な場面を構成する要素を解説した。脚本家は、これらの要素を考慮しながら、読者の目に見えるたった2種類の道具を使って場面を書いていく。それがト書きと台詞だ。この2つについては続く2章に渡って詳細に解説していく。さて、これで場面に必要な要素を理解したわけだが、それだけで読者の心を奪って、満足させる脚本が書けるというものではない。そうしたければ、技巧を知らなければ。

技巧：最高の場面を書くために

ここでは、のっぺりつまらない場面に命を叩きこむ、効くこと間違いなしの技を紹介する。とは言っても、すべての場面が素晴らしくなければいけないというものではない。もちろん、心を惹きつける場面が多いに越したことはないのだが。ちなみにジャック・ニコルソンは、最高の場面が3つあって、酷い場面が1つもなければ、その作品に本気で臨むと言ったそうだ。

心を奪う場面を創る技

場面の始まりと終わり

場面をどこで始めて、どこで終わらせるか。脚本家を悩ませる決断だ。一番頻繁に聞く助言は「なるべく遅く入り、なるべく早く切る」だが、ここでも何よりも肝心なのは読者に与える感情的インパクトだ。初心者の傾向として、場面を始めるタイミングが早過ぎて、終わるタイミングは遅すぎる。つまり情報を出し過ぎるのだ。あるキャラクターが車を運転し、駐車して、ビルに入って、エレベーターに乗って事務所に入って就職面接に臨む、という具合だ。これでは読む人を飽きさせてしまう可能性が高い。プロの脚本家は、ラテン語で「in media res」つまり「何かの最中」から場面を始める。就職面接の場合なら、キャラクターが答えにくい質問を受けたところから入るのだ。切迫し、どうなるんだろうと思わせる。そして力強い。この場面の力関係を、心理的な刺激によって読者に理解させるのだ。先ほども書いたが、場面の始め方は、物語そのものの始め方と似ている。オープニングに関する技については、前章「つかみ」の項を参照するように。

では、場面はどこで切ればいいのか。早めに切るのも1つの方法だが、1番よく使われるのは、好奇心、期待感、緊迫感、驚きという**理屈を超えた感情**のツボを突いた瞬間で切るという手だ。そうすると、自動的に次はどうなるか知りたくなり、次の場面に関心が繋がれる。例えば、場面を**びっくりするような逆転**で終わらせる。勢いを止められたキャラクターは、重大な選択を迫られることになる。そして何を選ぶかは、後の場面のお楽しみだ。場面を**問い**で終わらせても良い。好奇心を刺激された読者は、自然に答えが出るまで読み続けたくなる。または、会う**約**

束で終わらせる。後で会うとわかれば、自然と期待感を持つ。これ以外にも、Chapter 5であつかった物語を進める感情を参照して欲しい。

感情のパレット

脚本家は、言葉という色彩でページを塗っていく画家なのだという喩えを考えついたとき、同時に思いついたちょっと楽しくなるような考え方が、「感情のパレット」だ。画家が感情を揺さぶるために色を選んでキャンバスに塗っていくように、脚本家は言葉を選ぶ。私に言わせれば、ただ言葉を選ぶだけではない。何しろページの上で感情を湧き上がらせるのが、脚本家の使命なのだ。つまり、パレットから選んでいるのは、実は言葉ではなくて感情なのだ。パレットにあるのは、キャラクターの感情（怒り、恐れ、喜び、迷い）、そして読者の感情（好奇心、期待感、緊迫感、驚き）なのだ。キャラクターが何をどう感じるか把握しながら場面を設計する。キャラクターが感じる感情をパレットに載せる。そして、読者に与えたい感情的反応もわかっているので、その反応を起こすためにどの技を使うか考えるのだ。面白い場面を構築する鍵は、やり取りごとに感情パレットから違う色を選ぶことだ。もう少し詳しく解説しよう。

キャラクターの感情のツボ

ここでは、キャラクターが感じる特定の感情について話す。男が女にプロポーズする。すると女は、他に男ができたと返す。男は傷つく。男のキャラクターの感情のツボが突かれたのだ。あるやり取りの結果、そのキャラクターの感情が刺激される。そういうツボなのである。説明したとおり、場面を構成するやり取りは、行動と反応の組み合わせでできている。女は別の男ができたと言う（行動）。男は傷つく（反応）。面白い場面というのは、思いもよらぬ感情のツボを刺激されて反応するキャラクターに焦点が当たるから面白いのだ。脚本を読む人がキャラクターを他人事とは思えなくなっていれば、キャラクターの目標を理解し、その行く末が気にかかるなら、キャラクターが感情のツボを突かれたときには、読者もまるで自分のことのように感じるはずだ。

このとき、同じ種類の感情のツボを突き続けないように気をつけること。同じことを繰り返すと、その効果は逓減するという法則がある。読者の興味を保ち続けたければ、感情パレット上の同じところに留まっていてはいけない。その場面が10のやり取りでできているなら、10種類の感情のツボを突くのだ。あるいは、例えば無関心から怒りというように、主要な感情から次の主要な感情へ移りながら、10種類の副感情を段階的に強くしていく。

「語るな、見せろ」という金言は、もう耳にタコかもしれないが、感情のツボについて考えるときは、とても重要なことだ。感情を見せろ。キャラクターが感じていることをト書きや台詞で伝えてはいけない。例えば、「私は君に対して怒っているんだ」なんて語らせないように。行動として怒りを表すか（張り手）、説明的でない台詞で見せよう（「触らないで！」）。改稿のときに鼻につく台詞を洗い出し、能動的な行動かサブテクストに感情を忍ばせて、感情を見せるのだ。

感情こそが、劇的な場面の命だということを絶対に忘れないように。台詞ではない。ト書きでも、キャラクターの特徴でもない。キャラクターの感情のツボを突くことでのみ、キャラクターに命を叩きこみ、障害物を乗り越え目標を手にする勢いを与えることができるのだ。どのように感情のツボを突くかという見本は、この章の最後の脚本分析の項で詳しく紹介する。

読者の感情的反応

読者が受ける感情的反応についても、同じことが言える。すべてのやり取りを設計し、好奇心、緊迫感、不安、希望その他、読者の心を震わせる特定の感情を刺激するようにする。感情パレット上のどの色を使うか想像しながら、Chapter 5の技を駆使して、1つ1つのやり取りで読者の関心を繋いでいくのだ。

飛び跳ねる感情

パレットの片側にキャラクターの感情を、反対側に読者の感情を並べたら、やり取りを組み上げる準備は完了だ。感情の温度計を横目に、熱い感情から冷たい感情まで行ったり来たりしながら、丁々発止のやり取りを組む。感情のやり取りを中心に場面を作っていく脚本家は、激しさ順に並べた感情の音階のようなものを頭の中に入れている。例えば、キャラクターがある感情を抱くような出来事を書く。その感情に伴って現れる気持ちを全部書き出してみる。そのキャラクターが、他の人に対して不満を感じたとする。その不満に従属する気持ちとして、苛々、怒り、苦い気持ち、恨み等が考えられる。それを激しい順に並べて、段々熱を帯びる感情的なやり取りを組み上げるのだ。

お定まりの言い回しをひっくり返す

よくある場面でありきたりの感情的反応をさせてしまうのが、素人脚本家の証。夫の浮気がばれて、夫婦で大喧嘩なんていう場面を何度見せられたことか。1つ1つのやり取りが同じ熱量の怒りのままでは、すぐに飽きられてしまうし、何の驚きもない。脚本家の仕事は、新鮮で予想もつかない場面を書くことなのだ。その最良の方法は、期待される感情的反応をひっくり返してしまうことだ。妻が夫に迫るときに、お定まりの怒りの爆発をせずに、予期せぬ方に外してみる。例えば好奇心（「その女のどこが私よりいいわけ？」）。罪悪感（「私じゃ駄目なんでしょ、わかってた」）。歓喜（「ようやくあんたのケツを蹴って追い出せるわ。財産は半分置いてきな！」）等。

キャラクターに訴えさせる技

Ｃｈａｐｔｅｒ４で解説したとおり、読者の関心を持続させる手段の1つとして有効なのは、読者に主人公を自分のことのように思ってもらうことだ。Ｃｈａｐｔｅｒ４で紹介した数々の技によって、主人公と敵役に読者の心を掴ませ、絆で結びつけるのだ。読者の同情を買う。人間味で魅せる。秘められた美徳を明かす。共感は満足を呼ぶ感情的反応なので、Ｃｈａｐｔｅｒ４で紹介した技は場面そのものをよくする役にも立つ。特に、身に覚えのない不幸に見舞われるとか、裏切られる、または虐待されるキャラクターが発生させるペーソス。これらには自動的に対立が組み込まれているので、場面を劇的にできる。

能動的な台詞

先刻承知だと思うが、能動的は受動的より力強い。能動的な文章、キャラクター、目標等。劇的な場面の台詞にも同じことが言える。読者に「何が起きるんだろう」と問わせ、好奇心に訴える能動的な台詞は、必ず消極的な台詞より心を掴む。消極的な台詞は反応でしかないので、読者を巻きこめない。能動的な台詞には必ず目的がある。情報を与える目的。相手のキャラクターから何かを引き出す目的。アクションを感じさせる、しかし行為ではない台詞のやり取り。何かを手に入れるために体を張ることもあるが、言葉で戦うときもある。誰かの心を傷つけたければ、侮辱、叱責、屈辱を与える言葉を投げつければ良い。1つ1つの台詞が、攻撃なのだ。対して、場面の中での役割が明確でない言葉を垂れ流しても、会話は消極的になり力も弱くなる。

対立

今さら言うまでもないだろうが、劇的な場面を創り出したいなら、次の3種類の対立の内、最低1つを仕掛けなければならない。個人vs自分自身。個人vs他の人たち。個人vs自然。以上3種類だ。自然には超自然的なものや神、運命、テクノロジー、怪物、機械等も含まれる。早速、台詞に対立を注入する技を紹介しよう。

アクターズ・スタジオ方式

アクターズ・スタジオが生んだメソッドとして世に名高い演技法は、即興演技の中に対立を生み出すためにも使われる。稽古中、演出家がそれぞれの俳優に、演じる役柄が置かれた状況を内緒で伝える。1人にはこう伝える。「あなたは有名な私塾の塾長。カンニングしている学生が見つかった。不正は容赦せずというのが塾の方針なので、その学生は放校にした。復学を申入れに母親が来ることになったが、それを認めると自分の首が飛ぶ」。母親役の俳優には、こう言う「あなたの息子は、塾1番の優等生。勘違いで退学にさせられた。息子がカンニングなんかするはずがないのはわかっているので、塾長に会って勘違いを正さなければならない。あなたの家族は貧乏で、家族で初めて高等教育を受ける可能性のある息子は、特待生で奨学金を受けている。退学なんて、もっての外だ」。2人の俳優にこう囁いてから……アクション！　それぞれに、違った背景、食い違ったシナリオ、それぞれ違った目的。自動的に、はらはらするような対立が生まれるのだ。

衝突

口論、口喧嘩、公衆の面前での言い争い。これは、キャラクター間の反発が前もってきちんとお膳立てされていれば、読者の関心を掴む。キャラクターたちが衝突すると、待ったなしで緊迫感が生じ、先が読めなくなる。内蔵されているドラマが発動し、嫌でも読者の心を掴む。どっちが勝つのか。どうやって。そして、勝つとどうなってしまうのか。

尋問

尋問も、衝突と同じような効果を持つ。警察対犯罪者。弁護士対態度の悪い目撃者。捕虜にされたスパイや兵士対敵。母親対子ども。対立から緊迫感が生じ、どのように種が明かされるか、先が読めなくなる。尋問にいろいろな技を混ぜてやると、さらに訴える力が強くなる。不寛容、誤解、読者優位の情報、食い違うシナリオ等の技だ。

障害物／混乱／逆転

場面の中で生じた対立を、すぐに解決できるような小さな障害物や混乱によって、強調することができる。例えば、カーチェイスの途中で道を塞ぐ車やらトラック、交響楽の演奏中に鳴ってしまう携帯。素足に刺さらないように避けなければならないガラスの破片、そう『ダイ・ハード』だ。

内なる葛藤

この場合、対立は主人公自身の中から現れる。自分との対決。一般的には克服できない欠点が葛藤を呼び、その場面、あるいは物語全体に掲げられた目標に主人公が手を伸ばすと邪魔をする。例えば、楽しみ方を知らない『アニー・ホール』のアルヴィ・シンガー。クラリス・スターリングを悩ませる『羊たちの沈黙』の子羊の叫び。そして『恋愛小説家』のメルヴィン・ユドールの性格とパーソナリティ障害等だ。

すべての場面に対立がなくても良い

すべての場面に感情的に巻き込まれるような対立がなくてはならない、というのは酷い誤解だ。脚本を通して、潮のように干満を繰り返しながら読者の関心を誘導し続けることの重要さは、ご存知のとおりだ。心を奪うような危機の後は、ちょっと一息入れたりユーモアで安堵できる場面が必要だ。そこに対立は不要なのだ。劇的な場面が並んでしまうと、感情的な疲弊を招いてしまう。下手をすると、それ以降登場する対立に対して、感覚が麻痺してしまうかもしれない。

息抜きの場面が劇的である必要はないのは当然だが、対立なしの劇的な場面というのも、あり得る。その場合は、必ず対立を約束して期待感を持たせてやる。「前方注意、対立あり」と示してやるのだ。あるいは「今は静かだが、いつどこから何が来るか保障できないよ」と示唆して緊迫感を上げておく。緊迫感、特に前の章で解説したような「読者優位」または「読者劣位」の状況で生まれる緊迫感は、対立の不在を補って余りあるものだ。ヒッチコックは、この技の名手だった。『北北西に進路を取れ』には、対立がないのに十分に劇的で面白い場面がたくさんあった。軽飛行機襲撃の場面はいい例だ。ソーンヒルが畑の真ん中で立っているだけで、どきどきしてしまう。それは、イヴがソーンヒルを嵌めたことを、「読者優位」の立場にいるこちらは知っており、いつ何が起きても不思議ではないという認識から生じる緊迫感なのだ。

場面内の対比

対比というものが、場面や、物語全体への興味を高める強力な仕掛けになるということは、前の章で書いたとおりだ。ハリウッドが好きな、**対照的なキャラクターを対比**した「バディ映画」、または「凸凹コンビ映画」（『リーサル・ウェポン』、『アフリカの女王』、『おかしな二人』、『ラッシュアワー』）がある。『ビバリーヒルズ・コップ』、『シティ・スリッカーズ』、『スプラッシュ』など、**陸に上がった河童映画**も良い例だ。しかし対比の技は、それ以外にも使える。場面と場面を対比させることができるように、やり取りも**やり取りの長さ**（短い／長い）、**やり取りのテンポ**（速い／遅い）という形で対比させられる。その良い見本は『レイダース／失われたアーク《聖櫃》』の剣の達人の場面だ。この場面が面白い理由は、新鮮でこちらの予想を裏切るということだけではない。剣の達人が長々と刀を振り回した挙句、インディアナ・ジョーンズがあっという間に撃ち殺してしまうという対比が笑いを誘うのだ。さらに、場面に**感情の対比**でめりはりをつけるという技もある。怒り／落ち着き。幸せ／悲しみ。愛情／敵意。大胆／臆病等など。さらに、先ほど紹介したアクターズ・スタジオ方式の**目的の対比**という技もある。

発見と露呈

『ア・フュー・グッド・メン』や『アメリカン・プレジデント』、『ザ・ホワイトハウス』のアーロン・ソーキンがこんなことを言っている。「緊迫感と発見。この2つが観客を釘づけにするのです。観客の心を奪い、物語を吸い上げさせるのです」。キャラクターが重要な情報を自分で見つけるにしろ、誰かに教えてもらうにしろ、新しい情報が明らかになることで、観客の興味を掴み続け、場面に活を入れることができる。理想的には、常に新しい情報が場面に流れこみ、新しい対立が起こり、新しい捻りが加わるのが好ましい。少なくとも1つの場面に1回ずつは欲しい。発見がある度に、それは小さな逆転として機能し、場面の流れを変えるのが望ましい。そして、キャラクターと読者の双方に感情的なインパクトを与えなくてはいけない。

初体験と最後の体験

長年夢にまで見た何かを、ついに実行することになったというキャラクターを書く。あるいは、もう二度とそれをやらないことになったキャラクター。初めて何かをするというのは、何か心揺さぶるものがある。初めてのキス。職場での初日。初の宇宙遊泳。それが最後でも同様に心を揺さぶる。二度と会えない恋人との別離。死にゆく家族。50年勤め上げた職場での最後の日。そして、薬物依存症患者の最後の1発。

過去の回想

過去の出来事を回想として見せるという手法については、良くも悪くも言われてきたが、下読みの間では、素人くさいし怠慢な回想という手段は、絶対に避けるべきだという意見が大勢を占めている。では、古今の名作から回想シーンがなくならないのは、なぜか。これは、回想そのものが問題なわけではないということを示している。問題は質なのだ。回想はやめとけと言われる理由は、初心者は不必要かつ面白くもない回想を書いて、物語の現在の部分に張りつめていた緊迫感を殺してしまうからだ。それでは、バックストーリーを明かすためにくっつけたオマケ程度の意味しか持たない。回想は過去に起きた出来事だが、他の劇的な場面と同じで面白くもできれば、退屈にも書ける。だから、今まで覚えた感情的インパクトを発生させる技を適用するべきだ。そうしなければ、読者の関心を確実に掴むことができない。

回想についてもう1つ大事なことがある。読者が過去の出来事について知らないと物語が進まないという緊急時だけに、回想を使うこと。読者が回想で明かされる出来事を知りたくてうずうずしているという状況を仕組んでから、回想にいくのだ。その情報を現在の場面に織り込むことがどうしてもできない場合に限り、短くてあっと言わせるような回想を使って物語を進める、あるいは主人公を掘り下げる。回想があったら、その後の現在の状況は必ず変わっていること。何も変わらないのなら、脚本の中で何の役にも立っていないということだ。

登場と退場

どのように主人公を紹介するか。これも、感情的なインパクトに貢献する重要な要素になる。自分の好きな映画で、主人公がどのように紹介されたか思い出してみよう。初登場の場面でも、物語の中で初めて他のキャラクターに会う場面でも良い。主人公の登場場面は、その独創性や、驚き、または期待感によって記憶に残ることが多い。『スター・ウォーズ』のダース・ヴェイダー。『羊たちの沈黙』のハンニバル・レクター。『カサブランカ』のリック・ブレイン。『ビバリーヒルズ・コップ』のアクセル・フォーリー。そして『パイレーツ・オブ・カリビアン』で沈みそうな船にのって港に乗りつけたジャック・スパロウ等だ。

同じことが退場にも言える。別れを告げる主人公。旅に出るのでも、今生の別れでも同じことだ。独創的であるほど、緊迫感や驚きがあるほど、または深く考えさせるものであるほど、効果的な別れになる。劇的な別れの見本としては、『市民ケーン』のチャールズ・フォスター・ケーン、『カッコーの巣の上で』のマクマーフィー、『スター・ウォーズ』のオビ=ワン・ケノービ、『シャイニング』で凍死したジャック、そして『チャイナタウン』のエヴリン・モーレイ等がある。

情報のお膳立てと感情的な種明かし

Chapter5では、驚きを発生させる仕掛けとしてお膳立てと種明かしという技を解説した。脚本家は、脚本のいたるところに情報の種を撒いておき、その結果が後に意外な形で明かされるように書く。『羊たちの沈黙』で、レクターがペンに注意を払い（お膳立て）、後でそのペンの一部を使って手錠を外し脱獄する（種明かし）のが、良い見本だ。ある場面でお膳立てさえあれば、その後のどの場面で決着をつけても構わない。お膳立ては、物でも、恐怖症でも、台詞でも構わない。可能なら感情的なお膳立てが望ましい。お膳立てはとくに大事にあつかう必要はない。ただの説明で構わない。しかし種明かしの方は、感情的なインパクトがなくてはいけない。読者の本源的な感情を刺激しなければならないからだ。例えば、主人公が億万長者だということをお膳立てしたとする。そして後の場面で、その男がラスベガスのカジノで1000ドルすったとする。億万長者にとっては大した損害ではないので、別に面白くもない。しかし、その男が貧乏だとお膳立てしたら？　負けた1000ドルが、彼の銀行預金全額と、延滞しているローンの支払い、そして家族4人を賄う生活費をすべて集めたものだったとしたら？　そうであれば、負けたことが心を揺さぶる種明かしとなる。それがドラマというものだ。

同時に進行する出来事を並行して見せる

対立を仕込むことで、場面に対する興味を作り出せる。ならば2つの対立が同時に進行すれば、どれほど読者の興味を惹けるか考えてみて欲しい。1つ目は、2人のキャラクター間の主要な対立。そこに2つ目の対立を加える。2つ目は、1つ目に干渉しながら、緊迫感を追加していく。例えば、『お熱いのがお好き』。シェル石油の御曹司に化けたジョーが浜辺でシュガーと会う場面。ジョーは自分が億万長者であるとシュガーに信じさせたい。これが1

つ目の対立だ。そこにジェリーが加わり、御曹司が実はジョーだと気づく。そしてシュガーを口説こうとするジョーをジェリーが妨害するという、もう1つの対立が加わるのだ。

小道具

小道具の使い方ひとつで、場面が格段に面白くなる可能性がある。その場面に特別な意味を与え、感情的な余韻を強く残すような物。『波止場』の公園の場面に出てきた手袋。ただのお喋りになりかねない場面を、この小道具が心に残るものにした。他にも『市民ケーン』の雪の置物。『黄金狂時代』の靴。『ロード・オブ・ザ・リング』の指輪。そして『北北西に進路を取れ』のブックマッチ等がある。

キャラクターの内面を明かす

脚本中にあるすべての場面は、キャラクターの内面を明かす好機なのだ。劇的かどうかは関係ない。脚本家の卵がよく犯す間違いは、キャラクターを登場させたその場面で、特徴のほとんどを長々とばらしてしまうことだ。それでは、それ以降の場面が平坦でつまらなくなってしまう。場面ごとに、機会がある度に新しい側面を明かす。その方が効果的な戦略だ。そうした方が、読者が時間をかけてそのキャラクターを知っていける。物語の初めに、一度に全部明かされるよりも良い。キャラクターの特徴や信条、そして態度を明かすことで、読者は「この人、私と同じ考え方だ」とか、「そう考えると思った」というような認識によって興味を植えつけられる。あるいは、「こんな考え方するとは思わなかった」という驚きによって興味を惹く。Chapter 4で解説したキャラクターの内面を明かす技の中から、使えるものを何でも使って、その場面が読者に訴えかける力を強くすると良い。主人公の感情的な変化に関わるものなら、なおさらだ。

お約束ギャグ

ここでは、物語を通して繰り返し使われることで笑いを誘うギャグを説明する。その物語の中でお約束になるのだ。それは何度も登場するキャラクターでもあり得るし、小道具や台詞でもお約束ギャグにできる。繰り返されることで笑いを誘うのだから、どこかの場面に組み込むだけで、ユーモアを発生させられるのだ。例えば、『ミッドナイト・ラン』の「おい、後ろ！」のギャグは脚本に一貫して現れ、最後に劇的なオチをつけてくれる。『フライングハイ』では、「確かに《シュアリー》」と言われる毎にルーマック医師が「私はシャーリーではない」と返すお約束ギャグがあった。テレビアニメの『サウスパーク』では、毎回ケニーが悲惨な死を遂げる度に、友人たちが同じことを叫ぶ。「ケニーが殺されちゃった、この人でなし！」。お約束ギャグが何作かに跨って使われることもある。『レイダース』で剣の達人を1発で撃ち殺したインディアナ・ジョーンズは、『魔宮の伝説』でも剣の達人に迫られて拳銃に手を伸ばす。今度は銃がないという捻ったオチがつく。

叶えられた欲求、または叶えられない苛々

先ほど見たように、キャラクターがその場面内の目標を達成する「追う、捕まえる」型で場面を終わらせることもできるし、達成できない「追う、逃げられる」型で終わらせることもできる。バランスのとれたプロットの流れを構築するために、両者を交互に組むことも多い。脚本家はまず、キャラクターが何を求めるのか、それを手に入れるのかという、物語の中心となる問いを決める。ある場面では「手に入れる」という答えを出して、小さな勝利

を収めたら、次の場面では「手に入れない」という敗北の答えを出してやる。その繰り返しだ。希望と不安という理屈を超えた感情を揺さぶることができる。場面は1つの小さな物語なのだから、場面内のやり取りで満足と苛々の間を行ったり来たりさせることもできる。目標に一歩近づいたら満足感、邪魔されたら苛立ち。その間を華麗に踊りながら、読者の心が離れないように操るのだ。

秘密

Chapter5で解説したとおり、キャラクターに関する秘密は、驚きの感情を湧き起こすために欠かせない道具だ。秘密には、物語全体を貫いて最後に劇的に明かされるもの（『チャイナタウン』、『ユージュアル・サスペクツ』、『シックス・センス』）と、数場面を引っ張るだけの秘密（『北北西に進路を取れ』では、悪党の一味というイヴの正体）がある。どちらにしても、秘密はその場面から感じられる感情をより激しくする強い力を持っている。例えば、キャラクターだけが知っていて脚本を読む人には明かされていない秘密があれば、読者はそのキャラクターの言動を不審に思い、好奇心を覚える。そして秘密が明かされて、びっくりする。逆に読者だけが知っている秘密があれば、読者は優位性と満足感を覚え、さらに秘密が明かされる瞬間を待つ期待感も抱く。この場合秘密が明かされれば、キャラクターも読者もびっくりするのだ。

衝撃的な瞬間

ショックとは、強烈な驚き、恐怖、そして嫌悪感や暴力を指す。好きな映画の中から、飛びぬけてショッキングな場面を思い出してみよう。腹を食い破って出てくる『エイリアン』の異星生物。少女の首が回る『エクソシスト』。

『サイコ』のシャワー。『ゴッドファーザー』の馬の生首。『クライング・ゲーム』の性転換。ダース・ベイダーがルークの父だと明かす『帝国の逆襲』。『チャイナタウン』のエヴリンの出生の秘密。これらの場面を忘れられない理由が衝撃だとすれば、衝撃は読者の心を掴む力強い道具だということになる。気をつけたいのは、衝撃は物語の重要な一部だということ。ただ驚かすためだけにショックを仕込んではいけない。

語るな、見せろ

脚本家に与えられる助言の中でこれ以上のものはない。それにはちゃんと理由がある。見せられると、人はよりその場面に巻き込まれやすくなるからだ。その場面の意味を言葉で語られても退屈なだけ。だから自分で答えが出せるように見せて、参加してもらうのだ。キャラクターの体が怒りに震えたり、粗暴な行動を取るのを見る方が、「彼は怒っている」と読むより何倍も面白い。可能な限り見せること。映画は視覚的なメディアなのだから。ハリウッドで有名な小噺がある。アーヴィング・タルバーグが脚本家と一緒に、7ページに渡る不仲な夫婦の会話を書き直していた。脚本家が会話を削れずに困っていたので、タルバーグは、無声映画時代の古参の脚本家を呼んだ。彼の解決策はこれだ。夫婦はエレベーターに乗り込む。夫は面倒くさがって帽子も取らない。次の階で若くてきれいな女性が乗ってくる。その途端、夫は帽子を取る。妻は夫を刺すような目で睨む。7ページ［約7分にあたる］の場面が、これで15秒。台詞なしで、これだけ見せられるということだ。無声映画は、語らずに見せる方法をいろいろ教えてくれる。

お定まりの場面をひっくり返す

お定まりの感情と同じように、使い古された場面をひっくり返して、新鮮なものに変えてしまうこともできる。マーロン・ブランドが、こう言った。「どんな場面にも、使い古された何かが入っている。だから私の場合、それを見つけてなるべく近寄らないようにする」。脚本家も、お定まりの表現を避けるに越したことはない。折角、手に汗握るサスペンスや素晴らしい台詞で読者の心と脚本を結びつけていた絆が、切れてしまわないように。初心者は、下読みが何百回も読んだことのあるような場面を書くという失敗を犯す。プロならば、使い古された表現を新しいものに変えてしまう方法を常に探っている。お定まりの表現をひっくり返した場面の最高の見本として、『氷の微笑』の尋問シーンがある。キャサリン・トラメルを尋問する刑事たち。カビの生えたような演出なら、キャサリンは虐められて自白を強要されて終わり。しかしジョー・エスターハスは、古臭い方法をひっくり返した。キャサリンを優位な立場に置き、ボディ・ランゲージで刑事たちを支配させ、能動的な台詞で挑発させたのだ。

強烈なイメージ、または特殊視覚効果

場面に興奮を注入する確かな方法の1つが、瞼に焼き付くようなイメージ、または特殊視覚効果満載の場面によって、読者を「オオッ!」と言わせることだ。もし『ターミネーター2』にT－1000サイボーグの驚異的な特殊効果が無かったら、基本的に最初の映画の焼き直しで終わったはずだ。『ファインディング・ニモ』の素晴らしい海中の表現。『マトリックス』の、誰も見たことのないようなアクション。目を奪うような強烈なイメージや特殊視覚効果は、ただでさえ関心を引くので、やり過ぎてはいけない。理由もなく煽って、脚本の流れを止めないように気をつけること。

場面の味つけ

お菓子を作るときは、甘くするために砂糖を入れる。場面に「甘く」味つけするときには、ちょっとしたロマンス、ウィット、そしてユーモアを入れる。この手の甘味料を使った場面は、予告編によく採用される。予告編を分析してみればわかるが、使われているショットは大抵、ウィットに富んだ台詞か、ユーモア溢れる状況か、ロマンチックな瞬間のどれかだ。これこそが、観客がお金を払って体験しにくる、理屈抜きで感じる感情が入っている場面なのだ。『カサブランカ』や『イヴの総て』の台詞は、ウィットで味つけられている。『レイダース』の剣の達人とインディアナ・ジョーンズのやり取りはユーモアの味つけだ。『チャイナタウン』でギテスが記録保管局から帳簿を失敬して、態度の悪い事務員をやり込める場面は因果応報の爽快感の味つけ。先ほど解説したお約束ギャグや、セックス、バイオレンス、強烈なイメージや特殊視覚効果等も、愛、畏敬、可笑しさ、笑いといった「甘味」がついていれば、味つけに使える。

サブテクスト：鼻につかない場面

その場面で描きたかったことがそのまま描かれている場面は、退屈な場面だとされる。サブテクストは台詞と深い関係を持つので、Chapter 9で改めて説明するが、サブテクストがあれば、劇的な場面をより興味深いものにできるのは確かだ。場面の表層が仄めかす、奥に隠された本当の意味がサブテクストだ。サブテクストのある場面は、忘れられないというほど強烈にはならないかもしれないが、読者の心を巻きこむ。その場面に隠された感情的な真実を組み立てるために、頭を使わなければならないからだ。良く書けた脚本の中で、サブテクストを巧く使っているものに、『トム・ジョーンズの華麗な冒険』の食事の場面がある。『深夜の告白』で、ネフとフィリスが初めて出会う場面。サブテクストに意味を隠すための技は、Chapter9で詳しく紹介する。ここでは1つだけ、最も効果的なサブテクストの作り方を紹介しよう。それは「キャラクターの行動と台詞の対比」だ。つまり、言っていることとやっていることが違う。行動は言葉より雄弁ということだ。犬は好きだと言いながら体を引く男がいれば、真実はどちらだろうか。もちろん男は犬を怖がっている。しかし悪く思われたくないので、嘘をつくわけだ。『恋人たちの予感』の最後で、サリーはハリーに「大嫌い！」と言いながらキスをする。『カサブランカ』では、他人の面倒には首を突っ込まないと宣言していたリックが、通行証を渡して義を果たす。

捻りと逆転

物語の勢いを止めないために、プロットの捻りは不可欠だ。同様に、場面の勢いを止めないためにも、捻りや逆転が不可欠だ。巧く構成された脚本のほとんどは、大きな転換点が2つあり、それぞれ最初の二幕の幕引きに使われる。劇的な場面にも驚きを呼ぶ逆転のやり取りが2つあり、読者の好奇心を高め、場面またはキャラクターへの洞察を深め、あるいは場面の方向を転換する。後で実際の映画の1場面を例に挙げて詳細に分析するので、そこでこの技の使い方を把握して欲しい。

理屈抜きの感情を操る技

Chapter5では、脚本を読む人の心に反応を起こさせる技を解説した。興味、関心、好奇心、期待感、サスペンス、驚き、スリル、そしてユーモア。物語は場面が集まってできているのだから、場面ごとにこれらの技を適応すれば良い。特定の感情的反応を呼び起こす技はもう知っているのだから、次はそれらの技を場面に適用して、読者の心に起こる感情を設計しよう。例えば、この章で解説した技の数々に加えて、Ｃｈａｐｔｅｒ５で覚えた「読者優位」の技を使い、キャラクターの知らない秘密を明かして緊迫感をもっと高めても良い。期待感を煽りたいとしたら、あるキャラクターに、何かの計画を明かさせる。または夢に見るほど切望するものを明かしてもらう。組み合わせは無限にある。一度場面の基本的な要素を決め込んでしまえば、それ以外に大事なのは読者の感情的反応だけだ。どう操るかは、あなた次第。書きたかった物語を書く道具を手にしたのだから、やっとクリエイティブな部分に時間と労力を割けるのだ。新鮮で独創的な部分に頭を使おう。

実例：場面設計の脚本術

批評家も観客も大絶賛の名作『羊たちの沈黙』の1場面を分析してみよう。トーマス・ハリスの原作小説をテッド・タリーが脚色したものだ。分析するのは、バッファロー・ビル逮捕に焦ったクラリス・スターリングが、決定的な手がかりを求めてハンニバル・レクターと4度目の、そして最後の対決に挑む場面だ。これほどまでに興味深く、読んだ者を激しく魅惑する場面を私は知らない。だからこの場面を選んだ。分析していけば、その理由がわかる。この章で解説した技も多数使われている。脚本は実際の映画と完全に同じではないので、ここでは映画から書き起こしたものを使う。まず映画の該当場面を実際に観て、自分の感情がどのように揺さぶられたか体験してみて欲しい。その上で脚本を何度か読み、どのように技が使われているか確かめて欲しい。

実際の映画ではこの場面は7分間続くが、クラリスの焦燥感と場面が生じる緊迫感によって、体感時間は7秒だ。

場面の基本要素が最初に明かされる。時間は夜。そこはメンフィスにあるシェルビー郡歴史協会の5階、レクターの檻を入れるために特別に封鎖されている。他の対決場面と同様、この場面もレクターが優位に立って進められる。クラリスが欲しがっている情報を自分が握っているので、囚人であるレクターが優位なのだ。クラリスは訓練生だが、レクターは年上で頭も切れる。レクターは、クラリスの頭の中に忍び込み、彼女を苦しめる子どもの頃のトラウマを食らいたいのだ。クラリスはバッファロー・ビルを捕まえたい。クラリスはレクターに、島の見える部屋へ移れるように計らうと約束して反故にした。レクターが議員に偽の手がかりを与えたのは、自分のせいなのではないかとクラリスは心配している。どちらのキャラクターも、明確な対立を抱えている。クラリスが失敗したら失うものは大きい。この場面には、明確な始まり、中、終わりがあり、転換点も2つある。場面の極性を見ると、レクターにとっては陰の場面として始まる。囚われの身で、協力しても報酬をもらえず、クラリスの心の秘密を渇望している。場面は最後には陽へと転じて終わる。クラリスは子どものときに受けた心の傷を吐露し、何が自分をバッファロー・ビル逮捕とキャサリン救出に駆り立てるか告白する。明らかにレクターにとっては「追う、捕まえる」の場面だ。では、やり取り単位で場面全体を見ていこう。

檻の中でレクター博士がテーブルの前に座っている。クラリスに背中を向けて。

レクター 「今晩は、クラリス」

やり取り1　クラリス、機嫌をとろうと謝る。

クラリス、没収された木炭画を檻の縁に置いて、レクターに返す。

クラリス　「博士、絵をお返しします。窓つきの部屋に移るまで、これで……」

レクター　「さすが思慮深いね。それとも、ジャック・クロフォードがご機嫌を伺いに君を送り込んだのかな？　君たちがこの事件から降ろされる前に」

クラリス　「違います。私が来たいから来たんです」

レクター　「ロマンチックだ。誤解されたら大変だ」

やり取り2　レクター、クラリスの欺きをたしなめる。

レクター、舌打ちをして

レクター　「アンスラックス島か。あれには騙されたよ、クラリス。君がでっち上げたのか？」

クラリス　「そうです」

レクター　「やられた。しかし、キャサリンの件は気の毒だった。チクタク、チクタク、チクタク」

やり取り3　クラリス、レクターの嘘の手がかりを解いた自分を評価するように迫る。

クラリス　「アナグラムの謎々が解けましたよ、博士。ルイス・フレンド？　硫化鉄でしょう。貧者の金とも呼ばれている」

レクター　「クラリス、謎々なんか解いてないで、もっと人生を楽しんだらどうだ」

やり取り4　クラリス、バッファロー・ビルの手がかりを要求。レクター、それをかわして反撃。

クラリス　「バルチモアでは本当のことを教えてくれたじゃないですか、博士。続きをお願いします」
レクター　「事件のファイルは読んだ。読んだかね？　あの男について知るべきことは、すべてファイルに書いてある」

やり取り5　時間がない。クラリスは焦る。

クラリス　「教えてください」
レクター　「まずは基本だ、クラリス。難しく考えるな。マルクス・アウレリウスの哲学書にもそう書いてある。1つ1つ自問するんだ。『中にあるものは何だ？　本質は何だ？』君が追っている男は何をする？」
クラリス　「女性を殺す」
レクター　「違う！　それは結果にすぎない。彼が本当にやりたいのは何だ？　殺すことで何が癒される？」
クラリス　「怒り……。社会的受容……。性的な欲求不満……」
レクター　「違う、所有したいと望んでいる。それが彼の本性だ。では所有したいという渇望は、どうやって始まる？　渇望するものを探し求めるのか？　今度はちゃんと考えてから答えるように」
クラリス　「いえ……ただ集めて……」
レクター　「そうじゃない。日常的に目に入るものを所有したいと渇望するところから、すべては始まる。君を舐めまわす視線を感じないのか、クラリス。君も欲しいものを目で探し回るだろう」
クラリス　「ああ、なるほど。では、教えてください……」

やり取り6　クラリスの心に潜む過去を知りたいレクター、話を変える。これがこの場面の最初の転換点。

レクター「駄目だ。今度は君が話す番だよ、クラリス。もう休暇の餌も品切れだろう。どうして牧場から逃げた？」

クラリス「博士、今そんな話をしている暇はないんです」

やり取り7　レクターは譲らない。焦るクラリス。

レクター「君にはなくても私には時間がたっぷりある、そうだろう、クラリス？　時間を無駄にしない方が良い」

クラリス「後で話します。聞いてください。あと5時間で……」

やり取り8　レクター譲らず。クラリス、降参。

レクター「駄目だ！　質問に答えなさい。お父さんが殺されて、君は孤児になった。10歳のときだ。親戚に引き取られて、モンタナの羊と馬の牧場で暮らした。それから、どうした？」

クラリス「ある朝、逃げました」

レクター「ただ逃げたのではないだろう。何があって逃げた？　何時頃逃げた？」

クラリス「早朝。まだ暗かった」

レクター「何かに起こされたということだ、そうだろう。夢か？　なぜ目が醒めた？」

クラリス「変な音が聞こえた……」

レクター「何の音だ？」
クラリス「あれは……悲鳴、何か子どもの声みたいな悲鳴が」
レクター「それで、どうした？」
クラリス「下に降りた。納屋に忍び込んで……怖くて見たくなかったけど、覗かずにいられなくて」
レクター「そして何を見た、クラリス？　何を見たんだ？」
クラリス「子羊。みんなで叫んでた」
レクター「春の子羊を屠殺してたのだね」
クラリス「だから、みんな叫んでた」
レクター「そして、逃げ出した」
クラリス「まだ。まず羊たちを逃がそうとした……小屋の門を開けたのに、羊たちは逃げようとしない。当惑して動かない。逃げようとしなかった」
レクター「でも君は逃げた。そうだろう」
クラリス「逃げた。子羊を1頭抱えて、走れるだけ速く走った」
レクター「どこに向かって？」
クラリス「わからない。食べる物も水も持ってなかった。とても、とても寒かった。1頭なら……1頭なら救えると思ったのに……すごく重くて。重すぎて。3マイルくらい走ったところで、保安官に連れ戻された。牧場主はすごく怒って、私を追い出した。ボーズマンにあるルーテル教会の孤児院に送られた。それ以来あの牧場は見てない」

レクター　「君の子羊はどうなった、クラリス？」
クラリス　「殺された」

やり取り9　レクター、ついにクラリスを掌握して安堵する。
レクター　「まだ真夜中に目を醒ますことがあるんだね、そうだろう、クラリス。暗闇で、子羊たちの悲鳴を聞いて目を醒ます」
クラリス　「そうです」
レクター　「可哀想なキャサリンを救えば、悲鳴が止むと思うんだね、そうだろう。キャサリンが死なければ、もう二度と暗闇であの恐ろしい子羊たちの悲鳴に目醒めることもない」
クラリス　「わからない。わからない」
レクター　「ありがとう、クラリス。ありがとう」

やり取り10　クラリス、レクターがくれると言った手がかりが欲しい。しかしチルトン博士に妨害される。これが二度目の転換点になる。
クラリス　「名前を教えてください、博士」
ドアが開く。
レクター　「チルトン博士ですな。クラリスのことはご存知ですね？」
チルトン、２人の巡査部長ピーボディとボイルを従えてくる。

チルトン「よし、行くぞ」

やり取り11　クラリス、諦めない。

クラリス「博士、あなたの番です」
チルトン「連れ出せ」
クラリス「名前を教えてください」
ボイル「すみませんが、飛行機までご同行願います。命令なので」
レクター「クラリス、子羊たちの悲鳴が聞こえなくなったら、教えてくれるね？」
クラリス「博士、名前を！」

やり取り12　レクター、クラリスに心の中に入れてもらった礼をする。そして別れの挨拶。

レクター「クラリス！　事件のファイルだ」
クラリス、レクターのところに戻ろうともがく。レクターが差し出したファイルを檻の隙間から受け取るとき、レクターがクラリスの指を撫でる。
レクター「さようなら、クラリス」
クラリスはファイルを胸に抱き、レクターを見つめ返す。警官たちがクラリスを押して退出させる。

言うまでもなく、この2人のまったく相容れないキャラクターを繋ぐ関係が、この場面を興味深くしている。これは恋愛物語であり、この場面も**ラブシーン**のようだと指摘した人もいた。クラリスの子羊の悲鳴にまつわる内面の吐露で絶頂に達したレクターは、ほんの刹那を盗んで、別れ際に指でクラリスに触れる**衝撃的な瞬間**。この場面には、疑いようもなくたっぷりと**サブテクスト**が隠されている。これは基本的には説明の場面なのだが、サブテクスト以外にも様々な技が使われて感情的なインパクトを高めている。素人の手にかかったら、さぞつまらない場面になったに違いない。しかし原作者のトーマス・ハリスと脚色したテッド・タリーは、次のような技の数々を駆使した。

感情パレット。**キャラクターの感情のツボ**は次のようになる。クラリスの場合、レクターの助けが欲しくて焦っており、焦りが場面の展開とともに強くなっていく。さらにレクターの要求に屈し、内なる悪魔と対峙する。レクターの場合は、クラリスに騙されたことへの苛立ちから始まり、そしてクラリスを助けることにするが、良き師としての彼はクラリスの知性に挑戦する。そして、クラリスの過去に見せる執着もレクターを引っ張る強い感情だ。ハリスとタリーは、場面内の力関係に対する**読者の感情的反応**にも気を配り、場面の流れを使って対立を生み出している。クラリスはバッファロー・ビル逮捕に繋がる手がかりが喉から手が出るほど欲しい。そして自分の価値を証明したい。しかし彼女に騙されたレクターは、喜んで手がかりを与えるとは思えない。

これだけでもこの場面は十分面白いのだが、これだけではない。先ず何より、レクターがついに重大な手がかりを教えるのかという**期待感**。クラリスが過去に受けた心の傷への**興味**。これが**尋問**と**能動的な台詞**によって問答によって少しずつ明かされ、クラリスの抱える**葛藤**と、レクターの**深い好奇心**を見せてくれる。さらに、**お定まりの感情がひっくり返されて**、FBI捜査官が囚人に尋問を受ける展開を見せている。

対比も、場面のいたるところで使われている。存在価値の対比（自由の身であるクラリスと囚われのレクター）、キャラクターの対比（善と悪）、行為の対比（乱暴なレクターと、指をそっと撫でるレクター）、そしてやり取りそのものの対比（クラリスの焦りとじわじわと明かされる過去の秘密）。子羊たちの悲鳴にまつわる告白は、レクターにも読者にも**発見**という形で提示される。これは、クラリスがどうしてFBIに入って弱い者を助けたいと思ったかという動機に光を当てる**性格の露呈**と**秘密の露呈**でもある。クラリスとレクターは前回の面会で順番に情報を与え合うと約束したが、その**お膳立て**に対する**感情的な種明かし**が、この情報なのだ。

チルトンに没収された木炭画をクラリスがレクターに返すが、これも場面に意味を加える**小道具**と見ることができる。和平の印、クラリスがレクターに向けた仁義の証、あるいは助けを求めてレクターを釣ろうとした餌とも解釈できる。

この場面のやり取りには、**応えられて充足した欲求**と**応えられずにもどかしい欲求**が、見事なバランスで配分されている。やり取りをそれぞれ見ていくと、クラリスはまずは欲しいもの、つまりレクターの助言を手に入れるが、期待していた助言とはちょっと違う。レクターはクラリスに、殺人犯が所有しようと渇望するものが何か答えるように迫る。最初は秘密を明かさないクラリスに業を煮やすレクターだが、諦めず、やがて降参するクラリスに対して征服感を抱く。このあたりのやり取りは、この場面が**逆転**し**転換**する点となっている。クラリスを助けていたレクターはクラリスに子羊たちの悲鳴について告白を迫り、そしてチルトンが2人の師弟関係を妨害する。

最後に、レクターとクラリスが別れるその別れ方。2人の**別離**は私たちの心を奪う。チルトン博士と警官たちが、クラリスを無理やり退出させようとするが、クラリスはそれを振りほどいてレクターからファイルを受け取る。このチルトンの妨害は、**同時進行する対立**の1つでもある。チルトン対クラリス、そしてクラリス対レクターだ。

これこそ、興味をそそる場面の書き方というものだ。

これであなたも、プロ級の脚本を書くための技を一式、身に着けたことになる。解説を読み、古典的名作の中でどのように使われたかも分析した。いよいよ身に着けた技を駆使して、脚本を書く準備ができた。その前に、あと2つ欠かすことのできない要素がある。それは、あなたの脚本に書いてある物語の世界を体験するために、下読みに許されたたった2つの大事な要素。そう、ト書きと台詞だ。

CHAPTER 8

DESCRIPTION:
RIVETING STYLE

ト書き
スタイリッシュに心を掴む

言葉は辞書を見れば全部載っていますから、後はそれを正しい順番に並べるだけです。

——エマ・ダーシー

ト書きで大事なのは、何を書くかではなくて、どう書くかだ。特定の感情やムードを生み出すために、どのように言葉を造型していくかということなのだ。この章では、文章の書き方について説明する。最初の引用文にあるとおり、良い文章を書くというのは、読者の心に期待される感情が発生するまで、言葉を繰り返し組み合わせていくということなのだ。ウィリアム・ゴールドマンが言ったとおり。「何が売れるかは誰にもわからないが、酷い文章は誰が見てもわかる」。

基本：ト書きについて知っておくべきこと

忘れないで欲しい。脚本は読んでもらうために書くのだ。それが観たくなるほど面白い映画になるのなら、脚本も読みたくなるほど面白くなければいけない。現在ハリウッドを巡回している脚本の95％がつまらない、またはせいぜい平凡だ。これは、読ませるために脚本を書くという大事な事実を、脚本家の95％が無視しているということを意味する。脚本には、カメラも、照明も、俳優も使えない。ＣＧも、感情を高ぶらせる音楽にも頼れない。あるのは言葉だけだ。そして視覚的メディアのために書く以上、目で見ることを想定して書かなければならない。脚本を読むことに全身全霊傾けられるよう、可能な限り少ない言葉で書くのだ。これが巧くいくと、業界では「読みやすい脚本」と呼ばれる。ハリウッドに出回っている何千という脚本と一線を画すためには、読者の関心を釘づけにしなければならない。そのためには、ト書きを可能な限り簡潔な、映像詩として書かれなければならないのだ。あなたが創り出した新しい物語の世界に、読者をどっぷりのめりこませる。それが脚本家の目標だということを忘れてはならない。あなたの脚本を最初に読む下読みの骨の髄まで、いや魂の底まであなたの文章を沁みこませて、「推薦」のお墨つきを奪い取るのだ。具体的な方法は、もうすぐ解説する。それこそが技巧を身に着ける目的なのだ。技巧を駆使して書かれた脚本の最初のページを読めば、物語の名手が書いたかどうかすぐわかる。名手は常に意識的にそのように書く。それ以外の人はまぐれでそうなる。あるいは、そのようには書けない。そして下読みに捨てられる。ウィリアム・ゴールドマンや、シェーン・ブラックの書いた脚本を読んだことがあるだろうか？　話の良し悪しはこの際問題外。この2人の書いたホンを読む体験に勝るものはない。これは疑う余地のない、周知の事実なのだ。

異議を挟む人もいるかもしれないが、文章を書く以上は、どのページも、どの段落も、文節も、単語も、脚本の中にある以上はすべて重要だと私は考えている。あなたの脚本の中に「まあ、いいかも」程度のト書きが紛れ込む余地はないのだ。それぞれの文が、感情的インパクトを与える力を持つべきなのだ。大変なのは承知だが、どうせプロを目指すなら、そのくらい志を高く持とう。素人は、物語やら、構成やら、キャラクターに集中するあまり、ト書きが持ち得る感情的インパクトに気が回らない。良くない脚本に影響されて、こんなもんだろうと思い込んで、真似してしまうのだ。率直に言って、他のすべての要素を完璧に習得している脚本家なら、ト書きの良し悪しで脚本の出来が左右されるということはない。でも念には念だ。ト書きでも感情的インパクトが操れるというなら、できるに越したことはない。職業脚本家たちは、読者の心を奪い目が離せない読書体験を生み出す技を知っている。一度覚えてしまえば、それほど難しいことではない。でもその前に、これをやったらあなたの脚本も撃沈間違いなしという3つの失敗を解説しよう。

素人がよく犯す間違い

何千という脚本を読み、コンサルタントとして助言してきた経験に基づいて、やってはいけない失敗を3つに分けた。「外見上の失敗」。書式やつづり、文法的間違いもここに含まれる。そして「説明過多という失敗」。不必要で水増しされた文章。最後に、「駄目な文章」。物書き失格という人たちが書く文章。駄目なものは駄目なのだ。

外見、書式、誤字脱字

最初に、明確にしておくべきことが1つある。例えばウィリアム・ゴールドマンが、彼のキャリアで最高に良くできた物語を便所紙に手書きで書いて提出したら、間違いなく却下される。そんな脚本を通すのは、頭のおかしい下読みだけだ。何しろ書式が水準以下なのだから。脚本が推薦されるかどうかは、脚本全体から受けた感情的なインパクトにかかっている。それでも脚本の書式が重要視されるのは、書式を見れば素人かどうか一発でわかるからだが、そこに脚本書式エディタが現れた。下読みはプロ水準の書式がどういうものか把握しているので、素人の仕事は2キロ先からでもわかる。書式がいい加減ということは、おそらく大した技巧も持っていないだろう。そう思われても無理はない。皮肉なことに、脚本の書式は脚本技法の中で最も簡単に習得できるものなのだ。特に専用エディタを誰でも使え、すべての脚本指南書が1章丸々割いて書式の解説をしている昨今なら、覚えない理由はどこにもない。書式については語り尽くされているので、ここでつけ足すことはない。エディタを買って、さっさと基本的なルールを覚え、他のもっと重要なことに専念しよう。誤字脱字や文法の間違いは、読む人の意識の流れを中断し、フィクションの白日夢を台なしにしてしまう。そうならないように、書いたものは何度かチェックすること。ソフトについている校正機能に頼らないこと。どうせit'sとits、theirとthey'reとthere、yourとyou'reの判別すらしてくれないのだから［日本語の場合は、てにをは、送り仮名、慣用句の使い方などに気を付けること］。

書き込み過ぎ、細か過ぎ

素人の脚本で2番目によく見られる失敗は、書き込み過ぎだ。脚本家の卵の多くは小説の世界から流れてくるので、いちいち書き込み過ぎる傾向にある。説明過多で、文章も長く複雑過ぎる。書けば良いというものではないのだ。脚本家のジョン・レイニーが、自分のウェブサイトに載せている素晴らしい見本があるので、紹介しよう。「その角の生えた偶蹄の獣は、日柄一日顎を酷使して若々しいコヌカグサやスギナを噛みしめ続けた疲れのせいか、目に見えて鈍重で、その乳で溢れんばかりの乳房を前後に揺らしながら、活力がすっかり萎えた脚を引きずるように、陽光に焼け、深い轍が穿たれた農道を慎重に慎重を期して横切りながら、分泌した乳という重荷から我が身を解放するために、酪農農家の納屋という安息の地に向かっている」。要するに、「牛が道を渡る」という6文字で、言いたいことは伝わる。この例が文章として良いとか悪いという問題ではなくて、場違いだということだ。そういう文章は小説でどうぞ。

小説と違い、長くスタイリッシュな文章による説明や、登場人物の思考の描写、着ている衣服の詳細や、髪の色といったものは、脚本を良くする要素ではないのだ。キャラクターの表情のニュアンスの描写や、身振り手振りに表情の変化、台詞の抑揚、光と影の織りなす微妙な陰影の表現をすべて書き出すのが目的ではないのだ。動詞に導かれた映像的な、そして動的な文章が脚本の命。何より大事なのは簡潔さ。選び抜いた最小限の言葉で最大限の効果を狙う。だから特に良く書けた脚本の中には「目で見る詩」と呼ばれるものがあるわけだ。脚本家の仕事は想起させることで、必ずしも描写することではない。『アウト・オブ・サイト』や『マイノリティ・リポート』、『ザ・インタープリター』を書いたスコット・フランクは、こう言っている。「撮影の指示はほとんど書きません。時間の無駄だと思います。簡潔こそが脚本執筆という芸術の肝ですよ。少ない言葉で多くを語るんです。例えばある男を描写して、服装やら、眼鏡やら、髪のことがだらだら書いてあっても、誰もそんなものにつき合っている暇はありません」。

今日のハリウッドでは、読みやすさがすべてだ。文章は極力単純な書き方で、最小限でなければならない。1文は短く。1語のときもある。途中で途切れる文さえある。そして1つの段落も4行を超えることはない。

酷い文章

素人が書いた脚本のうちの95%が、人に読ませるということを忘れて書いたような面白くもない代物だというのは、驚愕の事実だ。素人だけではない、実はそこにはプロも大勢含まれる。脚本の技巧を習得していない。または、書き言葉を介してコミュニケーションを図れるようになろうという向上心がない。そのどちらかに違いない。脚本で一旗揚げようと考えているこの人たちの多くは、まず物書きとして箸にも棒にもかからないという悲しい現実がある。『脚本を書くための101の習慣』でロン・バスがこう言っている。「どうしたわけか、誰でも書くことぐらいできると思っている人が多いようですね。誰でもコンピュータを持っていて、誰でも自分の国の言葉くらい喋れて、誰でも映画くらい見るし本も読むし、お話くらい考えられる。だから簡単だろうとね。でも問題なのは『では、人がお金を払ってまで見に来るほど上手く書けるのか?』ということなんですよ。誰でも運転は出来ますが、誰でもインディ500に出られるのか？　世界中の女性は化粧をするけど、誰でもミラノ・コレクションのランウェイを歩くモデルになれるのか？　あなたが化粧することを誰も止めはしません。でもデザイナーに依頼されない限りミラノには行けないわけでしょう。脚本家になりたいと思っている場合でも同じことです。なりたいと思うのはあなたの自由。お金もかかりません。110ページ分書いて印刷すれば、出来上がり。幸か不幸か、誰もあなたがそうすることを止められない。やりたいならやってご覧、ということです。やり始めるのは簡単ですが、大成するかどうかは別の話です。何をやるにしても、そのことを大勢の人が支援したり投資したりするほど上手く出来るようになるには、何らかの能力の裏づけが必要です。才能と呼ばれるものかもしれないし、知性とか情熱とか経験といったものですね。そして、あなたが書いたたった1本の脚本に対して億単位の資本が投下されるということを考えてみてください。それでも簡単な話だと思いますか？」。

もし脚本が天職だと感じるのなら、脚本という商売に許されているただ1つの道具、つまり言葉のエキスパートにならなくてはいけない。脚本は簡潔に語られるべきだということはすでに説明したので、ト書きで感情を揺さぶる方法論を話す前に、いくつか基礎を押さえておこう。

脚本執筆、技巧の基礎

プロデューサーに見せるにしても、エージェントに見せるにしても、書いた脚本を人に渡す前に粗相がないことを確認しよう。書式は完璧。誤字脱字なし。無駄な言葉も一切なし。これがコンサルタントである私が顧客に対して保障する品質であり、自分で書くときもこの基準を守る。推敲の段階でやることをやれば、クリアできない基準ではない。

これから紹介する基準を絶対に守らなければならないというものではないが、脚本家と下読みたちが教えてくれた、読みやすい脚本を書くための常識的な知恵だ。読みやすい脚本にするためには、フィクションの世界にどっぷり浸った読者に冷や水を浴びせるようなことは、絶対に避けなければならない。そのためにやってはいけないことを、これから紹介する。

撮影指示を書かない

ここでは、やってはいけないことを2つ揃えて紹介する。撮影の指示等を書いて監督の仕事を横取りしないこと（自分で演出する場合は別）。そして、俳優を演出しようとしないこと。脚本家の仕事は物語を語ること。寄り、つけパン、移動、カット、インサートだのと書いて、映画を演出することではない。脚本に散漫な印象を与えるだけでなく、読む方の気も散る。そして、演出家はああしろ、こうしろと言われて良い気持ちはしない。〔英語の〕脚本に許された指示は、最初の「フェード・イン」と最後の「フェード・アウト」だけだ。時間の経過を指示する必要があれば「クロスフェード」が辛うじて許されるかもしれない。寄れだの引けだの書かなくても、同じようなことをさり気なく表現するやり方はあるのだ。例えば「仮想クローズアップ」とでも呼ばれるもので、やり方は後で説明する。

同様に、一挙手一投足を書き込んで、役者に演技をつけようとしないこと。どっちをどう見るとか、睨むとか、瞬きの仕方とか。細かい描写が効くときもある。でも、やり過ぎないように。その場面の流れとキャラクターの感情が明快なら、読む人がちゃんと想像で補ってくれるはずだ。キャラクターがどのように自分の感情に身体性を与えるかどうかは、役者に任せれば良い。

受け身の言葉を使わない

なぜかはわからないが、受動態は書き手の脳内でかっこよく響く。しかしページ上では同じ効果を持たない。［英語の］受動態。授業を思い出していただきたい。「to不定詞＋be動詞＋過去分詞」または「be動詞＋過去分詞」だ。動詞が過去分詞にされることで動的ではなくなり、主語が後ろにひっこんでしまう。例えば「この自動車はジェーンによって運転される」とか、「これはジェーンによって食べられる」。このような受け身の書き方よりも、能動的な文章の方が良い。「ジェーンが運転している」。「ジェーンが食べる」。可能な限り能動態で書くこと。

否定形を使わない

文章は能動的であった方が良く、さらに否定文でない方がより力強くなる。「気前がよくない」と書くより、「守銭奴」と書いた方が良い。「手際がよくない」よりも、「不器用」だ。読者に「～でなければ、では何だ」と考えてもらうよりも、その「何だ」をずばり書いた方が効果的だし、文字数も減らせる。［日本語には日本語の否定表現の持つ意味合いがあるが、否定の方が効果的かどうかは、一考に値すると思う］。

括弧を使わない

［英語の］脚本には括弧に入れた指定の書式がある。登場人物の名前と台詞の間に挟んで、（笑う）、（冷たく）、（困って）、（囁く）等のように使う。役者に演技をつけるト書きと同様、この括弧つき指示も、台詞の読み方を指示している。

だから、下読みにも、監督にも、役者にも嫌われる。脚本家の下心に左右されないようにと、片っ端から消されるのがおちだ。脚本を一通り見なおして、この手の括弧つき指示を全部消すことをお勧めする。サブテクストとして提示されてものが必ずしも明確ではなく、他に明確に表す手段がない場合は括弧を使う。そこに潜んでいる意味が、場面の流れや台詞から明らかにならない場合、例えば内心傷ついたキャラクターが「どうも」と引いた調子で冷たく言うのであれば、「どうも」（冷たく）と書くしかない。しかし一般的には、キャラクターがどういう気持ちでいるかというのは、場面の流れと台詞だけでわかるように書くべきだ。

［英語の脚本で］括弧つき指示が許容されるのは、次の場合だけだと心得よう。特定の**訛り**や、（スペイン語）のように**外国語**の台詞。登場人物が大勢いる場面で、（ジョンに）のように**誰に話しかけているか示す**とき。あるいは、括弧つき指定で（煙草点ける）のように、**何らかのアクション**を素早く指定できる場合。ト書きで書くのはスペースの無駄というようなときだ。もちろん、そのアクションが場面の中で重要な意味を持つときだけ、そう指定する。下読みの習性として、ト書きは読み飛ばし、台詞を追って縦［日本語脚本なら横］に読んでいくことが多い。だからこのアクション指定は、下読みに大事な情報を見落とさせない効果もある。

修飾語を使わない

［英語の］副詞は動詞を修飾する。効果的な動詞を探すのが面倒だと思った脚本家が、副詞等の修飾語を多用する。そういう輩は、例えば「走る」という平凡な動詞を持ってきて、「速く」と修飾する。「疾走する」という言葉を探そうとはしない。素人は、修飾語を無駄に使いすぎる。そして使い方を理解してさえいない。結果として、ありきたりな文章になる。対処法は別に難しくはない。脚本が書き上がったら、頭から修飾語を探して印をつけていけば

良い。「素早く」、「ゆっくり」、「優しく」、「喧しく」、「静かに」、「そっと」等を見つけ出して、もっと動的な言葉と置き換える。だから、類語辞典は手放せない。「ゆっくり歩く」というのを見つけたら、「ぶらつく」、「速く走る」は「疾走する」、「突っ走る」、「ダッシュする」、「爆走する」に置き換える。「よく見る」なら「覗き込む」、「怒って見る」なら「睨む」、「いいなあと思って見る」は「羨望の眼差しを向ける」といった具合だ。場合によってはかなり字数を節約できる。修飾語を足すと文章の力が削がれる。修飾語は、スペースとプリンターのインクの無駄遣いだ。もう一歩突っ込んで言えば、「とても」、「すごく」「もっと」、「かなり」といった副詞にも注意しよう。

「～を始める」、そして「～している」を使わない

可能な限り「～し始める」のような表現を使わないようにする。「泣き始める」ではなくて、「泣く」でいいのだ。「溶け始める」は「溶ける」で十分。言葉は少ない方が、ページのインパクトが増すということを覚えておいて欲しい。「～している」の使い方も注意が必要だ。「歩いている」、「食べている」、「始めている」、「運転している」等。「歩く」、「食べる」、「始める」、「運転する」で良い。常に、一番単純な文章を念頭に置いて書くように。主語と動詞。それで十分だ［日本語で文章を書くときには感じ方の違いがあるが、動きを感じさせるト書きを書きたいときは、どうか参考に］。

「そこに」を使わない

「そこに」や「そこで」というのも、素人がよく使う無駄な表現だ。「そこに家がある」。「そこの道を車が走ってくる」。「家」、「道に車」で十分だ。どうせ家があると言うなら動詞を入れて「海を臨む家」とか「車が接近する」の方が、

よほど良い［英語の書き言葉で「there is」「there are」は普通に文頭に使いがちだが、自制するようにという考え方。無駄な指示語を省くという意味で、日本語表現でも応用できる］。

「～が見える」「～が聞こえる」を使わない

［英語の脚本を書く］プロの脚本家の中にはこの書き方を支持する人も多いので、異議を挟む人も多いだろう。しかし考えてみればわかることだが、「観客には～が見えている」、または「～が聞こえている」と書かなくても済むだけでなく、書いてしまうことで、脚本を読んでいる人が現実世界に引き戻されてしまうという逆効果がある。「観客に～が見える」「聞こえる」と読んだら、没入していた物語の世界から外に連れ出されてしまうのだ。脚本が読者とコミュニケーションを取る手段は、見えるものと聞こえるものの2つだけだということを忘れてはならない。どんなに詳細な描写でも、見えるものと聞こえるものについてしか書くことはできないのだ。「家がある」と書いてあれば、間違いなく1軒の家を思い浮かべる。「観客には家が見えている」と書く必要はどこにもない。「観客に～が聞こえる」の場合も同じ。何か耳に聞こえるものが書いてあれば読む人はちゃんと聞くし、目に見えるべきものはちゃんと見る。わざわざ、「見えている」と書くのは無駄なのだ［英語の場合、主語が明確に規定される文章を書く訓練を受けるので、どうしても何かを主語にしないと落ち着かないということがあるが、脚本では必要ないという話］。

技巧編：動くト書き

ト書きの描写から贅肉を削ぎ落とすポイントが掴めたところで、いよいよお待ちかね、ト書きの技を紹介しよう。生き生きと脈動するト書き、歌うト書き、下読みを誘惑するト書きを作る技だ。良いト書きを書くコツは、言葉を慎重に選ぶこと。言葉にエネルギーを帯電させるのだ。あまりにリアルで活きが良くて、実感できてしまうほど命をこめて書くのだ。自分に見えているものを完全に伝える言葉を見つけるまで諦めないのが、本当に優れた脚本家というものだ。その言葉が見つかったとき、結果は「目で見る詩」になる。すっきりと明快で、感情に直に触れるのだ。

読者の関心を操る

ダイナミックな脚本に仕上げる方法の1つとして、読者の関心を操り、読者の視線を誘導して見せたい画が見えるように書くという技がある。それこそ、プロの脚本家が「カメラ寄る」等と書かずに演出してしまう技なのだ。いくつか紹介するので、試してみて欲しい。

読者の視線を操る

小説家は、左から右に書いていくものだが「日本なら上から下」、脚本家はページの上から下、つまり縦に書く「日本なら右から左、つまり横」。縦に読めるように書くことで、読むペースを上げられる「端から端まで文字を並べないで、サクッと次の行に読み進められるように書くという意味」。読者の目は、文頭を探して左に戻るように習慣づけられている。だから、左に戻る度に新しい情報があると認識する［日本語の場合は上に戻る度に新しい情報］。この習性を利用して、脚本家は行が変わる度に、新しいショットになるように書く。新しいアングルや、新しいイメージを出したいと思ったら、その都度改行する。その行がどんなに長くても、効果は同じだ。ここで紹介する見本は、ウォルター・ヒルとデヴィッド・ガイラーが改稿した『エイリアン』の脚本だ。縦書き原稿のまたとない見本になっている。

ランバート「どうしたの?」
ケイン「なんだか……腹がギュッと痛い」

全員、訝しげにケインを見つめる。
ケイン、突然大声で唸る。
テーブルの端に両手でしがみつく。
その白い拳。

アッシュ「深呼吸しろ」
ケイン「ああ！　痛い、痛い、痛くて堪らん！」
（立つ）
「ギャアアアア！」

ブレット「どうした？　どこが痛いんだ？」

ケインの顔、苦痛に歪む。
椅子に倒れ込む。

ケイン「助けてくれえええええ！」

赤い染み。
ケインの胸に広がる赤い花。
シャツの繊維、ビリビリ割ける。
拳大の頭が、グイと出る。
パニックで叫ぶクルーたち。
テーブルから跳び退く。
シャアアア、ネコ唸り、逃げる。
小さな頭、突き出る。
ケインの胸から太い体を引きずって跳び出す。
その跡には、体液と血飛沫。
食事の盛られた皿に着地。

慌てるクルーたちを尻目に、蛇のように這い逃げる。
視界から掻き消える異星生物。
ケイン、椅子に沈みこむ。
死んでいる。ピクリとも動かない。
胸にはポッカリ穴。

ご覧のとおり､行が変わる度に､新しいショット､または新しいイメージが読者の心に浮かぶ。「寄り」とか「アップ」等と指示する必要はまったくない。文の並べ方だけで、場面が演出されているのだ。文の長さが、ペースを決めている。長ければゆっくり目のショット。短かいものは文章ですらない。1語だけなら一瞬で読み終わる。だから速いカットを感じさせることができる。

言葉を際立たせて、仮想クローズアップを表現

文章の中で言葉を際立たせることで、読者の関心を引き、カメラが対象に寄っていく効果が得られる。ここで紹介するのは、スクリーンライティング・グループ主催1998年ページ・ワン・コンテストでグランプリに輝いた、トム・マーサーの脚本だ。仮想クローズアップになっている語は、わかりやすいように太字にする。

外景――テキサス南部、石油採掘用やぐら　日中

目に刺さるような、荒地。最後の1滴が採られたのは80年代。フェンスの隙間を突風がヒュッと吹き抜ける。
そこに――

ベンジャミン・フランクリン

100ドル紙幣に印刷された顔が、重く濡れた音を上げてフェンスに貼りつく。1枚、また1枚……。2、3枚いっぺん、そして束になって飛んでくる。
死んだ大統領の顔が、イナゴのようにフェンスに群がる。

手書きの看板　「立入禁止」

風でバタバタ揺れる。揺れ過ぎて落ちる。
落ちたところに血まみれの死体。

ベンジャミン・キャスティロ

ベイビー・Bとも呼ばれる童顔のこの男。ラレド市警の巡査部長。死んだ魚のような目を、焦げつくような日差しに向けている。

風が体を舐める。ぼろぼろの制服がなびく。血に染まった紙幣を数珠つなぎに巻き散らす。

札が1枚、砂漠を吹き渡る風に巻き上げられる。5ドル札。不愛想なリンカーン。その両脇には真紅の血がポツ、ポツと2つ。

手が伸びる。きれいにマニキュアされた、女っぽい爪。札を取り上げ顔に近づける。綺麗な顔。血のついた札の匂いを嗅ぐ。

女「テキサスの血染めの札。やっぱりいい香りだわ」

キャスティロは反論したくてもできない。

このような書き方は、アクション映画の脚本でよく見られる。アクションを目に見えるように、滞らずに読ませるためだ。

◎同一場面内の場所の指定

満足な脚本の読後感は、読みやすさに左右される。脚本上の演出は避けた方が良いし、技術的なことなど書き込まないに越したことはないが、避けられないときもある。そう、柱だ。「屋内　レストラン　夜」［英語の脚本の柱の書式］というようなことを書いて、場面を設定してやらなければならない。柱の弊害は、せっかく物語の世界に浸かっていた読者を現実に引き戻してしまうということだ。短い時間内に頻繁に場面が変わるとき、例えば家の中で部屋から部屋に移動するようなとき、これが問題になる。素人ならこう書くだろう。「屋内　マイクの家　寝室　夜」。登場人物が洗面所に移ったら「屋内　マイクの家　洗面所　夜」。次は「屋内　マイクの家　台所　夜」。プロならそんなものは一言で済ませて、読みやすく書くものだ。ロジャー・スポティスウッド、ラリー・グロス、ウォルター・ヒル、スティーヴン・デスーザの4人が書いた『48時間』の例を見てみよう。

玄関
バン！　大きなドアが開く。男が1人、巨大な拳銃を構えて立っている。サンフランシスコ市警のジャック・ケイツ刑事。無骨。強そう。忍び足で階段を登る。
廊下
踊り場で足を止める。耳を澄ませる。いつでも発砲体勢。水の音。浴室に忍び寄る。ドアを押し開ける。
浴室
シャワーカーテンに人影。動きを止める。ケイツ銃を構えたまま近寄り、カーテンを無理やり開ける。イレイン・マーシャルがいる。若くて綺麗な女性。

ケイツ　「市警のジャック・ケイツ刑事だ。逮捕する。」

（続く）
寝室

ケイツとイレイン、ベッドの中。イレインは男物のシャツ。

ディテールを押さえる

何となく一般的な描写をするよりは、ずばり具体的に書くことで強いインパクトを与えられるときもある。新聞に「犬が少女を襲う」と書いてあるより、「ドーベルマンが少女を襲う」の方が、当然インパクトがある。「車が1台」よりも、「2005年型の赤のコルベットが1台」だろう。「拳銃1丁」より「スミス&ウェッソン38口径1丁」だ。自分で書いた脚本に目を通して、具体性を盛り込めるところを探してみて欲しい。五感を直撃する名詞を使うのが鍵だ。「アイス」はなくて「ダブル・ファッジ・ロッキーロード、チェリー乗せ」。参考に、フランク・ダラボンが書いた『ショーシャンクの空に』を見てみよう。

ダッシュボードの小物入れを開け、ボロ布で包んだ何かを取り出す。膝に置いて、慎重にボロ布を開く。中から**38口径のレボルバー**。鈍く邪悪にテカる。

外景　**プリマス**［車］　夜（1946年）

砂利の上、**ウィングチップ**の靴。薬室から落ちて散らばる銃弾。落ちて砕ける**バーボン**の瓶。

元気な言葉に置き換える

一般的な動詞を修飾語で飾るのではなくて、動きを感じさせる、ページから跳び出してくるような力のある動詞で攻めた方が良いという話はしたが、動詞でなくとも、物語の勢いを削ぐような弱い言葉は、ともかく使わないのが得策だ。ありきたりの言葉があったら、元気な言葉と置き換えるように。「意地の悪い女性」というなら「鬼女」、「思慮深く寛大な男」よりも「聖人」だ。あなたが書いているのは目で見る詩なのだということを忘れないように。言葉をたくさん並べるよりも、最も強い言葉を選んで手短に表現しよう。

小は大を兼ねる

少しでも経験のある下読みなら、1ページ読めばプロの脚本かそうでないかわかってしまう。言葉少なに目に情景が浮かぶような描写を重ねるその腕が、プロと素人の分かれ目なのだ。前にも書いたとおり、初心者は小説を書く気分で、こってりと凝った描写で書き込み過ぎてしまう。結果として、ページ上にはぼんやりと黒い塊が残される。しかし、理想は「白いページ」なのだ（詳細は後ほど）。フルタイムで脚本を読み続ける下読みにとって、黒いページほど気の滅入るものはない。小説なら許されても、脚本ではそうはいかない。脚本は詩を書くのに近い行為なのだ。鮮やかにして単純、端的で明快なのが良い。無駄な言葉が入り込む余地はないのだ。あるアイデアやイメージを伝えたい場合、伝える言葉が少ないほどインパクトは増す。後で詳しく解説するが、キャラクターや場所について書くときは、特にそうだ。

言葉の贅肉を削ぐ

「無駄をそぎ落とすのが芸術というものだ」と言ったのはパブロ・ピカソだった。最大限の情報を与えながら最小限の言葉で読者の関心を操るためには、要らない言葉や言い回し、特に重複する意味を持つものを取り去らなければならない。「語るな、見せろ」が鉄則なのに、初心者は見せて、しかも語ろうとする。キャラクターがどう感じているか書き、さらにそう感じたことに伴う動作まで書いてしまうのだ。「サリーは嬉しくなって笑う」。こういうときには必ず、気持ちではなくて動作を選ぶこと。そう、語るのではなく、見せるのだ。使われるすべての言葉はキャラクター造型に貢献しなければ、あるいはプロットを進める役に立っていなければならない。そうでなければ、削ることを考えた方がいいのかもしれない。

行動と反応に情報を織り込む

そうと悟られないように情報を伝えるにはどうするか。これも脚本家が抱える難題の1つだ。どこまでならやり過ぎではないのか。いつ伝えるか。そして、どうやって読む人を飽きさせずに伝えるか。何の動きも感じさせない描写で読者を繋ぎとめるのは難しい。だから、伝えようとしている情報が本当にキャラクターまたは物語にとって不可欠かどうか、最初に見極めなければならない。つまり、髪型や毛の色、瞳の色、服装といったことは別に知らなくてもいいということだ。もし体のどこかが不自由だとか、分厚い眼鏡をかけている等といった場合、つまりそのディテールがないとプロットそのものや、キャラクターの態度や性格の本質が描けないという場合は、そのディテールを行動の一部に組み込んでしまうという技がある。「アパートの中は汚い。ビールの空き缶が散乱し、テイクアウトの包装紙で足の踏み場もない」と書くより、「マイクは座る場所を探す。そしてソファからビールの空き缶とテイクアウトの包装紙を払いのける」とした方が効果的。アパートの不潔な様子を、マイクの動作に埋め込んでしまうのだ。脚本を読んでいる人はマイクの言動に集中しているので、情景の描写を気づかれずに伝えられる。何かを描写しなければならないときは、ただ描写するのではなく、キャラクターの行動または反応として見せよう。

余白

以上の技を駆使して書かれた脚本は、余白の多い、いわゆる「白い」脚本になるはずだ。端から端までぎっしり書き込まれたものとは対極の、文章はどれも短く、段落も短く、仮想クローズアップはあっても撮影指示はなく、読みやすい原稿になっているはずだ。大勢の下読みが、読み始める前に脚本をパラパラと捲って文章の密度を確認するのだと教えてくれた。余白が多ければ苦労せずに読めるという安心感が得られる。びっしり書かれた脚本はその反対だ。当然読みやすそうな脚本に手が伸びる。

ト書きで描写するときは、1行から多くても4行以内に収めること。そうすれば見かけもすっきり清潔になる。そしてこの章で覚えた技を忘れずに使うこと。

動きを与える

感情に訴えるように語る技の1つとして、動きを与えるというのがある。動きは映画の本質だというのを忘れてはいけない。なにしろ「ムービー」だ。「活動写真」、「動画」なのだ。ならば脚本も動くのだ。ただキャラクターが動きまわれば良いというものではない。動きのある言葉、躍動感溢れる文章、覇気のある言い回しで勢いを作り、鮮烈な読後感を与えるのだ。ページから躍り出るような動的なト書きを書く。読者はちゃんと感じてくれる。そのための技を紹介しよう。

静より動を選ぶ

「語るな、見せろ」。これ以上に頻繁に耳にする助言はない。「見せる」は動的、「語る」は静的でつまらない。誰でも知っていることだが、これが巧く書けない人も多い。そこでいくつか役に立つ技を紹介する。この本1冊よりも価値がある技だ。私自身、経験的にこれらの技の有効性は痛いほどよく知っている。

何を描写するにも、絶対にキャラクターの行動として表現すること。何があっても修飾語で表現しようなどと考えないように。例えば、「サリー、喜ぶ」ではなくて「サリー、微笑む」。「ジョン、緊張する」ではなくて「ジョン、じっとしていられない」。脚本を捲って、形容詞やら修飾語をかたっぱしから動詞［または動きのある言葉］に変えてみよう。状態を描写するのではなく、動きとして表そう。修飾語で飾ろうとした感覚を、動きに変えよう。説明している言葉を、「見える」言葉に置き換えるのだ。「眩い瞳」よりも「瞳が輝く」。「うるさい男」より「男、叫ぶ」。「嬉しそうな犬」よりも「犬が尾を振る」だ［日本語は動詞より体言止めの方が簡潔で強かったりと英語とは違う表現に力強さやインパクトが求められるので表し方は必ずしも同じにはならないかもしれないが、ともかくすべてをアクションとして表現しようという考え方は重要だ］。

280ページで紹介したページ・ワン脚本コンテスト優勝者の文章を思い出してみよう。「強い風が吹いている」という表現で逃げてはいない。「突風がヒュッと吹き抜ける」、「100ドル紙幣が、重く濡れた音を上げてフェンスに貼りつく」、「イナゴのようにフェンスに群がる」、「風でバタバタ揺れる」、「風が体を舐める」、「ぼろぼろの制服がなびく」、そして「札が1枚、砂漠を吹き渡る風に巻き上げられる」。強い、激しいといった形容詞は一切使われていない。すべてはアクションとして語られる。状態を描写するのではなく、それが何をしているか描写するのだ。何かをAからBへ動かせと言っているのではない。それが何をしているか活写するのだ。

ペースを正しく

この場合ペースとは、場面の動く速さとリズムのことだ。ペースによっても、動きを与えることができる。ペースは速くも遅くも、牧歌的でも混沌でも、ゆったりとも慌ただしくもできる。ジャンルや物語によって、適切なノリやペースは違ってくる。一般的に、時代劇ドラマよりはアクション・スリラーの方が速くなる。次に紹介する2つを読んで、使われる言葉、文の長さ、台詞やアクションの勢いによって、どのように違ったペースが表現されているか見較べて欲しい。

『ゴッドファーザー』（フランシス・フォード・コッポラ、マリオ・プーゾ）

やがてドン・コルレオーネの書斎が視界一杯に見えてくる。ブラインドは降ろされている。部屋の中は暗い。ブラインドを通して影が模様を落としている。ドン・コルレオーネの肩越しにボナセーラがいるのが見えてくる。トム・ヘイゲンが小さな卓の近くに腰かけて、何やら書類に目を通している。ソニー・コルレオーネは苛立ちを隠しもせずに窓の傍、父の近くに立って、グラスに注いだワインをすする。音楽が聞こえてくる。大勢の人の歓声も外から聞こえてくる。

ドン・コルレオーネ　「ボナセーラ、長い付き合いなのに水臭いな。なぜ今まで私に助けを求めて来なかった。もう、お前の家に珈琲に呼ばれたことも思い出せない。妻同士は仲がいいというのに」

ボナセーラ　「どうしろと仰るんです。何でもしますから、頼みを聞いてください！」

『エイリアン』

リプリー　「待って」

一同慌てて止まり、転びそうになる。
リプリー　「5メートル以内にいる」
パーカーとブレット、網を構える。

リプリー、片手に銛、片手にトラッキング装置。
恐る恐る進む。
いつでも跳び退けるようにほとんどうずくまって。
銛を突き出し、トラッキング装置を頻繁に見る。
装置の表示に従って進むと、隔壁の小さなハッチにぶつかる。
顔を流れる滝のような汗。
トラッキング装置を脇に下げる。
銛を上に向け、ハッチの取っ手を掴む。
勢いよく開ける。
電撃銛を突っ込む。
身が縮むような高音。

ロッカーから跳び出す小さな生命体。
睨む目、跳び出した爪。
反射的に網を投げつける。
そして大いに落胆。
一同、網を開いてそれを解放。
それ、つまり猫。
シャーッ！　唸り跳ね退き、軽やかに逃げ去る。

元気で力強い動詞を使う

修飾語は動きのある動詞と置き換えたほうが良いのはもうご存知だと思うが、どうせ選ぶなら一番効果的な言葉を選ぼう。文が動きだすように、1文ごとに最適な動詞を選ぶ。活動する言葉、エネルギーに溢れる言葉、ありきたりな言葉よりもっと強力な言葉を選ぶ。鐘は鳴るより**響き渡る**。ヘドロは滴るより**垂れる**。パラソルは風で動くのではなく**揺れる**。女はただ泣くより**すすり泣く**。男が走るよりも**疾走する**。ここで動きのある動詞を書かせたら右に出る者のない名人、シェーン・ブラックの見本を紹介しよう。

『リーサル・ウェポン』

ロイド、目を**しばたく**。唾**ごくり**。間。そして……銃を下ろして、溜息。

ロイド「何を聞きたくて来た……？」

マータフ、体の緊張ほぐれる。その瞬間2つの出来事。突然**倒れる**見晴らし窓。ガラス落ちて無数の欠片に**砕け散る**。

次の瞬間ロイドが手にしたミルクの容器が**弾ける**。ミルク**飛散し**、黒いスーツの前面を白く染める。

眉を**ひそめる**ロイド。滴り落ちるミルクに目をやる。ひとつ**瞬き**。見開かれる目。シャツを伝って床に**滴り落ちる**血。

ロイド「ロジャー……！」

息を引き取る直前、マータフの前に身を**投げ出す**。2発目を体に受ける。マータフの身代わり。衝撃で**投げ飛ばされ**、マータフに倒れ込む。息が止まるほど床に叩きつけられる。

更に銃弾、台所を微塵に**粉砕**。陶器の破片、きらきらと**まき散らされる**。**飛び散る**食料品、壁を染める。

読者を釘づけにする

動きのあるト書きの描写で生き生きと語り、読者の関心を意のままに操る。当然、語り口は劇的で効果的なものになる。読者を釘づけにしてしまうような技は、それ以外にもいろいろある。下読みを感動させるチャンスは一度しかないことを忘れてはならない。どうせならすべてのレベルで心に響く脚本を書くべきなのだ。だから、ト書きもおろそかにしてはいけない。

感覚を直撃する言葉

よく書けたト書きの描写とは、厳選された言葉で書かれた描写であると同時に、五感を刺激する描写でもある。自分が選んだ言葉がいかに読者の心を動かし得るか知っているプロの脚本家は、簡潔だがありきたりではない言葉を選ぶ。心に光りを灯す言葉、脈打たせる言葉、血を流す言葉、そして蹴り上げるような言葉。とりわけ視覚、聴覚、臭覚、味覚、触覚の五感を直撃するような言葉だ。だから、ト書きを書くときには、類語辞典は手放せない。とりあえず言葉のチョイスを気にせずに最初の原稿を書き上げたら、今度は踊り出さない言葉を1つずつ感覚を直撃する言葉に置き換えていこう。凝視する、嗅ぎまわる、吠える、噛みつく、濃厚な香り、香しい、苦みばしった、瑞々しい、触れ合う、口づけする、等など。先ほども例に引いたページ・ワン優勝作を見ると、五感を刺激する言葉が多用されていることに気づく。「目に刺さるような、荒地」、「突風がヒュッと」、「重く濡れた音をたてて」、「イナゴのように」、「風でバタバタ」、「血まみれの死体」、「死んだ魚のような目」、「焦げつくような日差し」、「風が体を舐める」、「ぼろぼろの制服がなびく」、「血に染まった紙幣」、「真紅の血がポツ、ポツ」。五感を刺激する言葉が多いほど、読む行為が鮮烈に、真に迫ったものになる。

擬音

擬音、つまり音を模して表現する言葉は、ドサッとか、バシッとか、カチャーンとか、キキキィ等いろいろある。聴覚に訴えるような音。［英語では］このような擬音はそのまま動詞化されることがあり、その場合意味がある程度限定されることがある。例えば鐘ならゴーンと響き、鳥はチュンチュンとさえずり、狼ならアオーンと吠え、風はヒュルルと吹く。ちょっとプロの仕事を見てみよう。

『ブレードランナー』（ハンプトン・ファンチャーとデヴィッド・ピープルズ）

バティ「お前が俺の目を設計したのか？」

チュウ「ネクサス型か？　ネクサスなら、やった」

ガシャン！　自分を見据える目玉に怒りを覚えたレオン、水槽を叩き割る。無礼な目玉が溢れて床に落ちる。

バティ微笑み、自分の目を指さす。

バティ「チュウよ……（グチャッ、グチャッ）お前が作ったこの目で俺が見たものを見せてやりたかった」

グチャッ、グチャッ！　バティの足が目玉を踏み潰しながら、チュウの前を左右に動く。

『セブン』（アンドリュー・ケビン・ウォーカー）

サマセット、ナイトスタンドに、そして木製のピラミッド型のメトロノームに手を伸ばす。錘を外すと腕が左右に振れる。左に**チッ**。右に**チッ**。

チッ、**チッ**、**チッ**……規則正しく刻む。

感情のツボ、再び

Chapter7で解説した感情のツボは、キャラクターがその場面で感じる気持ちのことだった。ここでは「語るな、見せろ」の原則に従って、キャラクターの心の中を行動として見せて、今度は読者の感情のツボを突こう。××と感じているなどと書くより、よほど強烈に感情を刺激することができる。キャラクターが怒っているとき、巧い脚本家なら**怒りを感じさせる動作で表現**する。「彼女は怒っている」などとは死んでも書かない。書くなら「鍋を投げつけて窓を叩き割る」だ。行動は常に台詞より真実を伝えるということを覚えておこう。『恋人たちの予感』でサリーがハリーに「大嫌い」と言う。そしてキスする。真実を伝えているのは、行動、それとも言葉？　もちろん、行動の方だ。行動がその人を表す。サブテクストを隠しているのが良い台詞だとすれば、真意は感情のツボを突く方、つまり言葉ではなく、目に見える行動の方にある。ここで、シェーン・ブラックの『ロング・キス・グッドナイト』を見てもらおう。少女が抱く恐れの感情は一度たりとも書かれていない。しかし見事に表現されている。

部屋の中。ベッドに斑の月影。
小さな女の子が熟睡している。外から聞こえる風の口笛とため息。夢を見ている。
閉じた瞼の下で目玉が動く……ぱっと見開く。押し殺した叫び。
縫いぐるみの熊に手が伸びる。柔らかい声が聞こえる。

声　「シーッ」

ママがいる。ベッドの傍で膝をついて。薄暗い闇の中でぼんやりと。満月の光が片目だけ照らす。きらめく瞳。

女の子　「ママ、山から男たちが……」
ママ　「シーッ、大丈夫、もういないから。
（髪を撫でながら）
ママが居るから大丈夫。誰にも手を出させないから。
大丈夫。怖くない。良い子は寝んねこだよ」
（間）
「一緒に居たら、寝られる？」
女の子　「灯りを消さないで」

◎つっこみとしてのト書き

これは、実際には口に出されない心の中のつっこみ的台詞をト書きとして使って、キャラクターの反応や、別のキャラクターの台詞に対する心の動きを描写する上級技術だ。この技によって、キャラクターの考えを書かずに読者に伝えることもできる。例えばこんな感じだ。

ジョン　「映画に行ってたんだけど」
あっそ。
ジョン　「嘘じゃないって！」

『エイリアン2』（ジェームズ・キャメロン）

ヒックス「そっちじゃない、あっちのトンネルだ！」

クロウ「本当か？　後ろに気をつけろ！　速く進め、バカ！」

ゴーマン、顔面蒼白。困惑。クエみたいに口をパクパク。**さっきまで何もなかったのに、どうして――？**

リプリー「（ゴーマンに）はやく撤退させて！　はやく！」

ゴーマン「うるさい。黙ってろ！」

『恋愛適齢期』（ナンシー・マイヤーズ）

ハリー「へんだな……もう思い出せないくらい長いこと泣いてないのに。これが感動ってやつなんだろうな」

エリカ「（一緒に泣く）わかる。わたしも感動してる」

ハリー「心臓発作の3日後にセックスしても、私は生きてるんだ」

エリカ、一瞬で泣きやむ。**あ、そっち？**

『サイドウェイ』（アレクサンダー・ペイン、ジム・テイラー）

マイルズ「（パニック堪えながら）え、でも、僕はピノ以外のワインも好きだけどね。最近はリースリングにはまってるし。好き？　リースリング好き？　リースリング好き？」

聞きながら彼女の唇に浮かぶモナ・リザの微笑み。**いいから、はやく！**　そして、ようやく――

マイルズ「トイレどこ？」

これと似た技に**括弧入りのつっこみ**がある。この場合、台詞の真意を括弧の中に書いて伝えるということだ。しかし、括弧はなるべく使うべきではないということに変わりはない。会話の表面的な内容だけが読み取られてしまいそうな場合、つまり裏の意味が読み取られない恐れがあるときだけ、そして裏の意味が場面の流れに決定的な意味を持つときだけ使おう。

アラン・ボールの『アメリカン・ビューティ』を見本に使い方を確認しよう。

レスター「いいんだよ、乗せてってあげるから。乗せてあげるよ。車はあるから。一緒に行こうよ」
アンジェラ「ありがとうございます……でも、わたしも車あるから」
レスター「ああ、あるんだ、車。良かったね。なんで良いかって言うと私の娘も、もうすぐ車買うんだよ。（ジェーンに）ね？」
ジェーン「（……**変態！**）ママが待ってるから、はやく」

◎感情的なものを連想させる動詞や形容詞

動きの感覚を彷彿させるような、活力に溢れる言葉の使い方を見てきたが、中には感情的な連想を促す言葉もある。「歩く」と書いたら何の特徴もないが。「闊歩する」、「突進する」、「行ったり来たりする」、「のんびり歩く」と書くと、それぞれ目的の有無、怒り、不安、満足を連想させる。もし自分の脚本に、特徴のない、無表情な言葉を見つけたら、なるべく感情的連想を伴う言葉と置き換えよう。読者があなたのト書きから目を離せなくなること請け合いだ。部屋の中一つとっても「陰鬱」、「清潔」、「落ち着く」、「忙しい」、「吸いこまれそうな」、「静か」、「悪趣味」等、いろいろだ。

目に見える象徴

物語をさらに感情的に深める効果的な方法の1つとして、視覚的な象徴性を持たせるという技がある。これは意識下で機能する技で、習得が難しい上級テクニックだ。視覚的な象徴性を与えるものには、隠喩と明喩、象徴とライトモティーフ、色彩、天候がある。

暗喩と直喩

ト書きに活を入れたいときは、暗喩と直喩だ。本書は上級者向けなので、暗喩と直喩の意味するところは知っていると思うが、一応説明しておくと、どちらも2つのものを比較して関係性でなぞらえる修辞法のことだ。直喩は比喩を明示して「〜のようだ」とする。例えば「人生は感情という水の流れる川のようだ」。一方、ずばり「人生は感情という水の流れる川だ」というのが暗喩だ。直喩や暗喩を巧く使えば、下読みが毎日読まされているつまらない脚本に較べて、ずっと鮮やかに物語を語ることができる。ジョン・オーガストの『ビッグ・フィッシュ』にこんな表現がある。「20階も落下したエドワードの心」。これはもちろん、エレベーターに乗ったまま20階も落下したかのようなエドワードの落胆を、間接的に暗喩で示しているのだ。「エドワードの心は、まるで20階も落ちたかのように感じた」と書くよりよほど新鮮だ。もういくつか見本を紹介しよう。

『タクシードライバー』（ポール・シュレーダー）

ベッツィーはトラビスの本性が今ひとつ掴めない。どんな人？　知りたい。じりじりする。**火に引き寄せられる蛾のように。**

――

トラビスの冷たい目。パランティーン候補の事務所の向いに停めたタクシーの中から射るような視線。遠くから**文明人が囲んでいる暖かい焚火を見据える1匹の狼のように。**

『**アメリカン・ビューティ**』

キャロライン「今日こそ、この家を売るから」

まるで**脅すような**声でそう宣言すると、鏡の曇りに気づいて拭う。

外景　売り家　玄関　少し経ってから

玄関の扉が開いてキャロラインの顔が覗く。その笑顔。**エスキモーにも氷を売りつけられそうな笑顔。**

『**サイドウェイ**』

電話が鳴る。不吉な音。男2人、沈黙して見る。

マイルズ「出るなよ」

しかしジャックは電話に手を伸ばしてしまう。**何か奇妙なロシアン・ルーレットに引き寄せられるかのように。**

象徴とライトモティーフ

象徴というのは、何か目に見えるものを使って、連想または約束事によって別のものを表現することだ。例えば、鷲といえばアメリカ合衆国。ライトモティーフは、あるキャラクターが再登場、または状況が反復される度に聞こえる決まったメロディのことだ。例えば『ジョーズ』の「ダ・ダン、ダア・ダン」。音楽ではなくて脚本に使われるライトモティーフは、あるキャラクターや状況に関連づけられて**反復的に表れる象徴**のことを指す。例えば『アメリカン・ビューティ』の薔薇の花びら。象徴、特に主題を反映する象徴は、物語を力強く画で語る手段となる。例えば『ロッキー』のオープニングを思い出してみよう。キリストの絵が描かれた「復活拳闘クラブ」の看板。ゴロツキからチャンピオンへの転生を遂げようとするロッキーを明確に象徴している「「復活」は処刑後復活したキリストを指す」。『白いドレスの女』のオープニングで、夜空に燃えさかる炎のイメージは、情熱を象徴している。『カサブランカ』で使われたライトモティーフは、飛行場の標識灯だ。標識灯がリックの店を舐めて照らす度に、刑務所の監視塔を彷彿とさせ、街から逃げ出せない登場人物の心理状態を表している。

色彩

色彩も、象徴性を持ち得るし、ライトモティーフにもなる。『アメリカン・ビューティ』の見本で明らかなように、赤が興奮、活力、欲望、情熱の象徴として使われている。それ以外にも赤は、熱、愛、危険、暴力等、強烈な何かを象徴する。『アメリカン・ビューティ』全編に赤が配置されているのは偶然ではない。黄色は、幸福、理想、想像、希望を象徴する。青は、平和、閑静、調和、冷徹、テクノロジー、そして消沈の象徴。緑は、自然、健康、息吹、若さ、豊穣、嫉妬、そして不幸。もちろん白と黒も忘れてはいけない。白は、純粋、単純、清廉、誕生、冬、清潔、少なくとも西洋文化では婚姻、そして東洋の一部では死。黒は、権力、品格、富、神秘、邪悪、匿名性、喪、そして西洋では死を象徴する。

天候

天候や自然現象も、作品の主題やキャラクターの感情を力強く象徴させる道具になる。波や風、熱、霧といったものが持つ象徴性を考えてみればわかる。それぞれ、愛情、情熱、憎悪、恐怖を象徴し得るのだ。

このように視覚的な象徴は物語に力を与えてくれるが、派手に使うと失敗する。さらりと溶け込むように使われるから読者の意識下に魔法をかけられるのだ。中には鋭い下読みもいて、あなたの技巧に賞賛の念を抱くかもしれない。しかしおそらくほとんどの人は、こめられた象徴性に気づかないままに、影響を受けているはずだ。

適切な気分とトーンを作る

気分、それはあなたが語ろうとする物語や場面を表す感情的な空模様とでも言おうか。だから、連想によって読者の心を特定の気分に向ける言葉を選び、そして読者の関心を掴めればしめたものだ。これから始まる物語の気分を、脚本の出だしで見事に表しているのが『白いドレスの女』だ。「夜空に燃えさかる炎」という視覚に訴える挑発的な書き出しで始まることで、ラシーンという男がこれから体験する情熱と悪意を象徴的に示している。ローレンス・キャスダンは脚本を通じて扇情的な言葉を散りばめている。「燃える」、「滴る」、「下着を履く」、「火」、「暑い」、「エアコン」、「髪に熱風を吹きつける」、「地獄の釜のような暑さ」、「汗ばむ」、「じりじり熱い」、「ほっと一息」、「50年ぶりの暑い1月」といった表現は、この古典的なスリラーにぴったりなのだ。コメディを書くなら、軽快なトーンを保つのが良い。ユーモアを滲ませる言葉を選ぶわけだ。

スタイルとジャンルに合わせる

脚本の主題やジャンルに合ったノリや気分というものがあるのなら、ジャンルに合った話術というものもある。スリラーを書いているなら、先の読めないスリルに満ちているべきだ。アクションなら躍動的な書き方、コメディなら、当然面白可笑しく書く。文章のスタイルとジャンルが一致することが、大事なのだ。脚本家の卵がしばしば犯す失敗は、誰か1人の脚本家からスタイルを盗んで、ジャンルを無視してそのスタイルで書いてしまうことだ。これをやると、感情的な不協和音が発生する。良く書けているのに、違和感を持たれてしまうのだ。だから、ちゃんと適切なジャンルに合わせること。秘訣があるとすれば、そのジャンルで特に巧く書かれた脚本をじっくり読んで、話術を盗むことだ。

キャラクターの描写

「小は大を兼ねる」という鉄則が威力を発揮するところがあるとすれば、キャラクターと場所に関する描写だろう。平凡な形容詞は避けること。「美しい」、「可愛い」、「背が高い」、「日に焼けた」、「ハンサム」。平凡だ。代わりに、最低限の言葉を駆使して、読者の心にもっと興味深い人物像が浮かび上がるように書こう。そのキャラクターの人格や態度が凝縮された本質を書くのだ。何を言っているかというと、キャラクターの服装やら体格やら髪の毛の色の描写に言葉を無駄遣いするな、ということだ。足が不自由といった特徴は話が別だが。キャラクター描写は簡潔が理想。そのキャラクターの本質を突くような興味深く目新しい描写であれば、なお結構。簡潔なキャラクター描写の世界記録は、最近まで『白いドレスの女』のローレンス・キャスダンが持っていた。ミッキー・ローク演じるキャラクターを指して一言、「テディ・ルイス、ロックンロール放火魔」。英語ならたった4語のこの描写に、すべてが詰まっている。何を生業にしていて、どのような態度で生きている男か。刺青やピアスといった服装の趣味も目に浮かぶ。これを破った世界記録は、『甘い毒』を書いたスティーヴ・バランシックが保持している。「ブリジット・グレゴリー、ビッチ・サーカスの座長・女神」。英語だと、これはたった3語に収まる。脚本を書くときに絶対に覚えておくと得なのは、仄めかしは説明よりも読者の心を奪うということだ。少なすぎは多すぎに勝る。もういくつか見本を見ておこう。

『サイドウェイ』

新郎。成功したビジネスマンの誇りを静かに湛える。大学ではフットボール、冬はスキー、夏はヨット、金のかかるバケーションを楽しむ雰囲気。きっと、高校以来小説なんか読んだこともない。

『テルマ&ルイーズ』

ダリルが階段を駆け下りてくる。合成繊維はきっとこの男のために作られたのだろう。「男物」ジュエリーの山に埋もれている。

『アメリカン・ビューティ』

リッキー・フィッツ、18歳とは思えない年老いた目をしている。禅的な静かさの奥には、傷が疼いている。触ると危ない傷が。

『ロスト・ワールド／ジュラシック・パーク』

ボウマン夫人。痛々しく痩身。目元をいじり過ぎたせいで、常に驚いた顔をしている。

『マトリックス』

ネオ。コンピュータの内側に棲息する若者。外のことは興味がない。

『ショーシャンクの空に』

サミュエル・ノートン看守がぶらりと来る。青白い顔。灰色の制服の襟には教会のピン。きっと小便も氷のように冷たいのだろう。

場所の描写

場所の描写もキャラクターと同じ。最小限の言葉で、その場所の本質を見せる。私の個人的なお気に入りは、

『ショーシャンクの空に』でフランク・ダラボンが見せた「メーン州の景色に生えた石でできた悪性腫瘍」という刑務所内の描写だ。他にもどのような描写が可能か、いくつか見本を紹介する。プロの脚本家になるということは、こういう人たちとしのぎを削るということなのだ。

『ブレードランナー』

屋内　ホテルの一室　夜
不吉な暗闇。危険が潜む。
雑然とした廊下とは対照的に整頓されている。ベッドと衣装簞笥と小さな卓と椅子1脚。スパルタ人的に質実剛健。ほとんど軍人の部屋。

『リーサル・ウェポン』

崖淵に立つ家　昼
海を見下ろすなだらかな崖の斜面に収まる広大なヴィラ。テラス。ベランダ。ガゼボ。イタリア語が似合う。
眼下に広がる海すら安っぽく見える。

『エントラップメント』（ロン・バス）

屋内　インペリアルホテル内のバー　同日
格調高く、褪せることのない、20年代にフランク・ロイドがデザインした内装。調度品の艶。エレガントでクール。１杯嗜むのに最高の場所。商談をまとめ、そして夢を見る場所。

おまけ。プロが教えるコツ

さて、これで皆さんもプロが使うさまざまな技とテクニックを一式手に入れたことになる。格段に向上したト書きの描写によって、読む人の心を躍らせることができるに違いない。忘れないで欲しいのだが、習った技をいつも必ず使わなければならないというわけではない。話術が平均的でも、キャラクターやプロット、あるいは台詞の興味深さで帳消しになっている脚本はたくさんある。それでも、1ページに1箇所、必ず感情に訴える何かを仕込むべきだというのが私の考え方だ。だから、読者を釘づけにするように書くに越したことはないし、書いて損になることはない。さらにト書きの表現を磨くために、ちょっとしたコツを披露しよう。

類語辞典を忘れない

類語辞典なんか持ってないというあなた、この本を置いて、今すぐ本屋に走ろう。類語辞典のない脚本家は、絵の具のない画家のようなものだ。

達人の書いた脚本に学ぶ

プロの脚本家の仕事を読む。これに勝る学習はない。巧みな話術を知りたければ、シェーン・ブラックを読め。ウィリアム・ゴールドマン、ウォルター・ヒル、ジェームズ・キャメロン、ロン・バス、デヴィッド・コープ、リチャード・プライス、フランク・ダラボン、ローレンス・キャスダン、ポール・シュレーダー、テリー・ルッソ、テッド・エリオット、アレクザンダー・ペイン、ジム・テイラー、キャメロン・クロウ、読むべき人は大勢いる。

スポーツ欄を読む

ベテランの脚本家に、躍動的で活力溢れる言葉を拾いたければ新聞のスポーツ欄を読むと良いと教わった。「蹴り上げる」、「叩きのめす」、「打ち砕く」、「撃沈」等。プロはこのような言葉を覚えておいて、適切なときに使うのだ。

詩の勉強

詩を研究するのも良い。言葉少なに連想と想起を駆使して心に語りかけるそのやり方に学ぶのだ。

実例：ト書き描写の脚本術

巧みなト書きの見本としてすでに多くの脚本を紹介したので、ここで改めて紹介することは避ける。この章で解説した技がどのように使われているか実際に確認したければ、280ページのページ・ワン脚本大賞作品をもう一度読んで、どれだけ技が詰めこまれているか自分で考えてみると良い。何度読んでも私に「オオッ！」と言わせる数少ない描写表現だ。これができれば合格だ。これを目指そう。しかし、最後にもう1つ残っている。脚本執筆で最も難しい要素、そう台詞だ。

CHAPTER 9

DIALOGUE:
VIVID VOICES

台詞
鮮烈な声

台詞で言ってないことを照らすのが、良い台詞なのです。

——ロバート・タウン

台詞の逆説。脚本の中で、一番重要であると同時に一番重要でないのが台詞なのだ。「は？」と思ったあなたに、説明しよう。素晴らしい台詞は不可欠だ。それがなければページから躍り出るようなキャラクターを書くことはできない。共感を誘って目を離せない読書体験を与えることもできない。俳優に出演したいと思わせる決め手も、良く書けた台詞だ。脚本に穴があっても、素晴らしい台詞で誤魔化すことは可能、つまり下読みが上司に推薦する確率も高くなる。そうでなくとも台詞を書くのは難しいので、良い台詞が書けるのは重要なのだ。台詞が良い脚本は売れる。良い台詞が書ける脚本家も売れる。その道の達人は、台詞のブラッシュアップだけで1週間に何十万ドルも受け取るのだ。

以上のことを理解した上で、しかし、台詞はキャラクター造型や物語の構成ほど重要ではないということを知っておこう。あなたが書いているのは映画の脚本、戯曲ではないのだ。映画の脚本は、主に目に見えるものについて書かれるのであって、耳に聞こえるものではない。これは活動写真で、目で見るラジオドラマではないのだ。トーキーが登場する前の20年近く、映画は台詞なしでちゃんとやってきた。ウィリアム・ゴールドマンは、こう言っている。「脚本の中で一番重要度の低いのが台詞という要素だ。映画は物語そのものなのだから、脚本は構成がすべてなのだ」。アルフレッド・ヒッチコックも「映画の中身が固まったら、最後に台詞をつけます」と言っていた。ウォルト・ディズニーも、これ以上物語から削ぎ落とすものがないと確信して初めて台詞を考えたという。プロデューサーたちは、平凡な台詞は後から磨けることを知っているので、台詞以外のすべてが素晴らしければ、あまり台詞を気にかけない。台詞が何よりも重要なわけではないというのは、そういう意味なのだ。どんなに優れた台詞に彩られた脚本でも、他の要素がまずければ煮ても食えない。しかしそのような台詞が書ければ、他人が書いた脚本のまずい台詞を書き直して大金をせしめる、誰もが夢見るポジションを得ることはできる。

結論から先に言うと、台詞は最小限にとどめ、可能な限り視覚に訴えるように物語を語ろう。だからこそ、使うと決めた数少ない台詞は最高でなければならない。何本か書いたことのある人はもうわかっていると思うが、台詞をものにするのは大変だ。実際、有望な脚本家のほとんどは、鼻につく台詞（後で詳しく解説する）しか書けなくて苦悩するのだ。だから、この章では台詞に関する技を紹介する。眠気を誘うような台詞を、新鮮で飛び跳ねるようなものに変え、読者の心を奪うのだ。

基本：台詞について知っておくべきこと

脚本セミナーや指南書は、台詞を書くということの表面しか齧らない。大抵が規範の押しつけにすぎず、新しいことは教えてくれないのだ。台詞がどうあるべきか書いてはあるのだが、どうやるとそう書けるのかは教えてくれない。おそらく、台詞の書き方は教えようがないと信じられているからだろう。いい台詞を聞き分ける「耳」があれば書けるし、なければ書けないというのも、あながち嘘ではない。「素晴らしい」台詞の書き方は教えられない。でも「良い」台詞くらいなら教えられないということはない。ベテラン脚本家がどのように上手な台詞を組み立てているかをしっかり分析すれば、初心者でも巧い台詞を見分けられるようになり、改稿のときに自分の原稿にその技を適用できるようになるはずだ。

最高の台詞の特徴

さて、素晴らしい台詞とはどんなものを指すのか。個人的な主観でものを言いたくないので、書籍、セミナー、雑誌、インターネット記事を参照し、さらに下読み、プロデューサー、エージェント、俳優、もちろんプロの脚本家たちにも話を聞いて、それをまとめた。伝統的な台詞の役割は次の3つ。プロットを進める、キャラクターを立たせる、説明的情報を与える。しかし、調査の結果それを遥かに超えた素晴らしい台詞の定義になったと思う。

現実感を出す

素晴らしい台詞の第一の条件は、そのキャラクターが、実在して本当に話しているかのようにもっともらしく聞こえるということだ。嘘っぽくてはいけない。本当らしく聞こえる。脚本を読む人に、誰かが書いた台詞を読んでいると思わせないほどに自然。無理やり言わされている不自然さのない台詞。ここで忘れてはいけないのは、台詞は実際の話し言葉とは違うということだ。現実の喋りというのは、不要な繰り返しがあり、継ぎ接ぎにしたような文章が、無駄な言葉を含みながら勢い任せに吐き出されるものだ。映画が人生を模したものであるのと同じように、映画の台詞は現実の話し言葉を模したもの。本当の意味が判然としない混沌である人生を、そのまま記録したら映画になるわけではない。凝縮され、構成された意味のある人生の一欠片が映画なのだ。台詞も同様。蒸留され、純度を高められたリアルさによって話し言葉を伝えるのが台詞なのだ。つまり、日常会話から重複を抜き、支離滅裂な部分を取り、無用な間やてにをはの誤り、言葉の欠落をなくしたものなのだ。台詞の技を使えば、映画のキャラクターはもっともらしさを維持したまま、より凝縮され、焦点が合ったことを言えるというわけだ。

台詞でキャラクターを定義し、立てる（話者も相手も）

これが巧くできれば、ページから踊り出すようなキャラクターが書けるし、トップの俳優に是非出演したいと言わせることも夢じゃない。脚本家が理解しなければならない重要なことは、キャラクターは喋ることでそのキャラクターになるということだ。人が話すという行為によって定義されるのであれば、キャラクターの人格、態度、価値観、社会的背景といったものを定義するのが素晴らしい台詞ということになる。同じことをト書きで説明してはいけない。

情報を間接的に伝え、キャラクターを動かす

これは台詞に課された最も一般的な役割だ。そして素人の脚本に書かれた台詞は、この役割しか果たしていないことが多い。そうなると脚本は平凡になり、あからさまに説明臭い台詞が「鼻につく」と思われてしまう。素晴らしい台詞なら、キャラクターを動かしプロットを前に進める情報をさり気なく伝えて、読者の心を奪うのだ。それを可能にする技については、後で「さり気ない説明」の項で解説する。

キャラクターの感情と対立を映す

対立を暴き出し、キャラクターたちの心情を見せてくれるのが、素晴らしい台詞だ。場面内で起きる対立が、行為（物理的な攻撃か妨害）か台詞のどちらかを通してしか生じ得ない以上、台詞に課された役目は重大だ。たとえ冒

険アクションものであっても、ずっと物理的な攻撃続きというわけにもいかない。そうなると、場面に対立を注入し、読者の関心を維持する手段は台詞しか残っていない。そのとき、隠されたサブテクストを巧く使ってキャラクターの気持ちを見せる台詞であれば、「こういう気持ちだ」と口で説明する台詞に較べると遥かに理想的なのだ。

キャラクターの動機を暴く、または隠す

場面内のキャラクターの行動の動機を示唆する、または隠して好奇心を掻き立てるのが、素晴らしい台詞だ。読者に大きなインパクトを与えたければ、動機を直接口で説明するのではなく、サブテクストを介して示唆するべきだ。直接言ってしまったら、鼻につく台詞になってしまう。サブテクストを忍び込ませる技は、この章で後ほど解説する。

話者と他のキャラクターの関係性を映す

人は、人間関係に応じて話し方を変えるものだ。話者の人間関係を映し出しているのも、素晴らしい台詞の条件になる。ある男が10代の自分の娘に話しかけるとする。同じ男が妻、または同僚と話すとき、喋り方は同じではない。囚人が母親と話すとき、恋人と会話するとき、そして囚人仲間と話すときでは、それぞれ違った話し方になる。人は、いくつかの語彙をセットで持っており、相手または内容に応じて使い分けるものだ。

連鎖反応を起こす

素晴らしい台詞のやり取りを聞くときの楽しみは、1つの台詞が次の台詞に無理なく繋がり、見事に打ち返し合いながら音楽のように場面を流れていくことだ。1つ1つの輪が繋がった鎖を考えてみて欲しい。素晴らしい台詞

のやり取りは鎖のように、次から次へと繋がっていく。何かのきっかけになる言葉が発せられたら、相手はその言葉を繰り返したくなる。自分の考えを返して会話を繋げたい気分にさせられる。または反論したくなる。そうして対話は繋がり続ける。例として『カサブランカ』の台詞の応酬を1つ見てみよう。この応酬では、「感動」と「半分」という普通の言葉が繋げられて、インパクトを生む。リック「いやあ、その男の活動は世界の半分を感動させたからな」。ルノーは答えて、「そして奴が残りの半分を感動させないようにするのが私の任務なのだよ」。

今後の展開を予感させる

読者の心に、先の展開をさり気なく感じさせるのも素晴らしい台詞のなせる技だ。これからの展開を予感させる最も効果的な方法であると同時に、読者に失うものの大きさを思い出させる効果的な手段でもある。

ジャンルから外れていない

脚本があつかうジャンルに対して適切なのが、素晴らしい台詞だ。コメディを書いているのなら、ほとんどの台詞のやり取りは可笑しいか、ウィットに富んでいるはずだ。スリラーやホラーならば、張りつめた、腹に直接伝わるような台詞が、緊迫感を増幅するはずだ。

場面の内容から外れていない

素晴らしい台詞はジャンル的に正しいというだけでなく、個々の場面に対しても適切なものだ。場面にもいろいろな種類があるということはChapter7でみたとおりだが、台詞によって展開していく場面の場合、牽引していく要素は対立、状況、そして信念の3つになる。対立が牽引していく場面では、台詞は対立の元となるものや障害物と衝突する。対立の元は当然すでに導入されており、その場面内のキャラクターの言動から滲み出てくるようになっている。状況が牽引していく場面では、台詞は過去に起きたことへの反応、場面内で起きていることへの反応、またはこれから起きるであろう何かへの反応という形で成立する。過去に起きたことというのは、バックストーリーなどとして紹介されたものになる。最後に、信念に牽引される場面。この場合は、主題、信条、キャラクターが信じる何かを反映した台詞になる。

◎能動的で目的に向かっていく

そして何より、素晴らしい台詞は、能動的にその場面の持つ目的に読者を導いてくれる。だから、すべての台詞は即ドラマなのだ。消極的な台詞では、そうはいかない。「簡単には手に入らない何かを求めるキャラクターがいる」。劇的な場面の本質は、これ以外にない。効果的な台詞を書くためには、このことを忘れてはいけない。何かを手に入れようという目的を持ったキャラクターが取れる手段は、行動か台詞の2つしかない。むしろ、能動的な台詞の応酬というのは、劇的な行動の一形態だと見る方が良い。アクションする言葉。場面内でキャラクターが欲しいものを手に入れるための手段としての言葉。台詞に問題の多い素人が書いた脚本を見ると、受動的な台詞が書かれた場面が多すぎる。目的のない台詞。キャラクター自身の目的達成に何の訳にも立たない台詞。説明的、あるいはただのお喋り、またはお行儀が良すぎ。言い換えれば、枯れ木のように死んだ台詞なのだ。受動的な台詞があちこちにあること自体に問題はない。能動的で劇的な台詞とのつり合いを取る必要はある。しかし、台詞を能動的にすることで生じるインパクトの魅力は知っておこう。能動的な台詞を投げつけられた相手は、感情的に反応せざるを得なくなる。だから劇的なのだ。そう、能動的な台詞とは相手を操ろうとする台詞なのだ。素晴らしい場面のほとんどは、キャラクター同士が欲しいものを手に入れるためにお互いの腹を探り合う状況なのだ。相手と対立するような台詞を投げかけて交渉し、なだめ、おだて、脅しながら、駆け引きを展開していく。同情的で、うんうんと話を聞いてあげる優しい会話ではドラマにならないのだ。能動的な台詞の応酬が劇的な行動の一形態というのは、そういう意味だ。言葉は行動であり、場面内でキャラクターが欲しいものを手に入れるための手段なのだ［日本社会では例えば「目下は目上に××してはいけない」といった慣習があるので、同じようにはいかないかもしれないが、そこはそれなりにやりようがあると思われる］。

感情的なインパクトを持っている

台詞というものになくてはならない重要なものは、感情的反応だ。不幸にも、素人の書く脚本に一番欠けているのが、感情的反応を引き起こす台詞なのだ。素晴らしい台詞を読んだ読者は、必ず深い満足を覚える。達人が書いた最高の台詞を読めば一目瞭然。グッと迫るものがある。ウィットがある。きらきら輝く何かがある。ページからはみ出す勢いがある。ともかく面白い台詞。予測不可能な台詞。好奇心を掻き立てる台詞。笑いを誘い、緊張を煽り、期待に胸を膨らませる台詞なのだ。

やってはいけない台詞の失敗

以上、良い台詞を書くための条件を解説したので、今度は初心者の脚本に最も普通に見られる良くない台詞の特徴に目を通して、同じ轍を踏まないように気をつけよう。

硬い台詞

滑らかさがない。手際が悪い。なぜこの手の台詞は流れるようなスムーズさがないのか。それは、もっともらしく聞こえないからだ。読んだ瞬間、普通の人がどのように喋るか聞き分ける耳がない脚本家の仕業であることがばれてしまう。この問題を解消するには、世間の人々がどう話しているか聞き耳を立てるしかない。名手の手本になる脚本、特に戯曲を研究するのも良い。あるいは、この章の「個性的な台詞を生む技」の項に解説されている内容をよく読んで、実践してみることだ。

不自然な台詞

作り物臭い。わざとらしい。言葉遣いがちゃんとしすぎて、学者か知識人に聞こえる。文の構成もてにをはも完璧、脱落する母音もない。高等教育を受けたキャラクターなら、それでも良い。しかし、ほとんどのキャラクターはそのようには喋らない。かっちり書かれた台詞そのものに読者の関心が向いてしまい、フィクションの世界に浸りきることの妨げになってしまう。そしてこれも、お気に入りの言い回し、断片的な話し方、不完全な文、重複、間違ったてにをは、専門用語や業界用語といった「個性的な台詞を生む技」で紹介する技を使うことで改善できる。

説明的すぎる台詞

重要な情報を、そうと悟られずにさらりと提示するには、どうするか。読者の関心を失わずに重要な情報を紛れ込ませるには。そして、説明臭くならないようにするには。これは脚本家にとって最も難しい難関の1つだ。脚本家の卵に一番よく見られる欠陥だが、プロにとっても簡単ではない。昼メロの類を見れば、大量の説明が台詞によって伝えられるのを聞いたことがあるだろう。「ショッピングモールでキンバリーを見たよ」、「え、殺人容疑で裁判にかけられたけれど、トゥインキーの食べ過ぎで情緒不安定が認められて無罪になったお母さんの前夫が検事で、でも今はその検事の弟と結婚してて、でも弟の前妻の息子のジェイクの子どもを身籠ってるっていう、あのキンバリー⁉」。これは「君も知っていると思うが、ボブ、私がお前の父親だ」という台詞にちなんで「アメリカの」物書きの間では「君も知っていると思うがボブ台詞」として知られている。わざとらしいことこの上ない「説明しようもないことを、いかにも当然のように説明せずに納得させようとするような目的も持つ。いずれにしても、わざとらしい」。初対面でもないのに、自分が誰で、どこから来たなどとわざわざ告知すれば、それはわざとらしい。説明を滑り込ませるには、対立によって読者の注意をわざとそらし、気づかれないように説明を飲みこませるという手を使う。他の手法は「さり気ない説明の技」の項で解説する。

鼻につく台詞

初心者の脚本につきまとう問題の1つに、「鼻につく」台詞がある。説明的すぎる台詞の次にやってはいけないことだが、聞き覚えがあるのではないか。覚えのない人に一応説明しておくと、直接的でいわゆるそのまんまの台詞、キャラクターが自分の考えや感じたこと、発言の意味を伝えるような台詞のことだ。逆に「鼻につかない」のは、キャラクターが言わなかったことを照らす台詞、言葉の裏を見せる台詞だ。説明台詞と同様、多層的な深さを持つ意味の中に偽装するのが巧い手だ。結果として読者は満足を味わうことになる。この場合もサブテクストを利用するが、詳細は後ほど。

驚きがない台詞

脚本の酷いテレビドラマを見ていて、台詞の続きが読めてしまうようなことがあったら、そこにはこの問題が存在している。例えばあるキャラクターが「愛してる」と言ったとする。それに反応した答えは、十中八九「私も愛してる」だろう。これからテレビや映画を観るときに、意識的に台詞を予想してみるのも面白い。私の最高記録は、4つ連続大当たりだ。予測可能な台詞というのは、要するに脚本家が怠けている証拠なのだ。素晴らしい台詞は、予測不可能であることで感情的な反応を引き起こす。これについても、後でいろいろ技を紹介する。

喋り過ぎるキャラクター

ジョン・リー・ハンコック監督が、こう言った。「上手い役者は喋りたがらないが、下手な役者は喋りたがる」。延々と終わらない長台詞を書いてしまう脚本家の卵たちが、耳を傾けるべき金言だ。長台詞を巧くこなせる人は少ない。台詞を書く脚本家でも、演じる役者でも、演出する監督でも同じことだ。結果は惨憺たるものになりかねない。絶対というわけでもないが、5行以上になってしまったら詰めたり、削ったり、分割することを考慮してもいいのかもしれない。最高の台詞はぴりりと短く、切れ味鋭いものが多い。だからプロの脚本家は、削って削って、改稿中も無駄な言葉を取り去って、あらゆる方法で台詞から贅肉を落として凝縮する。どんなキャラクターでも、多くて3行から4行。それ以上は喋らない。ある脚本家をインタビューしたときに、プロデューサーに「人差し指の法則」

を守れと言われたと教えてくれた。その女性プロデューサーの人差し指の太さを超える台詞は、長すぎるので切るというルールだ。なかなか厳しいルールだが、それを守ることで台詞の質は向上した。ペースは速くなり、台詞の応酬も面白くなったそうだ［英語で描かれた脚本の台詞の一行は非常に短い］。

どの人も同じに聞こえる

サンプル脚本を読んでいると、いつもこの問題にぶつかる。キャラクターが全員同じ喋り方。当然と言えば当然だが、要するに脚本を書いた人と同じ喋り方なのだ。キャラクターを十分に作りこんでいないと、こうなる。自分が書いたキャラクターを知れば知るほど、そのキャラクターの台詞は真実味を帯びる。そして独自の声になる。独自の声を与えようと、訛りや土地の喋り方で誤魔化そうとする脚本家もいるが、それでは足りない。なにより必然性のない訛りは通用しない。腕の良い脚本家はキャラクターを十分に立てる他に、話し言葉のリズムや、抑揚、気持ちの入り方によるテンポの違いなどにも注意を払う。実際にどうやるかということは、後で解説する。

名前を繰り返す

「タラ、待てよ……ボブ、俺に指図するな……タラ、聞いてよ！」ときとして、キャラクターの素性を明かすために名前が言及されなければならないことがある。発話のリズムに必要なこともある。同じ場面に2人以上いるときに、誰に向かって話しかけているか明確にしたり、感情的なインパクトを持たせるために名前を呼ぶこともある［日本はアメリカ等ほど相手の名前を呼ばない傾向が見られるので注意］。しかし同じ名前が何度も繰り返し出てくるのは、問題にもなり得る。第一に、くどい。ボブがタラに話しかけているのが読者にとって明白なら、わざわざ名前を呼ぶ必要はない。第二に、一言喋るごとに名前を呼んでは不自然で硬い台詞になってしまう。直すのは簡単。脚本に目を通して、要らない名前は消せば良い。

つなぎの言葉

「つなぎ」の台詞は、英語では「ハンドル」とも呼ぶが、具体的には「しかしながら」、「それで」、「ええっと」、「だから」、「でもさ」、「そういや」、「だって」、「まあ」、「いや、でも」、「あ、そうなんだ」といったものを指す。名前と同じで無駄なつなぎ言葉は削除して、台詞をすっきりぱりっと仕上げよう。台詞のバランスにつなぎが必要なら消す必要はないが、つなぎを取り去ってみると台詞の応酬の切れ味が劇的に増すのでお勧めだ。

雑談

日常の会話の中で普通に交わされるやり取り、例えば「ああ、どうも……元気?」のような台詞。初心者の脚本に頻繁に見られるが、この手のやり取りが場面に付け足すものは何もない。だから切ること。良い台詞というのは的を絞った短いものなので、劇的でもなんでもない雑談が入る余地は存在しない。実際の会話というものは、腰を折られたり、方向転換していくものだ。気づくと明後日の方向を向いている。人生は長いからそれも構わないが、2時間以内に物語を語ろうとしているときは寄り道せずに、即座に言いたいことに斬りこむ方が良い。段取りどおりに喋っているように見えてはまずいので、すべての台詞の応酬には何らかの対立が仕込まれていなければならない。キャラクターたちに情報の奪い合いをして欲しいのだから、迷わず言いたいことを言っても、直ぐにはその情報を与えない。キャラクターは情報を勝ち取らなければならないのだ。

なくても良い念押し

緊密な台詞の応酬を求めるなら、同じようなことを何度も繰り返す余地はない。「語るな、見せろ」が鉄則だが、語って、しかも見せてしまっては饒舌だ。例えばキャラクターが「俺、お前のことバカなんじゃないかと思う」と言ったとする。俺がそう言う以上、俺がそう思っているのは当然であり、つまり「俺」も「思う」も余計なのだ。「お前バカなんじゃない?」で十分。「バカじゃね?」で足りる。同様に、怒っているキャラクターを指して、台詞で「怒っている」と言わせるのは余計だし、銃を持っている人を見せながら「あ! 銃を持ってる!」と言わせるのも余計だ。

訛りと方言

キャラクターに個性を与えるために、台詞を訛らせたり、方言の音声を文字で再現しようとする脚本家も多い。そのとき、それを読まされる人の気持ちまで考慮する人はあまりいない。どうやって読むのだろうと考えさせた途端、読む速度が落ちて、フィクションの世界から現実に戻ってしまうのだ。どういう声で台詞を読むかは役者に任せておけば良い。脚本の段階で重要なのは、その訛りや方言の手触りを巧く捉えて言い回しとして表現することで、一音一音正確に書き写すことではない［英語でこれをやると大変読みにくくなるが、一見効果的なのできっと試す人が多いのだろう。例「forget about it」→「fuggedaboutit」］。この件に関しても「個性的な台詞を生む技」の項で詳しく解説する。

外国語

中には、外国人のキャラクターを登場させて、その国の言葉で台詞を書く脚本家もいる。その場合、外国語台詞の後に翻訳された台詞を書く人もいるが、自分で調べろと言わんばかりに補足しない人もいる。どちらにしても、下読みにとっては厄介な問題になるのでやってはいけない。このような場合、台詞は誰でも読める言葉で書いて、ト書きにフランス語で喋ると指定するか、台詞の前に（フランス語）と書く。

技巧：鮮やかな台詞を書くために

素晴らしいと言われる台詞を書くためにクリアしなければならないハードルと、是非避けたいよくある失敗の数々をご理解いただけたところで、プロの技を使って一段高いレベルに登るためには何を知っていればいいのか、探っていこう。わかりやすいように、「感情的なインパクト」、「個性的な台詞」、「さり気ない説明」、「サブテクスト」という4つの分野に分けて説明する。

感情的インパクトを与える技

感情的にインパクトを与えなければ、良い台詞ではない。素人でそれを理解している人は少ない。素人は、プロットを伝え、キャラクターの人格を表す道具としてしか台詞を見ていない。そうして書かれた硬くてつまらない台詞の山が、脚本全体をつまらなくしてしまう。一方感情を湧き立たせるような台詞は、読者を泣かせ、笑わせ、緊張させ、あらゆる感情を体験させて、平凡な脚本を一段高いものにしてしまう力を持っている。そんな台詞が書ければ、台詞のリライトでたんまり儲けることすらできる。だからこれから紹介する、感情をより強く刺激する台詞を書くための25の技を、しっかり覚えて欲しい。

つっこみ返し

何かの質問や発言に対する、気の利いた鋭い一言。それが巧くつっこみ返しとして機能するためには、最初の発言よりも切れ味が鋭くなければいけない。『リーサル・ウェポン』や『48時間』、『ラッシュアワー』等、お互いを煙たがる2人がいじりあいながら行動するバディものでは、一般的に見られる手法だ。テレビの「チアーズ」、「そりゃないぜ!? フレイジャー」、「となりのサインフェルド」といったコメディ番組は、想像力を刺激されるような素晴らしいつっこみ返しの宝庫だ。ここでも少し見本を紹介しよう。

『エイリアン2』

ハドソン［男］「おいバスケズ、お前、男に間違われたことあるよな？」

バスケズ［女］「ない。**お前は？**」

『イヴの総て』（ジョセフ・L・マンキーウィッツ）

ビル「なぜ邪魔をするんだ？　私の仕事がどうなってもいいのか？　君には、人に対する思いやりというものがないのか?」

マーゴ　「**人?　誰が?**　あなたが人なら、いくらでも思いやってやるわよ!」

『天才アカデミー』

ケント　「新入りの大当たりってのは君のこと?　それともハズレ?」

ミッチ　「どういう意味?」

ボウディ　「大当たり。超天才。12歳の天才児って君だろ?」

ミッチ　「15歳だけど」

カーター　「15歳?　**体が置いてきぼりじゃん**」

『アニー・ホール』

アニー　「で?　映画に行くの?　行かないの?」

アルヴィ　「やめよう。途中から入るのはムリ。僕はケツの穴小さいから」

アニー　「**そんな上品なものじゃないでしょう、**あなたは」

スイッチを入れる台詞

これは、私が個人的に好きな台詞の技だ。その名が示すように、この手の台詞は話しかけられた相手の心のスイッチを入れる。一撃必中、言葉の榴散弾だ。投げつけられた相手の感情に必ず強い反応を引き起こし、読んでいる方の心にもがっちり引っかかる。好きな映画の台詞を思い出してみると、その多くがスイッチを入れる台詞であることに気づくはずだ。「あなた、あまり賢くないでしょう。そういう男、好きよ」(『白いドレスの女』)。「正直言わせてもらうとね、どうなっても知らん!」(『風と共に去りぬ』)。「お前ごときに真実が手に負えるものか!」(『ア・フュー・グッドメン』)。スイッチを入れる台詞は、特定の目的を持ってキャラクターの口から飛び出してくる。傷つけるため、蔑むため、混乱させるため、魅了するため、喜ばせるため、誘惑するため、そして驚かせるため。キャラクターが何か言うときは、必ずその目的を考えよう。もし考えつかなかったら、その台詞は削除すべきかもしれない。

『アメリカン・ビューティ』

キャロライン「ね、全部ちゃんと見たわよ、**1回も失敗しなかったわね!**」

[娘のチアリーディングを見にきたはずの母が、失敗があったのにこの発言]

『イヴの総て』

マーゴ「イヴ、素敵なスピーチだったわね。でも私たちのことなら心配しないで。その心を持って**どこへでも消えるがいいわ**」

[「私の心はいつも皆さんと共にあります」という受賞スピーチに対する当てこすり]

『恋愛適齢期』

ハリー「ほお、完璧じゃないか、このビーチハウス」

マリン　「でしょ。母は何をさせても完璧に仕上げないと気が済まない人だから」
ハリー　「[マリンを見ながら]　**そういうことか**」

『羊たちの沈黙』
レクター　「彼はどうして皮膚を剥いだと思う、スターリング捜査官。君の鋭い洞察力を披露してくれ給え」
クラリス　「興奮するから。連続殺人者は大抵、被害者から何らかの戦利品を集めるから」
レクター　「私は集めないが」
クラリス　「**だって、あなたは食べてしまうから**」

『恋愛小説家』
キャロル　「上がって。**で、自分らしくしないで**。全部台なしになっちゃうから」
——
キャロル　「あなたが初めて朝ごはんを食べに来たとき、かっこいい男の人って思った。**でもその後、喋ったから……**」

皮肉

平坦な台詞に活を入れるのに皮肉は良く効く技だが、言わせるキャラクターの性格から外れないように注意が必要だ。ユーモアも似たようなものだが、皮肉のセンスが備わっていない人に皮肉を教えるのは難しい。皮肉は、皮肉られた相手を侮辱したり嘲るのが目的なので、スイッチを入れる台詞と近いものとして機能する。ただし、スイッチを入れる台詞は必ずしもネガティブだったり皮肉っぽいわけではないので、注意。

『テルマ&ルイーズ』

ルイーズ　「何であんなバカみたいなことするの?」

テルマ　「バカみたい? 他にどうすればよかったか教えて! **人の頭を吹っ飛ばした後に、どうしていいかわからなくて、ごめんね!**」

『ミラーズ・クロッシング』(ジョエル・コーエン、イーサン・コーエン)

ヴァーナ　「どこに行く?」

トム　「外」

ヴァーナ　「**あまり喋りすぎるなよ**」

『ヴァージニア・ウルフなんかこわくない』(アーネスト・リーマン)

マーサがぴったりフィットのパンツ、胸がこぼれそうなトップで入ってくる。

ジョージ　「マーサ! **教会かい? 上品だね**」

『アメリカン・ビューティ』

レスター「ちょっとヘンだろ？　ファシストっぽくない？」
キャロライン「でも、無職にならない方がよくない？」
レスター「そうか。**じゃあ悪魔に魂売っちゃうか、この際家族みんなで。そっちの方が、都合が良いよな**」
キャロライン「**どうせ大袈裟に言うんなら、もう少し大袈裟にしたら!?**」
「**そりゃないぜ!?　フレイジャー**」**（テレビ・コメディ）**
フレイジャー「父さん、ほら、いい眺めでしょう？　あ、あそこに建ってるの、スペースニードルね」
マーティン「ふうん、教えてくれてどうも。**この街で生まれ育ったのに、今まで見たことも無かったよ**」

並列のユーモア

ユーモアは確実に台詞の応酬に輝きを与えるが、ここではユーモア度を増す3つの技を紹介するにとどめる。最初は、何かを2つ並べることで面白さを引き出す技だ。

「**そりゃないぜ!?　フレイジャー**」
ダフネ「はじめまして。あら、それは何ちゃん？」
フレイジャー「エディです」（犬）
マーティン「エディ・スパゲッティと呼んでます」
ダフネ「**パスタ**好きなの？」

マーティン　「いや、**回虫持ち**なんです」

『ノッティングヒルの恋人』（リチャード・カーティス）
スパイク　「この**ヨーグルト**何かヘンだな」
ウィリアム　「**マヨネーズ**だけど」
スパイク　「ああ」

『シルバラード』（ローレンス・キャスダン、マーク・キャスダン）
（パデンは馬を取り返し、馬にキスしながら再会を喜ぶ）
マーシャル　「ほんとうにお前の馬か？」
パデン　「見ればわかるだろう、この熱愛ぶり」
マーシャル　「そういうふうにしてくれる娘がいたけどな、嫁にはとらなかった」

『アニー・ホール』
アニー　「すごい、とっても清潔！」
アルヴィ　「多分ね、**ゴミ**を捨てないで、ゴミを全部**テレビ**に変えちゃったとかじゃないの？」

対比のユーモア

今度は、2つの対照的なものを、並列ではなく対比させてユーモアを引き出す技だ。

「そりゃないぜ!? フレイジャー」

ナイルズ　「父さんはマリスと馬が合わないんだ」

フレイジャー　「誰が合うか！」

ナイルズ　「え？　兄さん、マリスのこと嫌いなの？」

フレイジャー　「好きだけど……遠くからなら好き。ほら、太陽みたいに。**マリス**は**太陽**なんだよ。**冷たいけど**」

『L．A．ストーリー／恋が降る街』（スティーブ・マーティン）

ハリー・ゼル　「今巻で話題の映画のアイデアが3本ある。その1本をやってみる気はないか？　1つ目、**喜劇だ。夜の闇、2ヵ月後に結婚を控えた女が犯されてる**」

ハリス　「喜劇……？」

二重の意味を持つユーモア

最後に、ダブル・ミーニング、つまり二重の意味を持つ掛け言葉的なユーモア。後でサブテクストのところで、もう1回解説する。では、2つの意味に取れる台詞の見本をどうぞ。

『天才アカデミー』

アサートン「実験室ではもっと自分を**むき出しにして欲しい**もんだな」

クリス「**裸になれ**ということですか？」

『影なき男』（フランシス・グッドリッチ、アルバート・ハケット）

ノラ「ゴシップ紙に、5回も撃たれたって」

ニック「いや、ゴシップ紙には撃たれてない」

［強盗を御用にして翌日の朝刊に書かれたことに関する会話］

「キャロライン in N.Y.」（テレビ）

キャロライン「アニー、アトランティックシティに［カジノに］行ったかと思った。いつ帰ったの？」

アニー「昨夜」

キャロライン「どうだった？」

アニー「**ラッキー**だった！（**ラッキー入って来てアニーにキス、退室**）ンン、バイバイ、**ラッキー**。で、あなたは？」

キャロタイン「デルと大喧嘩して、別れた」

アニー「嘘でしょ？　なんで？　あんなに素敵な**髪の毛**なのに！」

キャロライン「うん、そうだね。でも、何か**ちょっと足りなかった**」

アニー「**生やせば**すむことじゃん」

『羊たちの沈黙』
レクター　「名残惜しいのだが、これから**友人を食事に招いて**いるのでね」

ウィット
ユーモアや皮肉のセンスに有無があるように、世の中にはウィットに富んでいる人とそうでない人がいる。手取り足取り教えることができない「才能」に属するものだが、吸収して練習することで改善はできる。ちょっと見本を見てみよう。

『48時間』
フリッツ　「何だよ、先週も来たばかりじゃねえか。他のやつらに聞けよ。しばらく手は出さない段取りじゃないのかよ？　人が来てるんだよ」
ヴァンザント　「その**良く走る口を停めろ**よ。ちょっと部屋を調べさせてもらうだけだ」

『北北西に進路を取れ』
ソーンヒル　「お名前、伺いましたかね？」
教授　「いや、まだ来てませんよ」
ソーンヒル　「警察の方ですか？　それとも……、ＦＢＩ？」
教授　「**ＦＢＩ、ＣＩＡ、ＯＮＩ……。みんな同じアルファベット・スープのムジナですな**」

［アルファベット・スープ。アルファベット文字型のパスタ入りスープ］

『フロム・ダスク・ティル・ドーン』

セス「お前、そっちの椅子に植わっとけ」

人質「一体私をどうするつもりなんだ……」

セス「**植わっとけと言ってるんだ、植物のくせに喋るな**」

誰か、または何かに注意を促す

何かに注意を促された途端、読者の心に興味が芽生え、期待が高まり、緊張感が走る。例えば『北北西に進路を取れ』の防虫剤散布の軽飛行機の場面。木の影もない広大な農地の真ん中にいるソーンヒルの姿に、読者は好奇心をくすぐられる。それが、「あの飛行機は何も植わってないところに散布してるぞ」という一言で、期待感は一気に緊迫感になる。読者の注意は飛行機に引きつけられるのだ。この技は『羊たちの沈黙』にも使われている。クラリスが第一の犠牲者の解剖に立ち会う場面だ。クラリスが「喉に何か入ってる」と言った瞬間、こちらの注意は喉に向けられる。それが何か知らずにはいられなくなる。

誇張

控え目な表現の対極である誇張された表現は、読者に楽しんでもらうために効果的な装置だ。ここで紹介する見本から明らかなように、誇張表現は比喩であり、真面目に捉えるものではない。

『テルマ&ルイーズ』

テルマ　「困ってる人を乗せてあげて、何が悪いの？　わかんない！　あの男のお尻見たでしょ？　ダリルのお尻はあんなにカワイくないの。ダリルのお尻は、**影に車が停められるくらいデカいの**」

『アニー・ホール』

アニーが車を歩道に寄せて停める。

アルヴィ　「よし、**ここから歩道までは歩いていこう**」

――

アルヴィ　「風呂の中に**ビュイックよりでかい蜘蛛**が！」

［ビュイック＝でかい乗用車］

『恋愛小説家』

キャロル　「耳の炎症で緊急病棟に担ぎ込まれることだってあるんですからね！　月に5回も6回も！　そこで**お医者さんごっこをしてる9歳児**に診られるなんて、まっぴら。さよなら！」

『シャンプー』（ロバート・タウン）

ジャッキー　「振り向かないで、レニー・シルバーマンがいる」

ジル　「誰？」

ジャッキー 「すごい女たらし。もう**200年**くらい私のこと口説こうとして必死」

控え目な表現

誇張をすれば真実が増幅されるが、控え目に言うことで逆にその状況との皮肉なギャップを表すことができる。パニック映画でこの技がよく使われる。例えば『アポロ13』の「ヒューストン、ちょっと問題発生」のように、大問題が発生したとき、または生死のかかった状況で控え目な発言が活きる。

『明日に向って撃て!』(ウィリアム・ゴールドマン)

ブッチ 「あの古い銀行はどうなった? 豪勢な建物だったな」
守衛 「みんなが寄ってたかって強盗に入った」
ブッチ 「あんなに豪勢なら、そんなの**安いもんだ**」

『あの頃ペニー・レインと』(キャメロン・クロウ)

アニタ、母に手を振り、家を出る。車が出ていく。
エレイン 「きっとすぐ戻ってくるわよ」
遠くからから響く娘の嬌声。
アニタ 「ヤッタアアア!」
エレイン 「**ちょっとしたら**きっと……」

『サイコ』（ジョゼフ・ステファーノ）

ノーマン・ベイツ　「母は……今日は**ちょっと調子が悪い**んです」

『ラスト・ボーイスカウト』（シェーン・ブラック）

男が2人ドアへ。ジミーが鍵を出す。

ハレンベック　「刑事が押し寄せて調べるから、勝手にいじるなよ」

ジミー　「はいよ、親分」

ジミー、ドアを開ける。電燈を点ける。立ち止まる。

誰かが計画的に部屋をひっくり返した跡。破壊された家具、破かれた服が散乱。爆撃の跡のような惨状。

ジミー　「ジョー、誰かが先に来て、**勝手にいじってったた**みたいだ」

話を逸らす

突然予告なしに高速道路から下りるようなのがこの技だ。会話の主題から突如外れる台詞の見本をどうぞ。

『アメリカン・グラフィティ』（ジョージ・ルーカス）

テリー　「学校なんかしょっちゅうフケるさ。卒業したら海兵隊に入るし」

デビー　「海兵隊の制服って最高。でも戦争になったらどうするの？」

テリー　「原爆があるのに戦争するバカいる？　皆殺しじゃん。ともかくさ、僕は前線に行きたい。後方支援とかじゃなくて。そこで戦闘が始まったら……」
デビー「エディ・バーンズ、素敵」
テリー、黙る。ちょっと迷子になる。
テリー「エディ・バーン……ああ、エディ・バーンズ。エディにも会ったことあるし」
デビー「**私って本当にコニー・スティーブンスに似てると思う？** コニーの方が好き。チューズデイ・ウェルドは、ビートニックっぽすぎるでしょ？」

「チアーズ」（テレビ）
ノーム「女か！ いなきゃ困るし、**ツマミをよこせ**」
［「いなきゃ困るし、いても困る」という言い回しからの飛躍］

『イヴの総て』
ロイド「彼女は面接の話をしたかったんだな。誰かに謝りたかったみたいだ。マーゴには顔をあわせたくないようだった。私に話してくれたんだが、泣きだして終わりまで話せなかった」
ロイドは窓際でカレンに背を向けて立っている。カレンは興味津々でロイドを見る。話の顛末を待っている。
ロイド「（間があって）**気を悪くしないで欲しいんだが、ちょっと資金繰りの件を調べてみてね……**」
カレン「急に話を変えたわね」

◎不適切な発言または反応

誰かが他の人に何かを言おうとして、あるいは何かに反応して、意図せずに相手を不愉快にさせてしまったり、その場の空気にそぐわないことを言ってしまうこと。

『悪いことしましョ！（2000年版）』（ピーター・トラン、ラリー・ギルバート、ハロルド・ラミス）

キャロル　「エリオット、私、レズなの」
エリオット　「（神経質そうに笑う）いやいや、嘘でしょ」
キャロル、財布から写真を取り出し見せる。
エリオット　**「その男、誰？」**
キャロル　「（冷たく）ダイアン。私の彼女」
エリオット　「あ、ごめん。だって……立派な肩だし」

『フォー・ウェディング』（リチャード・カーティス）

チャールズ　「その後、あのすごい彼女とはどうなった？」
ジョン　「もう彼女じゃないよ」
チャールズ　**「それでよかったんじゃない？　聞いた話だけど、会う男全員とヤルらしいよ」**
ジョン　「彼女じゃなくて、妻になったんだよ」

『L.A.ストーリー／恋が降る街』

ハリス　「日曜船乗りが沖に出て、難破して船を失くしたって。でも大したことないよね。ヨットが買える金があるってことは、失くしたって痛くもない。私みたいなお茶らけ天気予報士の言うことを間に受けるなんて。**会ってみたいね、どこの阿呆だろう？**」

トッド　「この阿呆だ。君はクビだ」

口を挟む

相手を遮るような台詞は、やり取りに緊張感と興奮をもたらす。

『テルマ&ルイーズ』

テルマ　「（地図を出す）ええっと、この81号線って道を通ってダラスの方に行ってから……」

ルイーズ　「**そっちは嫌！　テキサスを通らない道を探して**」

『氷の微笑』（ジョー・エスターハス）

ニック　「私は刑事の……」

キャサリン　「（抑揚なく）**あなたが誰か知ってる**」

そう言って刑事の方は見ずに、水を見る。

相手の台詞を遮って言いたいことを言うことで、可笑しさが出せる。

『ショーシャンクの空に』

アンディとレッドがチェッカーで遊んでいる。レッド、駒を動かす。

レッド「キングに成った」

アンディ「チェス、あれこそ王様のゲームだ。文明的で……戦略的で、しかも……」

レッド「**しかも、意味不明**。オレはチェスなんか嫌いだよ」

羅列

物を羅列したり、連呼することで、劇的な効果を狙う技。フラストレーションの表れであることが多い。

『エリン・ブロコビッチ』（スザンナ・グラント）

エリン「番号？　どの番号が欲しいの、ジョージ？」

［ジョージは電話番号を尋ねた］

ジョージ「何で？　いくつもあるの？」

エリン「腐るほどあるよ、耳から垂れて出てくるほどね。例えば、**10**」

ジョージ「10？」

エリン「そう。例えば10。わたしの赤ちゃんは生後10ヵ月」

ジョージ「赤ちゃん？」

エリン「セクシーでしょ？　他にもあるよ。**5**。もう1人の娘の歳。**7**は息子の歳。**2**は結婚と離婚の回数。**16**は、銀行の残金16ドル。**454-3943**がわたしの電話。いろいろ出したけど、あなたが私に電話する回数は**ゼロ**だから。覚えといて」

『ミラーズ・クロッシング』

トム「おっと、テリー。俺を狙ったわけじゃないよな？」

テリー「**第一に**、何を言ってるのかわからん。**第二に**、もし狙ったなら外すわけがない。**第三に**、ともかく何を言ってるのかわからん」

『悪いことしましょ！（2000年版）』

悪魔「別に不吉なことなんかない。第1項を見て。私、悪魔は、非営利団体の所在地を煉獄、地獄、ロサンゼルスにそれぞれ持ち、あなたに7つの願いを授けるものとする。授けられた願いは、いかようにも使用され得るものとする」

エリオット「何で7？　なんで8じゃないの？」

悪魔「6でもいいけどね。何でかな。7って語呂がいいでしょ。神秘的？　**1週間は7日、7つの大罪、7アップ、7人の小人、**でしょ？」

『恋愛適齢期』

ハリー「明日、説明させてくれよ」

エリカ「どうして？　あなたがお友達と夕食をご一緒してるの見ちゃったんだから、ああいうことがしたいんなら、私となんかうまくいかないでしょ。私は中年女なの。茶色の髪に騙されちゃ駄目。本当は茶色くないの。ほとんど白髪なの。見たら度胆抜かれるから。**コレステロール値**も高いし、毎朝**背中も痛む**し、**更年期障害**も終わっちゃったし、**骨粗鬆症**だし、**リウマチ**も絶対もう目と鼻の先だし、絶対**静脈瘤**も見たでしょ？　だからいい加減目を覚ましなさい、私はあなたが探してるような拾いものじゃないんだから」

暗喩と直喩

ト書きの描写にも役立ったこの2つの文学的な技を使えば、台詞もパワーアップだ。

『あの頃ペニー・レインと』

ママがウィリアムをサンディエゴにあるスポーツ・アリーナに車で送る。外にはコンサート客の群れ。テンション高い。

エレイン（ママ）「見て。全国から馳せ参じた**シンデレラたち**。**でも誰もガラスの靴を履いてない**」

『明日に向って撃て！』

サンダンス　「（クスクス笑い）ブッチ、頭を使えよ。お前頭いいんだから」
ブッチ　「未来が**見えるぞ**。俺以外の全員が**遠近両用メガネをかけている**」

『クルーエル・インテンションズ』（リチャード・カンブル）
キャサリン　「見て、イケメンが**スペシャルオリンピックのハードル選手より速く**走ってる」

『さよならゲーム』（ロン・シェルトン）
エビー　「誰と誰が寝るの？　誰か教えて！」
アニー　「またエビーの**炉心溶解**。落ち着きなよ」

『オースティン・パワーズ：デラックス』（マイク・マイヤーズ、マイケル・マッキュラーズ）
Dr．イーブル　「お前の邪悪さは淡泊すぎる。お前は準邪悪だ。邪悪モドキだ。バターじゃなくて**マーガリン**。**1カロリー**しかない邪悪界の**ダイエットコーラ**。邪悪度が薄すぎる」

『白いドレスの女』
ラシーン　「大丈夫？」
マティ　「（笑いながら）大丈夫。私の体温は2度くらい高めなのよ、いつも38度。気にならないけど。**エンジン**みたいなもの？」

ラシーン「エンジンなら、**チューンアップ**した方がいいかも?」
マティ「あ、わかった。**ぴったりの工具**があるって言うんでしょ?」

同じ構造の文で構成

この技を使うと、台詞の応酬にリズムが生まれ、訴える力も増す。どういうものかと言うと、2つ以上の同じ構造を持つ文を続けるのだ。音楽のように耳に心地よいので、公衆の面前で話す人にはよく使われる技だ。聞いていて気持ちが良くなる。例えばキング牧師の「私には夢がある」という演説や、ケネディ大統領の「国があなたに何をしてくれるのかを問うのではなく、あなたが自分の国にできることを問え」等の古典的な名スピーチの多くは、この技を使っている。

『地獄の黙示録』(ジョン・ミリアス、フランシス・フォード・コッポラ)
カーツ「皆殺しにして**しまえ**。全員焼き払って**しまえ**。**豚という豚**、**牛という牛**、**村という村**、**軍隊という軍隊を**」

『深夜の告白』(レイモンド・チャンドラー、ビリー・ワイルダー)
ウォルター・ネフ「惜しかったね、キーズさん、手際よく要点を全部押さえたと思ったのに。事故じゃない。**よし**。自殺じゃない。**よし**。殺人だ。**よし**。尻尾は掴んだと思ったろ?」

『波止場』（バッド・シュールバーグ）

テリー・マロイ「何もわかってないな、あんた。**俺だって**上に行けたよ。**俺だって**試合に出れたよ。**俺だって**何者かになれたよ。でも結局は負け犬なんだよ」

『ガス燈』（ジョン・ヴァン・ドルーテン、ウォルター・ライシュ、ジョン・L・ボルダーストン）

ポーラ「あなたが憎いのも**頭がおかしくなったから**。あなたを裏切ったのも**頭がおかしくなったから**。幸せではちきれそうなのも**頭がおかしくなったから**。同情の**かけらもない**。後悔の**かけらもない**。出ていくあなたを見て勝ち誇った気分！」

「ギルモア・ガールズ」（テレビ）（エイミー・シャーマン・ポラディーノ）

ローリー「お祖父ちゃん、保険の仕事どんな感じ？」

リチャード「**誰か**死ぬだろ。**金をやるだろ**。**誰か**事故を起こすだろ。**金をやるだろ**。**誰か**片脚を失くすだろ。**金をやるだろ**。」

エスカレートする台詞

その名が示すとおり、この種類の台詞はどんどん激しさを増していく。「事故った！　頭を打った‼　死ぬかも‼」という感じだ。下向きにエスカレートするのもありだ。最初の見本は、上向きにエスカレートしてから、下向きに転じる。

『空飛ぶモンティ・パイソン』

取材の人「ということは、3年間まったくラクダを見ていないと」
ラクダ・ウォッチャー「そう、**3年間**ゼロだ。いや、それは嘘だな。**4年間**。実は**5年間**。わたしは**7年間**ラクダを探し続けている。それ以前は、イエティを探していた」
取材の人「イエティ、それは面白い体験をしたでしょう……」
ラクダ・ウォッチャー「1頭見れば、全部見たようなものだ」
取材の人「ということは、全部見たんですか？」
ラクダ・ウォッチャー「だから……**1頭**見た。いや、**小さいのを1頭見た。写真で見……噂で聞いた**」

『恋愛小説家』

メルヴィン「時間どおりだね、ありがとう。キャロル、サイモンを紹介しよう。例のホモだ」
キャロル「どうしたんですか、一体？　誰かにやられた？」
サイモン「これは……つまり、襲われて。**強盗発生中**の部屋に帰っちゃったんです。**病院送り**になって、ほとんど**死にかけました**」

『あの頃ペニー・レインと』

ペニー「何歳？」
ウィリアム「**18歳**」

ペニー　「わたしも（間）本当は何歳？」
ウィリアム　「**17歳**」
ペニー　「わたしも」
ウィリアム　「本当は**16歳**」
ペニー　「わたしも。ね、嘘ってなんとなくわかっちゃうよね」
ウィリアム　「（白状）**15歳です**」

『摩天楼を夢みて』（デヴィッド・マメット）

ブレイク　「今月の販売実績にはちょっとしたおまけをつけようと思う。**1位の商品**は、知ってると思うが、**キャデラック・エルドラド**。2位の商品を知りたい人（手を挙げる）。**2位の商品はステーキ用包丁セット**だ。**3位の商品**は、**クビ**だ」

（これは「羅列」の技の見本にもなる）

不意打ち

会話の真最中に全く逆方向の思考に走ることで、読者は驚くし、ユーモアも生まれる。脚本を読む人がある方向を向くようにお膳立てしてやる。そして流れを捻って予期せぬ反応を投げつける。期待の逆を行くわけだ。

『恋人たちの予感』（ノラ・エフロン）

ハリー　「ずっと考えてたんだけどさ。つまり何だ、愛してる」
サリー　「え？」
ハリー　「愛してる」
サリー　「どういうふうに反応すればいいわけ？」
ハリー　「え、じゃあ、私も、とかは？」
サリー　「**じゃあ、さよなら！　てのは？**」
（これは「同じ構造の文」の見本にもなる）

『明日に向って撃て！』
ブッチ　「追手をまいたぞ。まいたよな？」
サンダンス　「いや」
ブッチ　「**やっぱり**」

『赤ちゃん泥棒』（ジョエル・コーエン、イーサン・コーエン）
ネイサン　「誰だ、お前？」
バイクの男　「名はレナード・スモールズ。友達にはレニーと呼ばれる。でも、**友達なんかいないんだ……**」

『深夜の告白』

ローラ「あそこにいた。バス停のところ。髪が伸びすぎ、そう思わない？　見て、あの格好。仕事もない。車もない。未来もない。何もない。（間）**愛してる**」

『恋愛小説家』

キャロル「踊る？」

メルヴィン「どうしようか、ずっと考えてた」

キャロル「（立ち上がり）で？」

メルヴィン「**やめとく**」

『空飛ぶモンティ・パイソン』

登場人物Ａ「なるほど……何か隠してますか？」

登場人物Ｂ「いや、いや、いや、いや、いや、いや（間）**はい**」

お膳立てと種明かし

仕掛けはプロットと同じ。何か特に意味を持っていそうに見えない小道具や、キャラクターの身振りが実はお膳立てになっており、後で種明かしに繋がるという技は、台詞にも適用できる。台詞の一言がお膳立てとなって、後で大きな種明かしがあって読者を驚かすことができるのだ。おそらくその最も有名な例は、『カサブランカ』の「君の瞳に乾杯」だろう。パリの回想場面で「君の瞳に乾杯」のお膳立てがあり、最後の別離の場面で一層感情的なインパクトを伴って揺り返してくる。もう1つ忘れられないのは、「容疑者の面通しをするぞ」という台詞。これも物語の前の方でお膳立てがあり、最後により複雑な感情を伴ってクライマックスを飾るのだ。他にも見本を紹介しよう。

『レイダース／失われたアーク《聖櫃》』(ローレンス・キャスダン)

インディ「鞭を渡せ」
サティポ「聖像を投げてよこせ。問答無用。よこせば鞭を渡す」
インディ「鞭を渡せ」
サティポ「**アディオス、セニョール！**」(お膳立て)
サティポは鞭を捨てて出口に疾走。
少しして、インディは頭を串刺しにされて死んだサティポと対面する。地面に落ちていた金の聖像を拾い
インディ「**アディオス、アホタレ**」(種明かし)

『氷の微笑』

ウォーカー刑事「メイドが1時間前に来て、死体を見つけた。住み込みじゃない」
ガス「**メイドの仕業かもな**」(お膳立て)
ウォーカー刑事「54歳で100キロもあるんだよ」
検視官「(真顔)死体にアザはついてない」
ガス「(真顔)**じゃ、メイドじゃない**」(種明かし1)

ウォーカー刑事　「連れの女とクラブを深夜すぎに出たのを最後に、やつの姿を見た者はいない」
ニック　「（死体を見る）凶器は？」
検視官　「アイスピック。居間のコーヒーテーブルに置いてあった。金属性の細い取っ手つき。鑑識が持って帰った」
ハリガン　「シーツに精液が飛び散ってた。逝く前にイッタと」
ガス　「（真顔）**絶対にメイドじゃないな**」（種明かし2）

引き金になる言葉、またはフレーズ

これが巧くいけば、自然な台詞の流れを確保できる。思い起こして欲しい。1つの台詞が次の台詞に無理なく繋がり、見事に打ち返し合いながら音楽のように場面を流れていく連鎖反応。これが素晴らしい台詞の応酬というものだ。この技を使うのは、鎖を繋ぐようなもの。1つの台詞が、何か引き金になる言葉や言い回しをきっかけに次の台詞に繋がり、相手がその言葉を繰り返したり、発展させたり、反対しながら会話を紡ぐ。台詞の応酬のリズムを効果的に作り上げる役に立つので、この技はプロの間では最も頻繁に使われる。

『スリーパー』（ウディ・アレン、マーシャル・ブリックマン）
ルナ　「信じられない、**200年**もセックスしてないの？」
マイルズ　「**200と4年**だよ、結婚してたときも勘定に入れれば」

『カサブランカ』（ハワード・コッチ、ジュリアス・J・エプスタイン、フィリップ・G・エプスタイン）

ラズロ 「なかなか興味深い店だね、**たいしたものだ**」
リック 「**あなたも、たいしたものです**」
ラズロ 「私が？」
リック 「あなたの仕事が」
ラズロ 「ありがとう。**努力**はしている」
リック 「**努力**は誰でもできます。あなたは成功した」

『チャイナタウン』（ロバート・タウン）
ギテス 「今日、マービスタ・インでジャスパー・ラマール・クラブを偲ぶ会が開かれた。2週間前に死んだんだ」
エヴリン 「え？ **何か怪しい**ところでもある？」
ギテス 「奴は2週間前に死んで、先週土地を買ったのさ。**怪しいよ**」

『ノッティングヒルの恋人』
アナ 「**ちょっとの間置**いてもらっていい？」
ウィリアム 「**永久**にどうぞ」

『地獄の黙示録』
ウィラード 「私は**極秘任務**でここに送り込まれました、大佐」

カーツ「もう**極秘あつかいしないで良い**ようだな。あいつらに何と**言われた？**」
ウィラード「彼らが**言うには**、あなたは完全に正気を失っており、あなたの**方法論は不安定**であると」
カーツ「私の**方法論は不安定**だと思うか？」
ウィラード「**方法論？　滅茶苦茶**ですよ、大佐」

『アフリカの女王』（ジェームズ・エイジー、ジョン・ヒューストン）
オルナット「男ってのは、たまにどうしようもなく落ち込むこともあるんですよ。それが**自然**の成り行きってものです」
ローズ「**自然**ですか。人間は**自然を超克する**ためにこの世界に送り込まれたんですよ、オルナットさん」

意外な反応

ユーモアというものは、驚きや予期せぬものから発生するので、この技は笑いを取りにいくときに使われることが多い。名前が示すとおり、キャラクターが予期せぬ反応に出会う。この技を使えば先が丸見えの台詞運びが避けられる。そしてキャラクターの特徴や態度も見せられる。

『あの頃ペニー・レインと』
ウィリアム「わかんないの？　あいつは君をビール1ケースで売ったんだよ！」
（間、そして泣きながら）

ペニー　**「どんな銘柄？」**

『月の輝く夜に』（ジョン・パトリック・シャンリィ）
ロニー　「君を愛してるんだ！」
ロレッタ　**「頭おかしいんじゃないの？」**

『ロング・キス・グッドナイト』
人の好さそうな女の人が手にした高火力のホウキを見て、小さな子どもたちが物珍しそうに寄ってくる。
子ども1　「おばさん、それ本物？」
サマンサ　「（子どもの方は見ずに）違う。玩具」
ヘネシーは頷き、咳払い。
ヘネシー　「そういうこと。この人はミュリエル・ニンテンドー、任天堂の社長だ。ゲーム開発のリサーチ中」
子ども2　**「嘘こけ、バカ。任天堂の社長は荒川實で、40代の男だし」**
ヘネシー　「何だ、このクソガキ……」
サマンサ　「シッ！　うるさいよ！」

『スニーカーズ』（フィル・アルデン・ロビンソン、ローレンス・ラスカー、ウォルター・F・パークス）
コスモ　「俺の友達を殺せるはずないじゃん！　（殺し屋に）**俺の友達殺しといて**」

理屈抜きで本能に訴える台詞

理屈抜きで本能に訴える台詞で、読者の血管に直接アドレナリンを注入する。緊張させたり、怖がらせたり、興奮させるために設計された台詞だ。アクション映画のサスペンス溢れる状況では使われ過ぎている感があるが、これから読んでもらう『氷の微笑』の例のように、焦らすような会話にも応用できる。

コリガン　「ボズさんとはどんな関係だったのか、教えていただけますか?」
キャサリン　「ボズさんとは、1年半くらいセックスする仲でした。**あの男とのセックスはとても楽しかった**」
キャサリンは取調室を完全に掌握している。男から男へと視線を移す。
キャサリン　「(続けて) あの人は新しいことを試すのを恐れなかった。**そういう男が好き。私を喜ばせてくれる男が好き。彼はすごく喜ばせてくれました**」
呆気に取られて彼女を見る男たち。でも彼女はあくまでしれっとしている。

『エイリアン2』
ヒックス　「**そっちじゃない、あっちのトンネルだ!**」
クロウ　「本当か? 後ろに気をつけろ! 速く進め、バカ!」
ゴーマン、顔面蒼白。困惑。クエみたいに口をパクパク。さっきまで何もなかったのに、どうして――?
リプリー　「(ゴーマンに) **はやく撤退させて! はやく!**」
ゴーマン　「**うるさい。黙ってろ!**」

『エグゼクティブ・デシジョン』（ジム・トーマス、ジョン・C・トーマス）

ケイヒル　**「シール材がもたない！　急げ！」**

シューッ！　一際大きくなる音。シール材が外れかけている。トラビス、ふと上に目をやり、気づく。

トラビス　**「ハッチを閉めろ！」**

グランド、腕を伸ばしたまま躊躇。

トラビス　**「これ以上もたない！　はやく閉めろ！」**

繰り返し（反復）

特定の言葉を繰り返してリズムを作り、強調する技。読者に特定の感情を想起させることができる。例えば『逃亡者』（デヴィッド・トゥーヒー、ジェブ・スチュアート）で、脱線転覆した列車の惨状を見たときのジェラルドの驚きの声。「おい、おい、おい、おい、こりゃ酷い！」『リーサル・ウェポン2／炎の約束』（ジェフリー・ボーム）のレオが興奮したときに発する癇に障るような「オーケイ、オーケイ、オーケイ、オーケイ」。『マラソンマン』（ウィリアム・ゴールドマン）のゼル博士の謎めいた「これは安全か？」。同じ言葉や言い回しを反復したり、反響するように繰り返すときに、言葉の順番を巧く変えれば、「国があなたに何をしてくれるのかを問うのではなく、あなたが自分の国にできることを問え」と言ったケネディ大統領のようにウィットに富んだ印象も与えられる。

『サンセット大通り』（チャールズ・ブラケット、ビリー・ワイルダー、D・M・マーシュマン・Jr）

ジョー・ギリス　「あなたは無声**映画**女優だったノーマ・デズモンドさんですよね？　昔は**大**スタアだった」

ノーマ・デズモンド　「今でも**大**スタアよ。**小**さくなったのは**映画**の方」

『吾輩はカモである』（アーサー・シークマン、ナット・ペリン）

ルーファス　「**牛が帰ってくるまで、君と踊り明かしたい**よ。いや、待てよ、**君が帰って来るまで、牛と踊る**方がいいいか」

『パットン大戦車軍団』（フランシス・フォード・コッポラ、エドマンド・H・ノース）

パットン将軍　「いいいか、覚えておけ。**国のために死ぬような馬鹿が戦争に勝った例はないぞ**。**他のカモどもに国のために死んでもらった奴が、戦争に勝つんだ**」

『イヴの総て』

カレン（声）「あれはいつのこと？　どのくらい昔？　生まれる前のことみたいに感じる。ロイドがよく言ってたわね、舞台の上では**人生は季節と同じくらい短く、季節は人生と同じくらい長いって**」

使い古された言葉で遊ぶ

これは、使い古された言い回しを、元の言い方を維持したままちょっとだけ変えて、巧く遊ぶという技。例えば

『リーサル・ウェポン』

リッグス「そういや、さっき俺を撃った奴な」
マータフ「ああ」
リッグス「ロイドを撃ったのもあいつだ」
マータフ「な……本当か？」
リッグス「一度見た**ケツ**は忘れない」
［元「一度見た顔は」］

『或る夜の出来事』（ロバート・リスキン）
エリー「これで、**脚は親指より強し**ということが永遠に証明されたわね」
［元「ペンは剣より」］

『天才アカデミー』

アサートンが日課のジョギングから帰ってくる。完璧すぎて悪目立ちするスポーツブランドのジョギング服上下に身を包み、アクセサリーもそつがない。もちろんちゃんとクールダウンとストレッチも欠かさないところが、バカ丸出し。

クリス「何か話があるんですか、**遠距離走ノ宮様**？」

［元「宮様」的な皇族に対する尊称］

はい、いいえ以外の返答

質問は、説明を紛れ込ませる一番簡単な手段だが、その答えはほとんどの場合「はい」か「いいえ」にしかならない。「はい」か「いいえ」が感情にずしんと響くこともあるが、読者に簡単に先を読まれる平坦な展開になる恐れもある。インパクトのある答えにする方法は2つある。1つは、答えが出ないような質問に置き換えて、反応するキャラクターの内面が見えるようにする。もう1つは、「はい」と「いいえ」に替わる創造的な返し方を考える。例えば「全然大丈夫」、「平気」、「だったらいいよね」、「妄想してれば」、「ありえないし」等。

『サイドウェイ』

ジャック「留守電チェックしてる?」

マイルズ「**憑かれたように**」

『ミラーズ・クロッシング』

キャスパー「わかる? すべてはくっきり明晰だろ?」

レオ「……**泥のように?**」

『シティ・スリッカーズ』(ローウェル・ガンツ、ババルー・マンデル)

ミッチ「カーリー、今日も誰か殺した?」

カーリー「**まだ今日は始まったばかりだ**」

『**クラークス**』（ケヴィン・スミス）

ランダル「ケイトリンに電話したの？　また？」

ダンテ「**あっちから電話してきた**」

ランダル「ベロニカに言った？」

ダンテ「**ベロニカとは1日1回喧嘩したらお腹いっぱいだから**」

『**愛と追憶の日々**』

オーロラ「どうぞ、上がって」

ギャレット「**目に針でも刺した方がマシだ**」

個性的な台詞を生む技

台詞の持つ本質的な機能の1つは、話者の個性や態度にぴったりはまった台詞を言わせることで、そのキャラクターの本性を滲ませることだ。デヴィッド・マメットが自著『True and False（未邦訳の演技論「真実と嘘」）』で、「脚本の中にキャラクターなんかいない。あるのは紙に印刷された文字だけだ。書かれた台詞を声に出して読むのは俳優だ。そのキャラクターは幻にすぎないのだが、脚本を読む人は、声に出して読む俳優を思い浮かべてその「キャラクターの実在感を得る」と書いている。台詞こそが、この幻に命を吹き込む大事な道具なのだ。個々のキャラクターはそれぞれ個別の人格を持っているのだから、それぞれ独自の話し方をするはずだ。全員が脚本家と同じ話し方をするはずがないが、初心者の脚本はそうなってしまいがちだ。

下読みから上がってくる感想の中で一番多いのが、「キャラクターが全員同じ喋り方をする」だ。同じ言い回し、同じ語彙、抑揚まで同じ。脚本では特に独自性が強調されるが、現実の世界でも人はそれぞれ違った話し方をする。訛りとかそういう問題ではない。話すリズム、言葉の品格、表現の仕方、選ぶ言葉、誰一人として同じではない。各キャラクターに独自の声を与えるためには、すべての台詞がその人独自の言葉に乗って独自の思考を伝えていなければならない。独自のリズムで、独自の語彙によって語られているかどうか、全台詞を確認しながら書くのだ。その独自の声が最後まで逸脱せず維持されるように気を配るのも脚本家の役目だ。

キャラクターたちに独自の声を与える技を、いろいろと紹介しよう。

対照的な台詞と文脈

性質の違うものを対照させることで得られるギャップが、読者の関心を引き寄せる力を生む。これは前の章でも解説したとおりだ。キャラクターの性格と態度のギャップ。内包された異なる価値観のギャップ。陸に上がった河童効果を生み出すキャラクターとその人が置かれた環境のギャップ。ここでは、場面の文脈と台詞をとおして現れるキャラクターの感情の対照によって、そのギャップを浮き上がらせる技を紹介する。例えば、大騒ぎの最中に独り落ち着いた声で静かに喋るキャラクター。『チャイナタウン』では、葬式で冗談を言って笑うキャラクター。あるいは、高級なレストランで食事中に父のことを聞かれたエヴリンが、突然震えだし、言葉に詰まる。読者の好奇心は即座に刺激され、エヴリンがギテスから何を隠しているのだろうと勘繰る。『ラスト・ボーイスカウト』では、主人公ハレンベックがチェットとパブロという2人の殺し屋に狙われる。場面の文脈的には生きるか死ぬかという極限状況だが、ハレンベックはまったく動じない。そして脅しているはずのパブロは、完全にパニック状態に陥っている。

『ラスト・ボーイスカウト』

ハレンベック、平手で突く。チェットの鼻の骨、折れて脳に刺さる。チェット、立ったまま憤死。1回瞬きをして、卒倒。

笑っていたパブロ、沈黙。度胆を抜かれてハレンベックを見る。今度はチェットを見る。絨毯の上で死んでいる。

パブロ　「ジーザス！　（銃を抜く）ジーザス！　この野郎！　ジーザス、何てこった、殺しやがった！　殺した！

　死んだぞ、おい！」

ハレンベック無言。さっきまで座っていた椅子に戻る。

ドア開いて、マイロ入ってくる。

上等な服をぱりっと見事に着こなして。

マイロ　「どうした？」

パブロ　「（まだ呆然）こいつチェットを殺しやがった！　ファック！　こいつ殺しやがった！」

マイロ、ハレンベックの方に目を向ける。ハレンベック、黙ったまま前に屈むと、絨毯の上に落ちているチェットのライターを拾う。煙草に火を点け、煙を吐く。

緊張の一瞬……そしてマイロが不意に笑い出す。

クスクス笑いながら奥までくる。

マイロ　「そうかい、なるほどね。ジョゼフ［ハレンベックの名前］、ジョゼフ、相変わらずだな」
マイロ、ワルサーPPKを抜いてハレンベックに向ける。笑顔。楽しそう。
マイロ　「どうやら俺の部下を1人殺してくれたようだが」
ハレンベック　「（肩すくめる）ライターを借りた」

対照的な台詞と感情のテンポ

台詞を対比させたときのギャップによって、キャラクターの台詞を際立たせ、場面内に対立を生み出すことができる。テンポと言えば旋律の速さを示す音楽用語だが、この場合はキャラクターの感情を表す台詞の速さまたは遅さを示す。速ければ、興奮、幸せ、怒り等を感じさせ、遅ければ、悲しみ等を想起させる。そして、速い台詞と遅い台詞、怒りと落ち着きといった具合に感情のテンポを対比させることで、場面がもっと面白くなる。最初の見本ではソニーとヘイゲンの感情的なテンポのギャップ、2番目の見本ではネイサンとサマンサのギャップに注目して欲しい。

『ゴッドファーザー』

ヘイゲン　「先方の言い分も聞かなければ」
ソニー　「いや、コンシリエーリ。今度は聞かない。面会もしない。これ以上ソロッツォの策略にはまってたまるか。こちらの言いたいことは1つだけ。ソロッツォを引き渡せ、さもなければ全面戦争だ。全員に召集をかける。幹部どもを街に放つんだ」
ヘイゲン　「全面戦争になったら他のファミリーが黙って見てないでしょう」

ソニー「戦争が嫌ならソロッツォの首を取って持ってこさせろ！」
ヘイゲン「ソニー、落ち着いてください！　父上はこんな話を聞きたくないでしょう。これは私怨じゃなくて、あくまでビジネスなんです」
ソニー「父が撃たれたのにか……」
ヘイゲン「そうです、父上が撃たれたのもビジネスの一部なんです。個人的な問題ではなく……」
ソニー「やめろ！　もうたくさんだ、トム！　これ以上問題の穴をふさぐやり方なんて聞きたくない！　私は勝つ。君は私を助ける。いいな？」

『ロング・キス・グッドナイト』
公道。時速110マイルで飛ばす。ヘネシーは震え、サマンサはほぼ昏睡状態。2人とも凍りついている。
ネイサン、バックミラーをチラリ。初めてサマンサの顔をちゃんと見て、愕然。
ネイサン「チャーリー！　どうしたんだ？　太ったな」
サマンサ、虚を突かれる。
サマンサ「私は……え……何？」
ネイサン「一体全体、何食って生きてたんだ、今まで？　どこからどう見ても100％牛だ」
ヘネシーは、会話についていけてない。
ヘネシー「ビルから飛び降りたんだぞ！」
ネイサン「そうそう、大変だったね、ボク。明日は動物園に連れてってやるから、いい子は黙ってろ」

ヘアピンターンを決める。タイヤのゴムが焼ける。
サマンサ「あなたはウォルドマン……」
ネイサン「ネイサン・ウォルドマン。ほら、頭の霧が晴れたか？ いいか、この男の前でいろいろばらすと、後であんたがそいつを消す羽目になるぞ。どうするね？ 私はそれでも構わないが」
ヘネシー「ビルから飛び降りたんだぞ、くそったれ！」
ネイサン「チャーリー、そいつを何とかしてくれよ……」

お気に入りの口癖

キャラクターに独自性を与える技として、お気に入りの口癖を与えてやるのも効果的だ。いろいろな人の話し方に耳を傾けると（脚本家にとっては最高の訓練だ）、誰でも1つは何らかの話し癖があることに気づくだろう。好きな表現や、スラングや、バズワード等の使い方には癖がある。例えば、それぞれのキャラクターを表す記号になるような一言を付け加えてみる。「だよね」、「でしょ」、「わかる？」とか。それで、他のキャラクターからの差別化が図れる。ここで、いろいろなキャラクターの口癖を紹介するが、この一言が脚本全般に散りばめられて、個性を際立たせるのだ。

『ファーゴ』（イーサン・コーエン、ジョエル・コーエン）
ウェイトレス「温め直しましょうか？」
アンダーソン「**頼むよ**」

『お熱いのがお好き』（ビリー・ワイルダー、I・A・L・ダイアモンド）

オズグッド　「**ザウイー！**」

［「やりぃ！」みたいな感嘆符］

『スウィンガーズ』（ジョン・ファヴロー）

トレント　「**イケテルよね**」

『リーサル・ウェポン2／炎の約束』

レオ　「**オーケイ、オーケイ、オーケイ**」

『トイ・ストーリー』（ジョン・ラセター、アンドリュー・スタントン）

バズ・ライトイヤー　「**無限の彼方へ、さあ行くぞ！**」

『ロッキー』（シルベスター・スタローン）

ロッキー　「俺、サウナ入るわ。昨夜見なかったのかよ。いい試合だったのに、**なあ？**」

断片的な、あるいは端折った短い台詞

実際の会話を録音すると気づくことだが、きちんと簡潔する文はほとんど存在しない。あちこち話が跳び、つっ

かかったり、遮ったり、躊躇したり、つまらない言葉を使ったり、不完全であるのが、実際の会話というものだ。「英語の場合」普通の会話では短縮した表現、つまり「I am」とか「you are」ではなく、「I'm」とか「you're」とするのが自然だ。完全な文であれば使うべき言葉を落としたりもする。［日本語なら「食べられる」→「食べれる」とか「そのようなときに」→「そんなときに」、「すごく練習したから勝てます」→「すごく練習したんで」といった感じだろうか］。

『アメリカン・グラフィティ』に最高の見本があるので、読んでみよう。

『アメリカン・グラフィティ』

ジョン「ありゃフレディ・ベンソンのベット［コルベット］だ。酔っ払い［の車］と正面衝突。避けるひまなし。凄腕だったのにな。自分のせいでもないのに、割りに合わないよな」

キャロル「塗装剥げちゃってるね」

ジョン、聞こえなかったのか、そのまま歩く。

ジョン「あっちのは、ウォルト・ホーキンスのベット。どうしようもない阿呆だった。メサビスタの方で、5人乗せたままイチジクの木にめり込ませやがった。友達5人乗せてドラッグレースって、何考えてんだ？　阿呆どもは遅かれ早かれ逝くんだよ。だから車が発明されたのかもな。阿呆どもを駆除するために。巻き添え食った方は冗談じゃねえな」

語句を欠落させることで、台詞の贅肉を落とす。ジョンが「凄腕だったのにな」と言うが、わざわざ「彼は凄い運転の腕だったのにな」とは言わない。結果として、わざとらしさが消え、もっともらしく響きながら、その場で考えついたことを言っているように聞こえるのだ。

断片的な台詞は、不自然な台詞から不自然さを取り去ってくれる。この章の最初で解説したとおり、不自然な台詞というのは作り物臭く、ちゃんとしすぎてわざとらしい台詞のことだ。脚本を頭から見直して、断片的にできないかどうか見てみる、または縮めたり、語句を落とせないか見てみよう。それでキャラクターに、よりリアルな、より個性的な声を持たせられるかもしれない。

専門用語、仲間内の言葉、スラングという選択

お気に入りの口癖や言い回しと同様、キャラクター独自の語彙も頭を捻って考える価値がある。専門用語やスラングによってそのキャラクターの台詞は、さらに豊かな彩りを帯びるのだ。専門用語と言ったら、特定の職業や文化的集団の中で通用する言葉。実際に耳を傾けてみると、職業集団によって使われる言葉が違うことに気づく。年齢が違えば言葉も違う。特に若い人たちの使う仲間内の言葉は独特だ。警察官、大学教授、医師。それぞれ違った話し方をする。だから専門用語の類はキャラクターに本物らしさを与え、さらに独自の声も与えるのだ。

『ブレードランナー』

デッカード「すごい肌の張りだな！　スーツも似合ってる。仕立てたのか？」

ホールデン「大袈裟な皮膚蘇生手術をやってくれやがった。**ポンコツ**だよ、俺。なんて様だ！」

「スポーツ・ナイト」（テレビ）（アーロン・ソーキン）

女の声　「音声よし、テープよし」

男の声　「ジョージア・ドーム、**生**スタンバイ」

他の女の声　「アトランタ、**生**スタンバってます」

男の声　「誰か。アロウヘッドのＣＭからマイルハイ？　それでＯＫ？」

最初の女性　「60秒で**生中継**」

２番目の女性　「アロウヘッド終わったらマイルハイ、**ポン出し**で」

年齢層が違えば、仲間内の言葉も違う。特に10代の若者は全然違う。

『アメリカン・ビューティ』

ジェーン　「もっとちゃんとしたお父さんが欲しいよね、ちゃんと良い見本になる親。女子の友達連れて帰るたびにパンツに芳香剤シュッとか、**変態じゃないんだから**、**もうあり得ないんだけど**、誰か早く楽にしてあげて、お願い」

『アメリカン・グラフィティ』

ジョン　「サーフミュージックなんて**クソだろ**。バディ・ホリーが死んでから、ロックンロールも下り坂だな」

キャロル　「でもビーチボーイズは**イケてる**から」

ジョン「お前ガキだからそう思うんだよな、**うざい**よ、チビ」
ジョン「ガキとか言わないでよ、**バカなの**？　彼氏ができたら、絶対殴らせる」

『恋愛適齢期』
若い可愛い女性「オーディション、**超**楽しみなんだけど。なんかね、**超**笑えるシーンあるんだけど。女の役でね、すごい男性優位！　**みたいな**オジサンとつきあってて、これからヤリますみたいなときに、そのオジサンがすごい、呻くの。で、あ、気持ちいいんだとか思うでしょ。でも、違くて、心臓発作。**まじコワイんですけど**ってびりまくってたら、お母さんがオジサンのこと嫌いなんだけど、入ってきて、心肺蘇生法やって、オジサン助けちゃう」

スラングは正統ではない専門用語や仲間内の言葉ということになる。高等教育を受けていない人、都市部の住人、下品な人、犯罪者等に使われるが、そのようなタイプに限ったものではない。使い古された印象を避けたければ、自分で作ってしまうという手もあるが、この場合はちゃんと観客に意味が伝わり、嘘っぽくならないように気をつけること。うまくいけば、台詞が新鮮で、鮮やかに、そして楽しくなる。

『ミラーズ・クロッシング』
トム「強い酒をくれ」
トニー「愛想が悪いな。てめえの**あお**［馬］を撃ち殺されたか？」

『ロッキー』

ロッキー　「**あがり**は毎週**太くなる**んだよ」

ファッツ　「**あがり**が**太くなる**のはわかってる。6ヵ月の稼ぎは全部利子に消えてるんだ」

ロッキー　「まだ70ドル赤だ」

［借金の利子がかさむという話をしている］

『レザボア・ドッグス』（クエンティン・タランティーノ）

ミスター・ピンク　「この**地下牢**、**洋服箪笥**どこにあるんだ？　ちょっくら**捻ってく**るわ」

［「この倉庫のどこにトイレがあるんだ？　小便してくる」ということ］

言葉や言い回しを自分で作るときは、絶対にもっともらしく聞こえるように、そして台詞の意味が伝わるようにすること。何より、キャラクターがちゃんと自分が何を言っているかわかっているように気をつけること。この技は、サイエンス・フィクションやファンタジーでよく使われる。例えば『時計じかけのオレンジ』だ。

アレックス　「そこには俺アレックス、それからピート、ジョージィ、ディムの3人の**ドルーク**［友達］がいて、**コロヴァ・ミルクバー**で座って、その夜何して遊ぶかなかなか**ラスードック**［心］を決めかねていた。**コロヴァ・ミルクバー**で売ってるのは、**ミルクプラス**、**ミルクプラスヴェロセット**、**シンセメス**とか、**ドレンクロン**［それぞれ薬物入りミルク］で、俺たちはそれを飲んでる。これで感覚が鋭敏になったら、ちょっくらいつものウルトラバイオレンスに行く準備完了ってわけだ」

『ギャラクシー・クエスト』（デビッド・ハワード、ロバート・ゴードン）は、次のような台詞でこの技を茶化している。

ブランドン　「ミスター・クワン。第19話で、反応炉が融合したとき、レオポルド6からある元素を拝借して量子ロケットを修理したね。何だったかな」
フレッド　「バイ**ヴ**ラ**キ**ウムです」
ブランドン　「それを収めていた青い鞘は……」
フレッド　「二重熱核**ク**レ**ヴ**ライト容器です」
ブランドンはメモをとり、礼を言うと、クルーたちと外へ。
ガイ　「良く覚えてたな、あんなの」
フレッド　「でっち上げだよ。適当に**K**と**V**を入れとけば誤魔化せる」

譲れないもの

台詞というものは必ず、その場面の中でそのキャラクターが欲しいものや必要なものを手に入れる手段として使われるのだ。ただ情報を垂れ流してるだけに見えても、実はそうではない。キャラクターが譲れない何かにしがみついたとき、会話の応酬は俄然面白くなる。それぞれのキャラクターはお互いの言い分をちゃんと聞いてはいるが、自分が譲りたくないものはぶれずに守り続ける。そのような応酬の最高の見本が、『羊たちの沈黙』で繰り広げられるクラリスとレクターの「クイド・プロ・クオ（物々交換）」のやり取りだ。それぞれ欲しいものははっきりしている。クラリスはバッファロー・ビル逮捕に繋がる情報が欲しい。レクターはクラリスの心の中に入りこみ、過去を暴きたい。全部掲載して解説するにはこの場面は長すぎるが、もし映画を観る機会があったら、または脚本を読む機会があったら、一歩も譲らぬ2人の言葉の対決をじっくり観察して欲しい。2人は自分が譲れないものを死守して、このような強い言葉を投げつけあう。

レクター「クイド・プロ・クオだ。私が何か教えたら、君も私に教えてくれ」
レクター「話したまえ。嘘は駄目だ。すぐ見抜ける」
クラリス「クイド・プロ・クオでお願いします、博士」
クラリス「駄目です。あなたの番でしょう」
レクター「お父さんが殺されて、君は孤児になった。それでどうなった?」
クラリス「駄目です！　クイド・プロ・クオです、博士」

次は、まったく正反対の軽いやり取りを1つ。

『お熱いのがお好き』

ジェリー「オズグッド、聞いて。正直に言うわ。私たちは結婚できないの」
オズグッド「どうして?」

ジェリー　「まず差し当たって……この金髪は偽物」
オズグッド　「（ちょっと我慢して）気にならない」
ジェリー　「それから、煙草！　1日中吸うわ」
オズグッド　「気にしない」
ジェリー　「私、ひどい女なの！　この3年の間、サックス奏者と同棲してたの」
オズグッド　「許す」
ジェリー　「（必死）一生子どもが作れないの」
オズグッド　「養子をもらうさ」
ジェリー　「何でわからないの！　（鬘を外し男の声で）オレは男なんだ！」
オズグッド　「（驚かず）まあ……誰でも欠点はあるさ」

我が道を行く

「譲らない」技と似ているが、こちらの場合は、一方のキャラクターが相手のキャラクターの言い分お構いなしで、自分の話だけ進めていくというもの。双方お互いの話に耳を傾ける気すらない。

『お熱いのがお好き』

シュガー、ウィスキー入りのフラスコの蓋を捻じり閉め、ガーターベルトに挟む。
シュガー　「［ストッキングの］縫い目、曲がってない？」

ジェリー　「（脚を眺めながら）大丈夫」
シュガー　「またね、みんな！」
手を振って、プルマンの車両へ戻る。
ジェリー　「じゃあね、シュガー！（ジョーに）このバンド、違うだろう」
ジョー　「ダフネ、声が大きい！」
ジェリー　「見たかよ、あのリカーキャビネット［シュガーのこと］の豊満な形！」
ジョーはジェリーの体の向きを変え、ドレスの背を開くとずれたブラのストラップを直す。
ジョー　「やめとけよ。一歩間違えば、この汽車から放り出されるぞ。外には警察。新聞もシカゴのギャングも待ち構えてる」
ジェリー　「ああ、カップ1杯お砂糖（シュガー）を貸して欲しい」
ジョー　「（ジェリーを正面に向け、ドレスを掴んで）ダメ！　バターもパンもシュガーもお預け！」

「チャーリー・シーンのハーパー★ボーイズ」（テレビ）（リー・アロンソーン、チャック・ロリー）
アラン　「チャーリー、ちょっと話があるんだけど、いい？」
チャーリー　「俺も。例のウェブサイト、早く手を打たないと、俺アーミッシュの女しかいないペンシルベニアの田舎まで逃げなきゃならなくなる」
アラン　「ジュディスが復縁したいって。そうなって欲しいとずっと思ってたけど、いざそうなると、どうなんだろう」

チャーリー　「あのサイトを作ったのは、絶対前に1回デートした女だと思う」
アラン　「また1つ屋根の下に住むというのは、ジェイクのためには良いと思うんだよね。養育費も払わなくてよくなるし。これからは理髪学校で髪切らなくてもよくなる」
チャーリー　「犯人は亭主持ちじゃないはずだ。英語しゃべれない女も除外。あと、ちゃんと紹介されてない女も、多分違う」
アラン　「ジュディスと復縁した場合のメリットとデメリット。リストにまとめよう」
チャーリー　「そう！　リストにまとめりゃいいんだ」
アラン　「だろ？　話し合ってよかった」
チャーリー　「何でも相談に乗るぜ、兄貴として」
アラン　「僕もね」

方言、訛り、外国語

キャラクターに独自の個性を与える良い方法の1つに、ある土地に特有な喋り方、方言、外国語訛りを与えるというのがある。アメリカ南部の田舎の少年なら、それなりの喋り方があるわけで、「そいつは嘘なんと違うか?」等と言うかもしれない。一方、都会の大学教授なら、それなりにアカデミックで知的な響きを帯びて、「それは必ずしも事実とは言いがたいでしょう」とでも言うかもしれない。この手の特性と専門用語や仲間内の言葉を組み合わせると、キャラクターの独自性はさらに増す。詐欺師やストリートの言葉を書かせたらデヴィッド・マメットに勝る者はいない。また田舎言葉ならコーエン兄弟だ。

『赤ちゃん泥棒』

エド「寄こして」

ハイ、赤ちゃんを手渡す。

エド「いやあ、めんこいわ」

ハイ「いい赤ん坊だろ？　一番クソめんこいのを盗ってきた」

エド「赤ん坊の前でやめて！」

ハイ「いい子だろ？　たぶんこれがネイサン・ジュニアだ」

エド「ハイ、私たち悪いことしてる？　子どもが多すぎるから、お世話大変だから、いいことしたんだよね、私たち？」

ハイ「ハニー、何度も何度も話したろ？　あっちにとって善い事と、こっちにとって善い事ってもんがあって、どっちも全部善いってことには、絶対なんねえから」

エド「この子のママが悲しむんではないの？　すごく？」

ハイ「もちろん悲しむだろうけどな、すぐ忘れるって。同じくらいめんこい赤ん坊が4人も残ってんだからさ」

特徴や態度を表す

まったく同じ体験をし、まったく同じ体を持っている人がこの世に2人といない以上、脚本の中にも同じように世界を見ているキャラクターは2人として存在しないということになる。相手に対して何をどう言うか。それがそのキャラクターの持つ態度と価値観を表す。それは、読者がそのキャラクターの本性を知る手がかりになる。台詞はそのキャラクターの心情を表すが、その人が選ぶ言葉の種類、その言い回しによって個性も表せるのだ。

台詞をとおしてキャラクターを立てる前に、まずそのキャラクターがどういう人なのか知らなければならない。知るためにはChapter 4で紹介したキャラクターの基礎的な肉づけが役に立つ。その人はどういう問題を抱えているのか。何を恐れているのか。何に希望を見出すのか。何に価値を置くのか。そういったことがわかると、そのキャラクターの声は自ずと独自なものになっていく。理屈は簡単だが、実践には工夫が必要だ。ある特徴や態度を選んで、それを状況に応じて、適切な言葉や言い回しを選びながら、台詞の形に翻訳してやらなければならない。例えば、守銭奴のキャラクターがいる。その男に、妻に向かって「クーポン捨てるなよ」と言わせたり、食堂でウェイターに「お勘定別々ね」と言わせることで、彼のケチさを滲み出させることができる。最高の見本ではないが、そういうことだ。これば、テレビの連続コメディを支える本質的なテクニックなのだ。あるキャラクターの特徴が定着すると、それを何年も話数を跨いで続けていく。古典的名作映画に目を移すと、例えば『チャイナタウン』では、ノア・クロスのギテスに対する尊大な態度が、必ず名前を間違えることと、間違えを正されても無視することで表されている。『カッコーの巣の上で』では、レッチェッド看護士長は常に抑制された命令口調で優越性を滲ませ、反対にビリーの低い自己肯定感はどもりに現れる。『ヴァージニア・ウルフなんかこわくない』では、マーサとジョージがお互いに抱く苦い気持ちが、交わされるすべての台詞に反映されている。ここで『或る夜の出来事』のあるキャラクターを見本に取り上げる。口八丁で女性を低く見ている、旅回りのセールスマンの台詞だ。

シェイプリー　「シェイプリーといいます、どうもお嬢さん。女はシェイプリー（くびれている）じゃなきゃね！
私の隣に座るとは、あんたツイてるよ。でも旅先での出会いってのは、奥さんに出す手紙には書かないもんだ。つまり用心しないと、とんでもない野郎かもしれないってこと。でも用心しすぎもいけないねえ。前にノースカロライナを移動中、どえらいベッピンに隣り合わせて、馬が合ってね、ほらいるだろう、えらく上品な感じのが。私もまんざらじゃないわな。でもね、お嬢さん、その後、わたしゃマックのトラックに轢かれるくらいびっくらこいたのよ。ようやくいい感じになってきたときにね、その女、いきなりバスから飛び降りたのよ。何者だと思う、その女？　いや、考えたってわかるはずないさね。女強盗だよ！　新聞に載ってた女だよ。（葉巻を出す）どうなすった？　さっきから静かだね、あんた」

感覚的な好み

神経言語プログラミングが提唱する、人が自分および他者とコミュニケーションを取る方法の心理的モデルによると、私たちは世界を五感によって表象する。視覚、聴覚、触覚、味覚、嗅覚の5つのことだ。さらに、人はそれぞれ世界を表象する五感の中でも、特に支配的な感覚を持っているという。視覚的な人なら、イメージに強く反応する。そして視覚を伴う言葉にも敏感に反応する。例えば、「会えてうれしい」、「後で会おう」、「見せてください」、「注視してください」、「見てください」、「霧が降る」、「写してください」、「気づく」、「そう見える」、「いい感じに見える」等。聴覚的な人なら、「聞いてください」、「後で話そう」、「お噂は伺っています」等。触覚的な人は触れること、そして心で感じることに敏感で、「いい予感を感じる」、「抑えて」、「考え方が掴めない」、「あとであつかおう」等。嗅覚的な人なら、臭いに敏感（魚の匂いがする）、味覚的な人なら味（味がわかりそうなくらい近い）。この中でおそらく最も一般的なのは、触覚、視覚、聴覚だろう。五感に訴える言葉を使う技は、どちらかというと使われることは少なく、使われても「つなぎの言葉」として改稿中に切られることが多い。それでも五感に訴える言葉がキャラクターにうまくはまれば独自性を与えることもある。場面の中で巧く五感が際立てばなおさらだ。この技も他の技の数々と同じで、意識下で読者に影響する。読者は気づかないくらいでちょうど良いのだ。

喋りのリズム

作家で書評家のウィリアム・ジンサーが、自著『On Writing Well』(未邦訳「上手く書くコツ」)でこう書いている。「言葉を選んで文を紡ぐとき、覚えておくと良いことがある。どう響くか考えるのだ。読者は目で読むのだから、馬鹿げたことと思うかもしれない。でも、実は読みながら読者の耳には声が聞こえている。書き手の予想を超えて、心の耳でちゃんと聞いているのだ」。だから、良い台詞を聞く「耳」を持っていると便利なのだ。台詞の応酬の「音」を聞く耳のことだ。会話というのは音楽なのだ。耳で聴くもの。リズムがありペースがある。クレッセンドの強弱もある。休符もある。静寂もある。テレビの「スポーツ・ナイト」や「ウェストウィング」の台詞を生み出したアーロン・ソーキンもこう言っている。「私は語るべき物語を持っているわけではないのです。私の興味は台詞の響き。台詞が奏でる音楽。それが書きたいんですよ」。台詞の名手たちもソーキンと同じ考えだろう。パディ・チャイエフスキー、デヴィッド・マメット、そしてクエンティン・タランティーノといった面々だ。台詞のやり取りのリズムが完璧になるまで書き直すことで知られている。

では、どうやったらこの技術を身に着けることができるのだろう。ともかく「耳」を鍛える。他に道はない。道行く人の会話に耳を傾けること。できるだけ多様な社会集団の会話を盗み聞きする。田舎、都会、ストリート、アフリカ系、スペイン系、ビーチ、南部、若者、等など。話し方のパターンや、抑揚のつけ方、発声のニュアンスの違いを完全に収集するまで聞くのだ。もう1つ有効なのは、巧く書けた台詞で知られる脚本をたくさん読むこと。できれば複数のジャンルの、多様な脚本家の作品を読むのが良い。最後に、自分で書いた脚本を他の人に声に出して読んでもらい、それを聞くという手も有効だ。では、見本として数種類の違った台詞のリズムを読んでみよう。

『赤ちゃん泥棒』

ハイ 「俺は小切手でやらかしてムショに直行。普通の商慣行に従えばあれはただの不渡りなのに、オレはムショ。文句じゃないよ、わかる? ぺらっぺらに薄く焼いたホットケーキみたいなもんで、裏も表もありゃしない。さて、刑務所生活ってのは、規律が正しい。普通の人なら、正しすぎるって言うくらい正しすぎる」

『ミラーズ・クロッシング』

レオ 「金を掴ませて保護してもらう、みんなそうしてるじゃねえか。いいか、俺の知る限り、言っとくが、この町で俺の知らないことは、俺が知る価値のないくだらないことだから、知らなくていいんだ。俺の知る限り、サツはお前の店を閉めてねえ。検事もお前の商売にケチをつけてねえ。お前はノミ屋を殺す許可証を買ってねえし、俺は今売ってやる気もねえ。わかったら、とっとと消えろ、役立たず」

『さよならゲーム』

クラッシュ 「ハリー・ホケット、まさか俺のことを忘れてないだろうな。あれは5年前、テキサス・リーグのときだ。お前はエル・パソのピッチャー、俺はシュレヴポートの4番。8回裏、3対2、2ストライク、ノーボール。お前の投げたカーブを、グッドイヤーのタイヤの向こうまでかっ飛ばしてスタンドに突き刺したのが俺だ。4対3でとどめを刺した。グッドイヤーが無料でホイールアラインメントまでやってくれたというオマケつきだ」

さり気ない説明の技

説明は目に見える形でされるのが望ましいが、手っ取り早いのは台詞による説明だ。しかし、台詞を使って「目に見えないように」、さりげなく、面白く説明することはできる。それは初心者にとって、最も難易度の高い技の1つだ。しかし巧く書かないと、ぎこちなくなる。見え見えで、棒読みのような台詞になってしまう。どれだけの情報を明かすかという匙加減の失敗も、つまらない説明台詞の一因だ。脚本家の卵は、台詞にいろいろ詰めこみすぎる。脚本の技はどれもそうだが、この場合も説明を感情の発露として与えるのが巧くやる鍵だ。だから、説明は対立の中に織り込めというのが一般的な助言なのだ。脚本を読む人は対立に心を奪われているので、同時に与えられる説明は無意識の内に吸収されるというわけだ。読者の関心を感情的に逸らして、情報を与える。これが目に見えない説明、つまりさりげない説明だ。ハンフリー・ボガートは、説明台詞を言わされるなら、後ろの方でラクダに交尾でもさせて、観客の気を逸らせてくれと言ったそうだ。ラクダに頼らなくても、台詞に情報を忍び込ませる方法は他にもある。

一言ずつ小分けにして出す

つまり、情報を柄杓で掬って一度に流し込むのではなく、点滴でポツポツと垂らすように小出しにするという技だ。情報が多すぎてしかも早すぎるというのは、素人がよく犯す間違いだ。代わりに、子どもにチョコを渡す要領でやってみよう。食べ過ぎて気分が悪くならない程度に、ちょうど満足する量だけやる。情報も一度に与えすぎると、ぎこちなく、つまらなくなる。アクション映画で技術的な情報を与えなければならない場面では、複数のキャラクターに台詞を割り当てるが、ぎこちなく、つまらなくなるのを避けるためだ。部屋に居合わせた技術者たちが、それぞれ少しずつ説明してくれるのだ。

『アルマゲドン』（ジョナサン・ヘンズリー、J・J・エイブラムス）

ゴールデン「いいか、聞いてくれ。NASA史上最悪の日が、もっと最悪になった。1000万分の1の確率だ。今朝降ってきた物体は、衝突の衝撃で飛んで来た欠片だ。これから落ちてくるヤツに較べたら小石みたいなもんだ。ウォルター！」

ウォルター「巨大な小惑星1つ。ETA［落下推定時刻］は18日後。恐竜を絶滅させた直径5マイルのヤツの何倍もデカい」

ゴールデン「テキサス州がすっぽり入る」

『ボーン・スプレマシー』（トニー・ギルロイ）

例の写真が、部屋中のモニターに映っている。ぼやけた像……はっきり鮮明になる。全員、凍りつく。

パメラ「（ニッキーに）彼だと思う？」
ニッキー、近づき凝視。頷く。
クローニン「潜伏してない。それだけは確かだ」
ゾーン「ナポリ？　どうして？」
カート「偶然かも」
クローニン「逃亡中か？」
アボット「自分のパスポートで入国して？」
キム「ナポリで何を？」
クローニン「何って、初めての失敗を犯したのさ」
背後から声。
ニッキー「失敗じゃない。（全員振り返る）彼らは失敗しない。偶然はあり得ない。必ず目的がある。必ず標的がいる。自分のパスポートを持ってナポリに来たなら、必ずそうする理由がある」

前兆

さりげない、何の罪もないような気軽な発言。これが、物語の文脈の中で、来るべき重大な出来事を匂わせる。台詞に加えられた捻りや、ヒントや、ちょっとしたニュアンスが、迫りくる危機や、やがて叶う願い等を仄めかすのだ。この技によって、期待感、緊張感、不安、そして好奇心を刺激できる。

『シティ・スリッカーズ』

ミッチ「カーリー、今日も誰か殺した？」

カーリー「**まだ今日は始まったばかりだ**」

『氷の微笑』

ニック「次の本の内容は？」

キャサリン「探偵小説。悪い女に引っかかる探偵の話」

ニック「その男はどうなるんですか」

キャサリン「（目をまっすぐに見つめて）**殺されちゃうの**」

『テルマ＆ルイーズ』

マックス「他に考えようがないと思いませんか？　わからないな、あの2人。すごく頭が切れるのか？　すごく運が良いというだけかも」

ハル「どっちでもいいさ。頭が切れるったって限度があるし、**運もいつかは尽きる**」

『エイリアン2』

リプリー「任務失敗と見なされてから、何日で救援が来る？」

ヒックス「17日」

ハドソン「17日？　水を差す気はないけどよ、俺たち17時間だってもたないぜ！　あいつらは、前みたいにこの部屋に入って来る。前みたいに入ってきて……」

リプリー「ハドソン！」

ハドソン「……入って来て、**俺たち皆殺し**になるんだ！」

感情をまぶす

感情を説明にまぶす。感情で包んで出せば、説明も食べやすくなる。怒り、喜び、恐れ、苛立ち等キャラクターが感じる感情でもできるし、好奇心、期待感、緊張感、驚き、ユーモア等、読者に感じさせる感情でも可能だ。例えば『チャイナタウン』の脚本家ロバート・タウンは、大量の説明を読者の好奇心と期待感に包んで出す。モーレイの浮気を調査するギテスの行動を追いかけながら、読者はモーレイの浮気を証明する決定的証拠を期待しているのだが、その隙にロサンゼルスを襲った干ばつや、水源管理を巡る政治的駆け引き、そして農民たちの苦難が説明されているのだ。これは、好奇心と緊張感が牽引するミステリーに打ってつけの技だ。物語の展開に沿って読者に提示される手がかりや情報の露呈そのものが、実は説明なのだ。例えば『氷の微笑』のジョー・エスターハスは、男の刑事たちがキャサリンを取り囲んで尋問するが逆に圧倒される場面で、巧みに好奇心と緊張感に包んで情報を出す。『シャレード』では、レストランでバーソミューがレジーナに、失われた25万ドルを追う5人の男たちの謎を長々と説明する場面がある。ここでは、何かと話を遮る給仕と、レジーナの奇抜な言動により、せっかちとユーモアという感情に包んだ説明が与えられる。せっかちな苛立ちに包んで情報を与えるのは、とても効果的な技だ。ある情報を喉から手が出るほど欲しい人がいたとする。その情報を持っている男に接触し、男はいろいろな話を聞かせてくれるが、なぜか知りたい情報だけは教えてくれない。この場合の「いろいろな話」が、読者の頭に滑り込ませたい説明になるのだ。

『天才アカデミー』

シェリー　「(キスしながら)賢いこと言って」
クリス　「へ？」
2人は並べられた食事の上で横になっている。高まる情熱。ボタンを外し、ベルトを取り去る指。剥がれ落ちる服。さあ、セックスの時間だ！
シェリー　「お願い！　言ってくれなきゃダメ！　好きな科目は？」
クリス　「ええと、今好きな科目は、多分、流体力学」
シェリー、興奮して喘ぐ。
クリス　「あと、体育」
シェリー　「冗談よして」
クリス　「ごめん」
シェリー　「アサートンとは何を研究してるの？」
クリス　「ウルトラ高出力レーザーを核融合のエネルギーとして使う実験。すべての人類に役に立つ。男も、女も」
シェリー　「核融合したい！」

クリス「トリチアムとか重水素みたいな水素からとてつもないエネルギーを得るんだ」
シェリー「神様、素敵！」
クリス「燃料抽出は簡単」
シェリー、唸る。
クリス「結合させてエネルギーを放出させるのが大変なんだ」
シェリー「感じる！」
クリス「摂氏1億度にしないとできない」
シェリー「すごい！」
クリス「だから……」
シェリー「ええ」
クリス「ボクは……」
シェリー「ええ」
クリス「レーザーを造って……」
シェリー「もっと！」
クリス「すごく脈動するヤツを造って」
シェリー、呻く。
クリス「すごく熱くして」
シェリー「ああ！」

クリス「それを使って」
シェリー「もっと!」
クリス「融合しちゃう!」
シェリー「あああ!」

◎情報を示唆する

仄めかされた情報は、絶対に直接与えられる情報よりも面白い。脚本を読む人は、常に物語に能動的に参加して情報を集め、何が起きているか理解しようとする。ただ口を開けて情報を口に入れてもらうのを待っているわけではないのだ。これはどういうことかというと、「鼻につく台詞」よりも、サブテクストとして示唆される情報の方が喜ばれるということでもある。サブテクストについてはこの章の後半で詳しく解説するが、ここではいくつか見本を紹介しよう。

『ブレードランナー』

ブライアント「やつらを探し出して、排除してくれ」
デッカード「俺はやらないよ、ブライアント。もうあんたの下で働くのはご免だ。ホールデンを雇え。腕も立つ」
ブライアント「雇ったよ」
デッカード「それで?」

ブライアント　「**とりあえず息はしてる。誰かが電源を抜かなければな**」

『イブの総て』

マックス　「教えてくれ。人はどうしてプロデューサーになろうなんて、馬鹿げたことを考えるんだろう？」

アディソン　「人はどうして椅子1脚だけ持ってライオンの檻に入ろうなんて馬鹿げたことをすると思う？」

マックス　「良い答えだ。100％わかった」

『エリン・ブロコビッチ』

エド　「証拠はこれだけ？」

エリン　「今のところはね。でもあのガラクタ部屋、探せばもっと見つかると思う」

エド　「ああ、書類の整理もしないんだろうな。ひどいもんだ。どうして何か見つかると思う？　何で入れてもらえると思うんだ？」

エリン　「何でって、**オッパイよ**」

「ギルモア・ガールズ」（テレビ）

ローレライ　「ミッチェル、電話」

ミッチェル　「鳴ってるね」

ローレライ　「出てよ」

ミッチェル「やだ。今日は何かみんなバカなんだもん。これ以上バカと話したくない」
ローレライ「じゃあ、いい話し相手を紹介してあげる。**職業安定所に行ったら？**」
ミッチェル、電話に出る。

読者が欲しがるときに与える

説明にまつわる最も一般的な失敗は、タイミングが早すぎるということ。つまり説明が欲しいと思う前に与えてしまうことだ。原則的に、情報というものは欲しいときに与えればより興味深くなるものなのだ。まず「知りたい」という気持ちを読者に植えつけ、好奇心を持たせる。読者は答えを持ち望む。そこで答えを出してやれば、その答えは説明のようには感じられない。だから、なかなか教えてもらえない情報は、一気に説明される情報よりも興味深いものになるのだ。『チャイナタウン』のエヴリンの秘密がまさにそれだ。『明日に向って撃て！』の「俺、泳げないんだ」の場面も、この技を使ったいい例だ。なかなか崖から川に飛び込まないサンダンスを見ながら「どうして飛びこまない？」と思った瞬間。これ以上にその台詞が効果的に響く時はない。『レイダース』で蛇と対面したときに「蛇が嫌い」と告白するインディ。『カサブランカ』では、どうしてリックはイルザに対してあんなに苦い思いを抱いているんだろうと思ったところで、パリの回想だ。

対立で隠す

プロの脚本家に聞けば、説明は対立の副産物としてあつかえと教えてくれるはずだ。これはどういうことかというと、脚本には、のっぺりつまらない説明の存在する余地はないということ。つまり説明は、喧嘩、口論、いざこざ、あるいは絶体絶命の危機を通して姿を現す、興味深いものでなければいけないということだ。例えば、『北北西に進路を取れ』のソーンヒルの場合、彼自身に関するすべての情報は、彼を殺そうとつけ狙う者たちの目的と対立する。『ターミネーター』の場合、カイル・リースがサラの命を助けた後、10分に渡って観客に、自分がどこから来て、ターミネーターとは何者でという謎を説明してくれる。これによって来るべき闘争が予感されるように場面が設計されているのだが、2人が警察とターミネーターの両方から逃げることから生じる対立と興奮のお陰で、説明くさく感じる暇もない。同じ情報でも、例えばレストランで何の対立もなく10分聞かされたら、面白くもなんともない。対立は、説明をカモフラージュする最適の手段なのだ。

劇的アイロニーを使う

Chapter 5では、期待感と緊張感を高めることで、物語を前に引っ張る牽引力を発生させる技として、この「劇的アイロニー」を紹介した。読者の心を捉えるのはこの期待感と緊張感であって、活きの良い台詞でもアクションでもないということを忘れてはいけない。イケてる台詞とアクションだけでは、読者はついてこないということだ。どんなにつまらない説明でも（面白いに越したことはないのだが）、「劇的アイロニー」によって「読者優位」の立場を与えることで、目の離せない場面にできる。面白くもない情報を伝えるときによく使われるこの技の効き目は、実証済みだ。『北北西に進路を取れ』の、軽飛行機の次の場面を思い出して欲しい。ソーンヒルはホテルに戻ってイヴと対峙する。読者は、悪者の手先というイブの正体を、そして彼女がソーンヒルを裏切ったことを知っている（読者優位情報）。この場面の台詞はどうしようもなくありきたりで説明じみているが、ここで読者はイヴが知らないことを知っているので、どきどきしながら事の成り行きを見守ることになる。ソーンヒルはイヴをどうするのだろうか。堪忍袋の緒が切れて、イブと対決することになるのだろうか?

能動的な説明

能動的な言葉。能動的な文、キャラクター、そして台詞。能動的な何かが持つインパクトは、常に受動的に勝る。説明でも同じだ。与えたい情報に目的を持たせた上で、キャラクターたちのやり取りに織り込む。そうすれば、情報はキャラクターが達成したい目標の一部になる。あるキャラクターが何かの情報を与えたくてしょうがないとき、その情報は感情と抱き合わせで出てくるから、当然面白くなる。例えば、初デートという状況。キャラクターが繰り出す情報が取るに足らないようなものでも、その目的は明確。良い印象を与えたり、魅了したり、誘惑するのが目的だから、決して退屈であってはならない。『お熱いのがお好き』で、ジョーがシェル石油の御曹司のフリをしてシュガーと砂浜で偶然を装って出会う場面。このとき、ジョーが伝える説明(シェルの御曹司)には目的がある。ジョーは、自分こそが追い求めていた億万長者なのだとシュガーに信じさせなければならない。この技を使うときは、必ず適切なタイミングを計って使うこと。キャラクターがその情報を明かすもっともらしい理由さえあれば、真実味が増す。

キャラクターに勝ち取らせる

押しつけがましい情報ほどつまらないものはない。そしてお預けにされた情報ほど気を揉ませるものはない。だから、キャラクターに欲しがらせることで、その情報を勝ち取ろうとさせることで、つまらない説明も緊迫感溢れる対立にすることができる。どうやって? やり方の1つとして、相手のキャラクターの真実に対する姿勢に捻りを加えることだ。まず主人公が消極的に説明を聞くのではなく、能動的に情報を求めさせる。ここで相手との心理的葛藤が生じ、お互いが相手の心理を操って情報を引き出そうとしたら面白くなる。相手から欲しいものを引き出すために、生で人間的な動機、例えば貪欲さ、嫉妬、恐れ、怒り、じれったさ、欲望を利用するのだ。相手から情報を引き出そうと金をちらつかせ、欲に訴える。口の重いバーテンダーの懐に20ドル札を忍び込ませるような場面を、何度テレビで見たことか。共犯にするぞと脅して自白を強要する刑事。クリエイティブな手段を編み出して欲しい。『チャイナタウン』のロバート・タウンは、ギテスがイエルバートンの秘書にちょっかいを出して苛立たせるように書いた。そうすることで、苛々が昂じた秘書がノア・クロスの秘密と水利管理局との癒着を漏らすように仕組んだのだ。

独自の方法で提示する

今まで誰も使ったことのない説明の方法を見つけたとする。何百本と脚本を読んだ下読みも驚く新しい方法を編み出せれば、きっと新鮮で斬新でオリジナルで感情的なその方法を、下読みは喜んで受け入れてくれる。『スター・ウォーズ』のレイア姫のホログラフィの伝言。『E.T.』で物体を惑星のように宙に浮かせた説明。テレビの『スパイ大作戦』の消滅する録音テープ。『アニー・ホール』では、大人のキャラクターが子ども時代の自分と学校や自宅で直接やり取りをしながら、バックストーリーを伝えるという方法を考案した。情報を提示する方法自体が目新しければ、読者も喜んで受け入れてくれる。

サブテクストの技

いわゆる鼻につく台詞というのは、素人の脚本に見られる最も一般的な欠陥だろう。読んでいる台詞が、今何が起きているか説明し始めたら、またはキャラクターがどう感じているか、何を考えているか説明し出したら、面白くもないし不満が残る。鼻につかないのが、素晴らしい台詞なのだ。実際に口に出して言っていないのにキャラクターの頭の中を照らし出す台詞。これが「サブテクスト」というものの正体だ。ある脚本家がサブテクストを指して「言葉の底に流れている感情の川」と言ったが、そのとおりだ。男と女が昨夜見た映画について話しているように聞こえるが、実は初デートの話をしているということは、あり得るわけだ。『ゴッドファーザー』の「いやとは言えない条件をつけてやろう」は、忘れられない強烈な台詞だが、台詞自体を眺めていても、特別なことは何も言っていない。おそらくサブテクストの一番わかりやすい例は、『アニー・ホール』でアニーとアルヴィが出会う場面だろう。2人は当たり障りのない会話をしているのだが、字幕がそれぞれの本心を伝えてくれるのだ。

ウディ・アレンが字幕で表した本心を、字幕に頼らずに台詞に隠して偽装するのが、サブテクスト台詞を書くときの腕の見せ所ということになる。これからそのやり方を解説しよう。その前に、劇的な場面におけるサブテクストの重要性と、サブテクストが必要になる時と場合を分析しておこう。サブテクストが適切なときもある一方で、鼻につく台詞の方が劇的で直接的な力を持つ場合もある。脚本に関係するすべての要素について同じことが言えるが、大切なのはバランスが取れているということだ。

サブテクストが重要な理由

実は、私も長い間「シンプルで直接的な台詞のどこが悪い?」と思っていた。プロの脚本にそのような台詞はたくさんあるし、良い映画にもたくさん使われている。それだけではない。鼻につく台詞の方が理解しやすいので、場面の意図を明確に伝えられるだろうとも思ってしまったのだ。下読みがちゃんとニュアンスを拾ってくれるとは思えなかったからだ。その後経験を積んで、ようやくサブテクストにも適切な時と場合があるということがわかってきた。サブテクストが必要になる理由は2つ。1つは、失うものが大きすぎてキャラクターが直接的にものを言えないことがあるから。そして、サブテクストによって読者を能動的に物語に参加させることができるからだ。

ずばり言うと心が傷つくようなときの話し方

これは心理的な問題になる。何らかの関係を持っている2人の間で、怒り、愛、憎しみ、欲望といった激しい感情が露わになった場合、それに直接晒されたくないと思うものだ。そこで、本心を隠したりする。友達相手に怒ったときのことを思い出してみよう。何か贅沢なものを買いにいったとき。嫌いな上司と渡りあったとき。デートしたとき。間接的に話して本当の意図は隠しながら、段々欲しいものに向かって話を仕向けていくはずだ。なぜそうなるのか。欲しいものを直接口にしてしまうと、台なしになってしまうかもしれないからだ。心が傷つくリスクが大きすぎたら、直接言わない。だから、脚本を書くときは、まずその場面の中でキャラクターが対立する要素が何か確認しよう。どういう危険を冒すことになるのか。それぞれ失敗すると何を失うのか。この隠された恐れの気持ちに導かれて、キャラクターはサブテクストを通して間接的に話すのだ。個人的すぎる感情。他人に見せたくない気持ち。その場の空気にそぐわない言動。口に出して言うくらいなら、隠しておきたいと思うわけだ。ロバート・

タウンが言うには、「大事であればあるほど、言いにくくなるものです。このような抑制がなかったら、口に出すのをとめる力が働かなかったら、罪悪感が無かったら、恥の気持ちが無かったら、ドラマは成立しませんよ」。

読者を能動的に巻き込む

読者がサブテクストを喜ぶ理由は、もう1つある。出来の良いクロスワードパズルのように、解く楽しみがあるからだ。サブテクストは、読者を巻きこみ一緒に体験させる力を持っている。サブテクストは中身が濃いので、読者は台詞の中に一歩入りこんで頭を使うことを迫られる。読者を引きこみたかったら、ただ何が起きているか漫然と教えるだけでは足りない。読者は、自分で発見したいのだ。鼻につく台詞によって直接的に教えてしまうことで、あなたは読者が一緒になってやり取りの意味を考える機会を奪ってしまうのだ。結果として読む体験は受動的なものになり、読む気も失せてしまうというものだ。

わざと残した余白を埋めてもらうことで、読者の心を離さないようにする。ジェフリー・スイートが自著『Dramatist's Toolkit』（未邦訳「ドラマ作家の道具箱」）でこんな例を使って説明している。2＋3＝5と書いてあっても、それを読んだ人は飽き飽きした顔で「正解」と思うだけだ。でも、2＋x＝5と書くと、読む人は本能的に「x」を埋めたくなる。この反応が、能動的な参加と呼ばれるものだ。読者が、等式を解くことで参加するのである。サブテクストというのは、ドラマ的な意味で「x」に当てはまる数を読者に考えてもらうということなのだ。サブテクストによって、読者は場面に積極的に参加することになる。受動的に台詞の応酬をひたすら聞いているのとは、大きな違いだ。

サブテクストを巧く使うためには、まず脚本家自身がその場面の何がどうして、どうなっているのか把握していなければならない。キャラクターはどんな人たちで、本音は何で、言いたいことを直接言ってしまったら失うものは何か。最初は、シンプルで直接的な、鼻につく台詞で構わないので初稿を書いてみる。誰の目にも触れないのだから、気にすることはない。サブテクストを層として捉えてみよう。最初の層は、キャラクターの本心。そして本当に欲しいもの。書き直しながら、今度はサブテクストが必要かどうか考慮する。本音や本当に欲しいものが、どれだけ表面に見えているべきか考える。書き直す度に下の層へ降りていき、ついに本音は口に出して発言されるのではなく、示唆される。その作業に必要な技の数々を紹介しよう。

◎リアクションというアクション

これはシンプルだが十分効果が実証された技だ。質問やお願い、宣告といったものに対する反応を、そのキャラクターの能動的なアクションとして利用する。例えば、「愛してる」と誰かが言ったとき、相手が「やめてよ！」または「嫌い！」と言う代わりに1発張り手をくらわせば、その張り手がサブテクストというわけだ。「愛してる」に対する反応は、他にもいろいろ考えられる。泣き出す。部屋を飛び出す。黙って見つめ返す。新聞に目を戻す。それぞれ特定の意味をもったアクションであり、言葉による鼻につく台詞を使うことなく、その意味を伝えているのだ。ここで、パディ・チャイエフスキーの『ネットワーク』から、最高の見本を1つどうぞ。

マックス「ちょっと待って。さっき話してくれたジプシー女だけどね。君が心から深い関係を持つことになる中年男について予言したんだろう？　今その予言が叶うとしたら、今夜の予定は？」

ダイアナ、廊下で立ち止まり、自分のデスクにツカツカ戻り、**受話器を取ると、素早く番号を押して**少し待つ。

ダイアナ　「（電話に）今夜は帰れないわ、ごめん。明日電話するから」
ダイアナ、受話器を素早く戻すと、マックスを見る。交わる視線。

話題を変えて逃げる

はっきり言わずに示唆する技の1つに、会話の途中で唐突に話題を変えるというのがある。そうすることでバツが悪いような話題を避けるのだ。例えば

『アメリカン・グラフィティ』

スティーブ　「何の話しだっけ？」
ローリー　「ええと、あなたが高校生同士の恋愛なんてバカみたいだと思ってたんだけど、私が可愛くて面白いからちょっとつき合ってみたら、本当に恋に落ちちゃって、本気になって、それで……ああ、そうだ、何かもう一歩踏み込んで、みたいな話の途中」
スティーブ　「何だよ、秘書じゃあるまいし。冗談じゃなくて、だから僕たちは本当にお互いのこと考えてるわけだから、それに、もう僕たちはお互い大人なわけだから、だから、もっと……**フライドポテトもらっていい？**」

「そりゃないぜ!? フレイジャー」（テレビ）

フレイジャー　「番組の後半はいい感じだったかな（ロズ、無反応）いい感じだったと思わない？」

ロズ　「（メモ帳のページをちぎって）**はい、弟さんから電話**」

フレイジャー　「ロズ、業界用語で［フレイジャーは精神科医］そういうのを「回避」というんだ。話題を変えないで、ちゃんと本心を話してよ」

ロズ　「（操作盤を指さし）**あのボタン何だか知ってる？**」

フレイジャー　「私の心はラリックのガラス細工じゃないんだから。批判の1つや2つで壊れないって。どうだった、今日は？」

ロズ　「（椅子を回してフレイジャーと対面）そうね……コマーシャルは2回すっ飛ばしたし、28秒無言で放送事故。局のIDを読んでる最中に邪魔するし、操作盤にヨーグルトこぼしたし、ジェリーのことをジェフ、ジェフって、自我崩壊でも起こしたの？」

フレイジャー、批判を受け止める。

フレイジャー　「（メモ紙を受け取り）**弟が電話くれたって？**」

「ギルモア・ガールズ」（テレビ）

ローレライ　「で？」

ローリー　「何？」

ローレライ　「その男とどうなったって？」

ローリー　「**わたしたちって仲良いよね、お母さん。どうしてか知ってる？**　お互いのプライバシーを完全に尊重するからだよね、でしょ？　特にお母さん。絶対ここから踏み込まないっていう一線を完全に理解してるし」

『テルマ&ルイーズ』

ルイーズ、向こうからハイウェイパトロールの車両が接近してくるのを見る。対向車線を通過するパトカーをやり過ごす。気づかれていない。J・Dとルイーズ、顔を見合わせる。

J・D「何? 駐車違反切符溜めてるとか?」

ルイーズ **「オクラホマ・シティまで乗せてってあげる。そこから自分で何とかして」**

台詞とアクションの対比

Chapter 7のサブテクストの項で軽く触れたが、これは場面の中でサブテクストを作り上げる最高の方法だ。台詞そのものがやり取りの本意を表さない代わりに、行動が示す。例えば、犬は好きと言うキャラクターの腰が、なぜか引けているという具合だ。サブテクストは台詞ではなくて、アクションから発生する。つまり行動は口より物を言うということだ。このようなサブテクストを作るには、キャラクターに言葉とは逆の行動を取らせる。『恋人たちの予感』でサリーがハリーのことを大嫌いと言いながらキスするように。または、『カサブランカ』でリックが人助けはしないと言いながら通行証をポケットに忍び込ませるように。

口に出し難い気持ち

台詞が感情を表現する最適な方法であることは滅多にないが、心の中から隠された気持ちを無理やり引きずり出すときは別だ。説明台詞のところでも触れたが、黙っていても与えられる情報よりも、力づくで取り出した情報の方が、心を奪うのだ。同じことがサブテクストにも言える。口にしにくいことを伝えようと躊躇するとき、そして自分の心にあるわだかまりを言葉にできずに逡巡するとき等だ。言いにくいことを言おうと必死になるキャラクターから伝わる感情。２つ良い見本があるので紹介する。

『セックスと嘘とビデオテープ』（スティーヴン・ソダーバーグ）

アン　「それで、ただ質問するの？」
グラハム　「そう」
アン　「で、ただ答える？」
グラハム　「ま、ほとんどは。何かする人もいる」
アン　「あなたに対して？」
グラハム　「僕にじゃなくて、カメラに向かって」
アン　「**わからない……何で……なぜこんなことをするの？**」
グラハム　「ヘンな話しになっちゃって、ごめん」
アン　「**すごく……だって……**」
グラハム　「もう行きたい？」
アン　「**帰りたいわ**」

『カサブランカ』

イルザ　「(自分を何とか抑えながら) リック！　こんな狂った世界で……もう何が起きてもおかしくない……**もしあなたが逃げないなら……もし……もし私たちが一緒になれないなら……あなたがどこに行こうと……私がどこに行く羽目になっても……これだけはわかって……**(抑えきれず、リックに顔を近づけ) キスして。キスして……もうこれっきりだと思って」

隠された意味

この章の最初の方で、可笑しさを狙った二重の意味を持つ言い回しの使い方を解説したが、ここでは特定の感情を伝える劇的な効果を狙ってみよう。キャラクターが2つの意味を持った台詞を言う。最初の意味の方は鼻につく台詞として受け取られるが、隠された意味の方が本当の感情を示唆するのだ。例を見てみよう。

『深夜の告白』

ネフ　「キーズ、何でお前が見抜けなかったか教えてやるよ。お前が探してた犯人は、近すぎて見えなかったってこと。いつも向かいの机に座ってた」

キーズ　「**もっと近かったさ、ウォルター**［ネフの名前］」

ネフ　「そうだな、親友」

『恋愛適齢期』

ハリー「何でタートルネック？　真夏に？」
エリカ「そんなことが本気で知りたいの？」
ハリー「ちょっと聞いてみただけだよ」
エリカ「好きだから。ずっと好きだからよ。わたし、タートルネック女だから」
ハリー「**脱ぎたくならない？**」
エリカ「ならない」
ハリー「一度も？」
エリカ「**今は**」
［ハリーはベッドから流し目を送っている］

感情的覆面

これは、一般的な心理的真理を突いた技。何か恥ずかしい目に遭ったとき、明るい表情を繕って暗い心理的状況を隠し、プライドを保つ。オスカー・ワイルドもこう言っている。「覆面は素顔より多くを語る」。例えば、少年が意中の彼女をデートに誘って断られたら、「いいよ、他にやることあるし」等と言って恥ずかしい気持ちを繕うようなものだ。顔で笑って心で泣いている状態ならば、台詞のやり取りの中に無理なくサブテクストを隠すことができる。そして読者をキャラクターの心の中に誘い込んで、一緒に感じてもらうことができるのだ。いくつか例を見てみよう。

『許されざる者』（デイヴィッド・ウェッブ・ピープルズ）

デライラ　「アリスとシルキーはあいつらに無料で［デライラたちは娼婦］……」
マニー　「（理解して赤面）ああ、そうか」
デライラ　「（恥ずかしさを堪えて）だから……あなたも」
マニー　「（いたたまれず目を逸らす）私が……？　いや。いや……」
デライラは傷つく。立ち上がると鶏を拾って、砕けた心を取り繕う。マニーは恥ずかしくて目も合わせられない。
デライラ　「（気丈）**違う……私じゃなくて。アリスとシルキーと。無料でやってくれるよ。あなたがよければ**」

「キャロライン in N.Y.」

キャロライン　「今度映画でも見に行こうよ」
デル　「ああ、いつがいい？」
キャロライン　「今夜とか」
デル　「ああ、今夜はダメかな、ちょっとアレが」
キャロライン　「アレ？　手術の予約でも入ってるの？」
デル　「いや、今夜は……は……は……」
キャロライン　「デル！　お互い子どもじゃないんだから、デートか何かがあるなら、隠さないで言ってよ」
デル　「デートなんだ」
キャロライン　「え、デート？　デート？」

デル　「ちょっと、それぞれちゃんと人生楽しもうって言ったのは君だろ?」
キャロライン　**「そう、楽しまなきゃ。で、思い出したけど、今夜、私もデートだわ、偶然!」**
デル　「本当に……?」
キャロライン　**「いやあ、危うくみっともないことになるところだったわ、すごーい良い男とデートの約束があるのに、あなたとデートとかになっちゃったら!」**

言い切らず仄めかす

「2+x=5」を思い出して欲しい。読んだ人が勝手に「x=3」と答えを出すというやつだ。脚本を読んでいる人にとっては、答えだけを見せられるよりも、自分も答え探しに参加して、自分の答えを出すことが楽しいのだ。仄めかせばサブテクストだが、言い切れば鼻につく。もちろん前者の方が良い。脚本家たるもの、技を駆使して答えを仄めかす台詞を書き、読者に答えを出させてあげよう。プロの見本を紹介する。

『ブレードランナー』

デッカード　「どこから記憶を借りてくるんです?」
タイレル　「レイチェルの場合、私の16歳の姪の脳細胞を複製、再生したのだよ。レイチェルの記憶は、姪の記憶だ」
デッカード　**「昔の映画にあったな。頭に電極が植わってる男が出てくるやつ」**

『**アパートの鍵貸します**』

フラン　「（手に持ったコンパクトの割れた鏡を見ながら）この方が良いの。私の心もこんな感じ。既婚者と付き合うときは、マスカラつけちゃ駄目」

『**恋愛適齢期**』

エリカ　「わけがわからない……あなた、私のこと嫌いなの？　それとも、この世でただ1人、私を虜にした男？」

ハリー　「**嫌いじゃないよ**」

『**天才アカデミー**』

ミッチ　「（ノートを渡しながら）1つ間違いがあるけど、よくやったよ、みんな。最後の2つの解法が逆だ」

カーター　「（ノートをひったくり）オレは絶対に間違わないの……（読む）……**普通は**」

暗喩または直喩としての台詞

ト書きでもそうしたように、台詞でも比喩表現を使って、そのものずばりを口にするのではなくて、象徴的にキャラクターの心の中を表すことができる。

『**アパートの鍵貸します**』

シェルドレイク　「（手を取り）フラン、戻って来ておくれ」

フラン　「（手をひっこめ）ごめんなさい、シェルドレイクさん。**私もういっぱいいっぱいなの。次のエレベーターで下りて**」

――

バド　「前はね、**ロビンソン・クルーソーみたいな生活を送ってたんだ。800万人の人の中で独りぼっちで難破してた。ところがある日、砂浜に足跡を見つけた。それが君だったんだよ。**お食事、2名様ご案内。素敵じゃないか」

『**サイドウェイ**』

ジャック　「聞けよ、つまらないことにこだわるのはやめよう。気楽に行こうぜ。2人で羽目を外せる最後のチャンスじゃないか。今週は俺たち2人だけのためにある」

ウェイトレス来る。

ウェイトレス　「お決まりですか？」

ジャック　「（マイルズに）ありきたりなものを頼むなよ」

マイルズ　「オートミール。ポーチドエッグ。ライ麦パン、よく焼いてね」

ウェイトレス　「そちらは？」

ジャック　「**豚バラ、布団蒸し。シロップ増し増し**」

「ベーコンとホットケーキということです」

『恋愛小説家』

サイモン「な、変わり者だって言っただろ？」

フランク「**さわるな危険ってやつだな**」

『さよならゲーム』

スキップ「いいか、よく聞け。お前には2つ選択肢がある。マイダス［車の修理工場チェーン］でキャデラックのケツにマフラー溶接しながら、金玉が焦げるまで重労働する。または（間）溶接機を手に車の下を猿みたいに這いまわるのは別の奴にやらせて、お前はキャデラックの上でふんぞり返る（間）**キャデラックの上か下。人生にはこの2か所しかない**」

ビリー・ワイルダーの手による『深夜の告白』の台詞も紹介しよう。映画の誘惑シーンにありがちな台詞を使う代わりに、自動車、警察、スピード違反という3つに象徴させている。

ネフ「アンクレットに何て彫ってあるのか教えてくれると嬉しいなあ」

フィリス「ただの名前よ」

ネフ「何て名前？」

フィリス「フィリス」

ネフ「フィリスか。良い名前だと思うよ」

フィリス「思うだけ？」
ネフ「ちょっと近所を**2、3周車で周って**一緒に考えたいな」
フィリス「（立つ）ネフさん、明日の晩、8時半頃うちにいらっしゃい。会えるから」
ネフ「誰に？」
フィリス「夫によ。会って話がしたいんでしょう？」
ネフ「そうだったけど、もういいや。旦那はパス」
フィリス「この州では**時速45マイル**以上出すと**スピード違反よ**」
ネフ「私は飛ばしすぎでしたかね、巡査？」
フィリス「そうですね、**90マイル**ほど」
ネフ「なら、**白バイから降りて違反切符を切ってはいかが**」
フィリス「**今回は警告だけで許すってのはいかが**」
ネフ「厄介払いは無理ってのはいかが」
フィリス「拳固で1発食らわすってのはいかが」
ネフ「あなたの肩に頭を乗せて泣かせてもらうってのはいかが」
フィリス「亭主の肩ってのはいかが」
ネフ「そいつは勘弁だ」

感情を体現する

古典的名作『波止場』にこんな場面がある。テリーとイディが喋りながら公園を通り抜けていく。そのとき、イディが手袋を1つ落としてしまう。テリーはその白い手袋を拾いゴミを払うが、直ぐに彼女に返さず、代わりに自分の左手にはめる。彼女に近づきたいと願うテリーの本心が見事に体現されている。先ほど解説した「リアクションというアクション」に似た技だが、この場合特に何かに反応する必要はない。ともかく、口に出して気持ちを述べる代わりにアクションとして体現するのだ。いくつか例を挙げてみよう。

『テルマ&ルイーズ』

テルマ「ジミーから……まだ連絡ない?」
ルイーズ、顔が強張る。車、速度を上げる。
テルマ「ごめん、忘れて」

——

J・D「あ……ルイーズは?」
テルマ「ジミーとどこかに行った。彼氏と」
J・D「じゃあ、1人で淋しくない? モーテルの部屋に独りきりってのは、淋しいよ」
テルマ、そんなこと百も承知というフリをして
テルマ「**(J・Dを招き入れ)**そういうもんだよね」

『サイドウェイ』

ジャックに追いかけられてマイルズは坂を駆け下りる。**走りながらワインをラッパ飲み。**
マイルズ速度を落として、整然と並ぶ葡萄の木々の間を歩く。**ワインの瓶の口を拭い、捨てる。**ジャック、息を切らせながら追いつく。隣の列を歩いてくる。
マイルズの顔、泣きそうに歪む。次の瞬間、地面に突っ伏し、目を閉じる。

——

一時停止の標識に、手書きの案内が貼ってある。周りには風船の飾り。「受付こちら」右矢印が書いてある。
車が1台、また1台とやって来る。マイルズが来る。**左に曲がる。**

質問に質問で答える

これは、質問に質問で返すという技。これは、何か隠し事をしているとき、または手の内を見せたくないときの防衛的な手段という意味を持つ。だからフィルム・ノアールの映画で、探偵に問い詰められたときの反応としてこの技が頻繁に使われるのだ。「知ったことか」とか、「関係ないだろ?」といった具合だ。他にも例を見てみよう。

『トッツィー』(ラリー・ゲルバート、ドン・マクガイア、マレー・シスガル)

リタ　「もうちょっと綺麗に見せてあげたいんだけど。どこまでカメラ引ける?」
カメラマン　「**クリーブランドまで引こうか?**」

[映画の舞台はニューヨーク]

『愛の狩人』（ジュールス・ファイファー）

ジョナサン「高校にはいつ行ってたの？」

スーザン**「夏休みは何するの？」**

ジョナサン**「どうして聞いてるのに聞き返すの？」**

スーザン**「どうして親友の彼女と付き合うの？」**

『恋愛小説家』

メルヴィン、歩いて部屋に戻って来る。まさにドアが閉まろうというとき、サイモンが勇気を出して聞く。

サイモン「ちょっと……！　何か悪戯した？」

メルヴィン**「私は仕事中なんだが、知ってたか？」**

サイモン「いや……知らなかった」

テンポで気持ちを表す

キャラクターの感情の状態に左右されて、台詞のテンポは変わる。つまり速くなったり遅くなったりする。平常心のときは、普通の速さで喋る人が、苛々しているときは小刻みに吐き捨てるように喋り、嬉しいときには早口になる。悲しいときにはゆっくりと戸惑いながら喋る。この現実を反映して、異なる台詞のテンポを対比させるとキャラクターの独自の声が際立つのだ。ここでは対比させるのではなく、1人のキャラクターの台詞のテンポによって、心の中を伝える。伝えたい心の中がわかっていれば、台詞のテンポを変えるだけで、感情や態度を表すことができるのだ。ここでテレビの『ギルモア・ガールズ』を例に、台詞の速度だけでなく、詰めこむ言葉の量によって不安で落ち着かない気持ちを表すキャラクターを見てみよう。

ディーン「ディーンといいます」
ローリー「こんにちは（間、我に帰り）あ、ローリーです。私のことです！」
ディーン「ローリー」
ローリー「ええと、ローレライ、本当は」
ディーン「ローレライ。いい名前だね」
ディーン、微笑みかける。ローリー、溶ける。
ローリー「**母の名前なんです、実は。母と同じ名前。私を生んだときに、男は息子に自分の名前をつけるけど、何で男だけ？　って病院のベッドに横たわりながら考えてたらしいんです。女がやってもいいんじゃないって。フェミな部分が出てきて母の意識を乗っ取ったんです。でも、たぶん鎮静剤でぼんやりしてたってのが本当のところじゃないかな**（間）私、喋り過ぎてますよね」

キャラクターの特徴や態度を表す

台詞にサブテクストを隠すことで、キャラクターの性格を表すこともできる。他のキャラクターに口で言わせるのではなく、台詞で示唆させるのだ。そのキャラクターが面白い人だったり皮肉屋なら、別のキャラクターに「へえ、君って面白いね」とか「皮肉なこと言うなよ」等と言わせるのではなく、本人の台詞に語らせるのだ。この技については381ページの「特徴や態度を表す」に詳しく書いたので、参照すること。キャラクターが何か言う度に、読者はそのキャラクターのことをより深く知っていくべきなのだ。

場面の文脈に隠れたサブテクスト

メソッド演技術の講師サンフォード・メイズナーが考案した稽古の方法に、2人の役者を向き合って立たせ、4行程度の日常的でさりげない台詞を言い合うというものがある。1回ずつ、場面の状況を変える。お互いのキャラクターに対して抱く気持ち、または場面の直前の状況を変える。でも、台詞そのものは変えない。2人はお近づきになりたいと思っているのかもしれない。嫌いあっているのかもしれない。一方が金をせびろうと画策しているのかもしれず、危害を加えようと企んでいるのかもしれない。違った文脈の中で、同じ台詞が突然まったく違った意味を帯びる。それぞれの文脈によって、違ったサブテクストが現れるのだ。見本を読むと、「嫌い」という一言が持つ意味が、文脈やキャラクターの気持ちにあわせてまったく違った意味を持つことがわかるだろう［日本語的文脈だとちょっと意味が拾いにくくなってしまうので、想像力を駆使していただきたい］。

哀しみに沈んだ夫が先立った妻に

夫「お前なんか……嫌いだ」

泣き崩れる。

駆け出しの新人が、自分が目標にする女優がオスカーを獲ったのを見ながら新人「大っ嫌い！」
とほほ笑む。

『恋人たちの予感』のクライマックス
サリー「（泣きそう）大嫌い！　ハリー、大嫌いよ！」
キスする。

沈黙

前の章で「小は大を兼ねる」と書いたが、それは台詞にも当てはまる。「沈黙は金」、「沈黙は言葉より雄弁」、「耳をつんざく沈黙」。他にも散々カビの生えた言い方があるが、どれももっともだ。ここで言いたいのは、ある特定の感情を伝えたいときには、わざわざ鼻につく台詞に乗せるよりも、黙っていた方がよほど効果的なとこがあるということだ。感極まって二の句が継げない場合でも、計算づくで質問を無視するような場合でも、沈黙で読者の感情を揺さぶることができる。２つ例を見てもらおう。

『テルマ＆ルイーズ』
ルイーズ「うまくいかないよ」
テルマ「なんで？」
ルイーズ「物証がないから。あいつがやったって証明できないでしょ。あなたに触った証拠すらないから」

2人とも黙って一瞬考える。

テルマ「はあ、法律ってややこしいよね」

間があって

テルマ「何でそんなこと知ってるの?」

ルイーズ、答えない。

『ショーシャンクの空に』

アンディ「これで終わりだ! 俺は降りる。税理士を呼んで確定申告させろ!」

ノートン突如立ち上がる。怒りに燃える目。

ノートン「終わってたまるか! 勝手に終わらせるな! この刑務所で考えられる最悪の仕打ちをしてやるぞ。看守に大目に見るように計らってやったが、それも終わりだ! あの独房ヒルトンからお前を引きずり出して、所内で一番ガタイの良いホモの囚人の監房に放り込んでやる! ドデカイ汽車みたいにカマを掘らせてやる。それから図書館だ。終わりだ! 煉瓦で入口を塞いでやる。庭で本を焼いてバーベキュー・パーティーを開いてやる! 何マイルも遠くから見えるくらいデカイ焚火を焚いて、その周りで未開のインディアンみたいに輪になって踊るんだ! わかったか? 俺の言ってることがわかったか?」

アンディの無言の顔にじわり寄り。死んだような瞳。敗北しきった表情……。

鼻につく台詞でも構わないとき

セミナーでこの辺までくると、良い台詞を書くために知っていなければならないことのあまりの多さに圧倒されて、受講生たちの目が虚ろになっていることが多い。脚本の最初から最後まで、このような高い水準が保たれていなければならないのですかと聞いてくる受講生もいる。そうであるに越したことはないというのが、私の答えだ。台詞に適用できる技が多いほど良い。あくまで、その場面の流れに逆らうようなものではないという前提だが。サブテクストを使うときに1つ忘れないで欲しいのは、下手なことを言うと逆に傷ついてしまうという状況では、キャラクターは直接的にものを言おうとしないということだ。サブテクストは、自分自身の言葉から自分の気持ちを守ろうという自己防衛の鎧なのだ。ということは、特に言っても傷つくことがない場合なら、鼻につく台詞も大丈夫ということになる。

鼻につく台詞でも問題なく、嘘っぽくならない状況は3つある。

感情的に安全な状況

直接的に喋っても安全というときには、そうしても構わない。初デートでサブテクストを使って事態を誘導する場合と、結婚10年目の夫婦があっけらかんと会話する場合を較べてみればわかる。鼻につくような直接的な台詞が問題ないのは、**親友**との会話、**告白**、**赤ちゃん**相手、**ペット**相手、**カウンセラー**相手、**神父**相手の懺悔、そして**独り言**だ。気の置けない相手に対して、卵の殻の上を歩くように気を遣いながら話す必要はない。リラックスして、正直に、隠さず話せば良い。『ハイ・フィデリティ』や『アニー・ホール』のようにキャラクターが第四の壁を破って直接観客に向かって話しかけるときも同様だ。そして、『サンセット大通り』や『アメリカン・ビューティ』のナレーションも。このような場合、私たちはキャラクターの親友になる。セラピストのように、打ち明けられている相手になるのだ。『恋人までの距離』には、こんな場面がある。2人がレストランで、それぞれ携帯でお互いの親友と話しているように見えるが、実はフリをしているだけ。2人とも、手に携帯をもっている真似をして、仮想の「親友」にそれぞれの出会いと現在の気持ちを話しているのだ。それぞれ言っていることは鼻につく直接的な台詞だが、お互いではなく「親友」相手に心を割って話すという体裁をとっているので、巧く2人の感情を伝えている。

クライマックスで勝ち取ったとき

プロの書いた上質の脚本なのに、鼻につく直接的な台詞があるのは何故だろう? もしあったとしたら、それはおそらくクライマックスだったはずだ。キャラクターが我慢を重ねて、溜め込んで堪えきれなくなった感情を、クライマックスで爆発させたのである。言い換えれば、物語を通じて、直接的にその台詞を言う権利を勝ち取ったということだ。『アメリカン・ビューティ』のクライマックスで、アンジェラがレスターに「何が欲しいの?」と聞く。レスターは答えて「知ってるだろう? 君だよ」と言うとき。これ以上はあり得ないほど直接的だが、このタイミングで言うから鼻につかない。何故なら、彼の気持ちは脚本の冒頭からずっとサブテクストで語られ続けてきたからだ。最後に、ようやくはっきり言ってもいいところまで、物語が漕ぎつけたのである。

単刀直入で良いとき

脚本の中には、何よりも単刀直入な台詞が効果的なときがある。どんなに色々な技を駆使して飾りつけようとも、シンプルで、裏も表もない台詞が一番という場合がある。監督で脚本家でもあるジェームズ・キャメロンがこう言っている。「ときとして、単純な台詞を書くのが一番難しい。直感的にそのような台詞を避けてしまうからだ。どうしても技を駆使して場面を書こうとしてしまう。ドラマが抱える問題の解決に、優雅で賢い方法を探してしまう。でも実は、思っていることをそのまま言うのが一番効果的だというときもある」。思っていることがシンプルで、そのものずばりなら、鼻につかないこともあるのだ。『ノッティングヒルの恋人』でも、そのものずばり、とても感動的な台詞があった。「今の私はね、好きな男の子の前に立って、私のこと愛して下さいとお願いしている、ただの1人の女の子なの」。

何度でも書き直す

ジョン・ブレイディが書いた『The Craft of the Screenwriter』（未邦訳「脚本家の技巧」）でパディ・チャイエフスキーが、良い台詞を書く技巧についてこのように助言してくれている。「私が台詞を書くときは、納得するまで徹底的に書く。そのキャラクターに言わせたいことがわかっているからだ。どんなことを、どんなふうに言うか想像し、そのキャラクターに成り切り続ける。そこから台詞が出てくるのだ。世界中の物書きは、みんな同じことをするのではないだろうか。それから書き直す。要らないものを削る。自分が思い描く場面になるまで、改善し続ける」。

台詞を書くという芸術を、これほど端的に示した助言はない。効果的な台詞は試行錯誤から生まれ出る。初稿でいきなり輝くような台詞を期待しないこと。ともかく頭に浮かんだ台詞を書いてしまおう。それから改稿しながらいろいろな技を使って直していくのだ。まず書いて、書き直して、削って、尖らせて、磨いて、洗練させる。台詞の眩さに下読みが魅了されるまで、それを繰り返すのだ。

台詞を試す

台詞を書く腕を上達させる良い方法が、もう1つある。自分で書いた台詞を試してみることだ。**声を出して読む**。または、誰かにまるで普通に会話しているかのように、声に出して読んでもらう。［アメリカの］テレビドラマ製作では、キャストを集めて読み合わせをするのは別に珍しいことではない。知り合いの脚本家の中にも、人を集めて最終稿の読み合わせをお願いし、台詞運びを実際に聞いてみるという人がいる。役者たちが台詞を読んでいる間、脚本家は後ろに座ってメモを取りながらじっと聞いている。でも、これは自分ひとりでもできる。声に出して読んで、ちゃんと台詞の応酬が成立するかどうか耳で確かめる。真実味はあるか。淀みないか。物語を進めるか。何かを明らかにするか。緊張感を生むか。何よりも重要なのは、感情的インパクトがあるかどうかだ。そしてあなたの心を動かしたか。笑わせてくれたか。泣かせてくれたか。そして、先が知りたくて、居てもたってもいられないほど興奮させてくれたか。

台詞の達人から学ぶ

素晴らしい脚本の書き方を身に着けたいのなら、素晴らしい脚本を読む。そこから学ぶ。そして分析する。これだけは100回言っても足りない。コンセプトから台詞にいたるまで、すべての脚本の技巧に同じことが当てはまる。実際、この本に書いた技の数々は、素晴らしい脚本の中から取り出したものなのだ。探し方は簡単。脚本を読み、感情を揺さぶられた部分に線を引く。感情的なインパクトを感じたら、それが何でも構わない。そのインパクトがどのようにして作り出されたか分析し、テクニックを抽出し、自分で試す。誰でもできる簡単なことだ。決して宇宙工学ではない。ただ、脚本は読まなければならない。そして、どうせ読むなら、名人たちの素晴らしい脚本や戯曲を読もう。パディ・チャイエフスキー、ビリー・ワイルダー、デヴィッド・マメット、ジョエルとイーサン・コーエン、ロバート・リスキン、クエンティン・タランティーノ、ロバート・タウン、アーロン・ソーキン、ニール・サイモン、ジョーゼフ・L・マンキーウィッツ、アーネスト・リーマン、ジョン・セイルズ、シェーン・ブラック、エリック・ボゴジアン、ケヴィン・スミス、ジェームズ・L・ブルックス、ウディ・アレン、スコット・ローゼンバーグ、スコット・フランク、リチャード・ラグラヴェネーズ、ノラ・エフロン、ケヴィン・ウィリアムソン、エルモア・レナード（小説家）等など。これはほんの小手調べだ。ここがスタートライン。この人たちの書いた台詞を読むためにあなたが割いた時間は、1分1秒貴重なレッスンなのだ。

CHAPTER 10

FINAL THOUGHTS:
PAINTING ON THE PAGE

最後に
ページに描く

聞いても忘れる。見れば忘れない。やったことは理解する

——中国の諺

お疲れさま。ついにここまでたどり着いた。感情的なインパクトを巡る旅もここが終点。これで下読みたちを「おおっ！」と言わせよう。本書を読んだあなたが、もし新しい洞察を、または刺激を受け、最高の物語を語る方法を思いついたとすれば幸いだ。本書が網羅した技の数々は、映画の脚本に限らず、戯曲、そしてその他いかなる形態のフィクション、またはノンフィクションに応用可能だ。

本書をいつも手元に置いて、書いている脚本に面白くない部分があったら、いつでも参照して欲しい。執筆のお伴として、気軽に「ここのページの緊迫感をちょっと高めたいんだけど、どうしたらいい？」とか「どうやったら台詞の切れを良くできる？」と相談するのに使ってやって欲しい。答えは必ずどこかにある。忘れないで欲しいのだが、本書で紹介した様々なテクニックは、所詮はテクニックにすぎない。読者の心に反応を引き起こすように設計された道具にすぎないのだ。道具を使って書かれた脚本には、あなたの魔法が必要だ。独自のビジョン、そしてあなたしか持っていない創造性がなければはじまらない。

本書で紹介したテクニックは、絶対に従わなければならない規則ではない。これは過去何千年にも渡って上手く機能してきた、物語の話術の見本集にすぎない。1つだけ絶対不変の規則があるとすれば、「つまらない瞬間を許すな」ということだけだ。とてつもない量の脚本がしのぎを削る今日のハリウッドでは、退屈なページは1枚たりとも許されない。極端に聞こえるかもしれないが、それがプロに求められる基準なのだから仕方がない。つまり、ただひたすら言葉を繋ぎ合わせていくだけではなく、有名俳優が「これに出たい」と情熱を胸に寄ってくるほど心を揺さぶるものを書いた方が勝ちということなのだ。その域に達するためには、おそらく何度も改稿を重ねることになるだろう。

改稿のコツ

これで最高と言えるのは、凡庸な作家だけである。

——ウィリアム・サマセット・モーム

何回書き直したかは問題ではない。何をどう直して、脚本がうまくいくようにしたかということが重要なのだ。つまり、狙い通りに読者の感情のツボを突けるようにできたかということだ。脚本家の卵とプロの違いは何か。心を揺さぶらない部分を見抜いて、揺さぶるようになるまで何度でも書き直すことを厭わない。それがプロだ。

書き直すという重要なステップの気楽なところは、たとえあなたが書き直しに何年かけようが、何十回書き直そうが、誰もそのことを知らないということだ。ページ上にあるものだけがすべて。映画の制作が始まっている場合は、改稿の度に日付けが記録されるが、あなたが最終稿にたどり着くまでに流した血と汗と涙は、あなただけの秘密だ。ＵＣＬＡの脚本プログラムを共同主催しているリチャード・ウォルターは、改稿についてこう言っている。「脚本を書き直すというのは、カメラの焦点を探すようなものです。レンズのフォーカスを回して1発で焦点が合うことはありません。焦点が外れた状態からフォーカスを送って、ちょっと行き過ぎて戻して、ようやく一番クリアな場所が見つけられるというのと同じですよ」。

書き直すためには、何が書き直されるべきか知らなければならない。このとき、良い脚本と悪い脚本を見分ける目が役に立つ。脚本家の集いやコンサルタントのフィードバックも役に立つ。初心者の中には、キャラクターをちょっといじって、台詞を直して、場面を足したり削ったりすれば改稿は終わりと思っている人も多いようだが、そんな簡単なものではない。ときには、初稿を書くのに匹敵する作業量になることすらあるのだ。

プロの脚本家は書き始めるにあたって、どう書くか計画を立てる。そして書き直すときも、改稿の度にどこをどう直していくか筋道を立てて直す人が多い。初稿を書き終えた。書き直しが必要だ。例えば、まず全編を通して、各キャラクターの行動様式や台詞の一貫性が保たれているかどうかだけ見ながら直す。次は構成。物語が淀みなく語られているか、そして場面は物語を進めるために適切な順番で並んでいるかということだけ集中して見ていく。次はプロットだけを見る。穴がないか。きちんと原因と結果が理解しやすくなっているか。そして矛盾がないか。最後に、書式的な間違いや誤字脱字がないか確認し、ここまでの改変で拾い損ねたものはないかどうか確認し、最後の最後に台詞を磨く。

これも、改稿プランの1つの可能性にすぎない。プロたちは、それぞれリライトの方法論を持っている。『脚本を書くための101の習慣』にも、いろいろな方法論が載っている。自分に合うやり方であれば、何でも構わない。まず初稿を書き上げてからリライトしても良いし、初稿を書きながら書き直すのでも構わない。UCLAのルー・ハンター教授のように、その日に書いたページはその日のうちに即リライトし、寝る前にもう一度書き直すという人もいる。ハンター教授は朝起きたらもう一度前日書いたページを書き直し、それから次のページに進む。いっぺんに3稿まで書き進めるような書き方だ。

脚本を読んで盗む

アーネスト・ヘミングウェイ曰く、「自分の心を動かしたものを、そして心を震わせた行動を見つけ出して、書く。そして、読者にも同じものが見えるようにしてやるのだ」。これは「語るな、見せろ」という助言としても素晴らしい言葉だが、偉大な書き手から技巧を学ぶ最高の手段をも表している。人の脚本を読むことがあったら、何かを感じた部分はすべて線を引くなど印をつけておく。笑い、怒り、好奇心、期待感、悲しみ、憐み、好き、嫌い。そして何がそのような感情を生み出したか分析してみること。私の受講生の中に、脚本の中にお気に入りの描写があったら、スマイルマークをつける人がいたが、それが彼女の脚本に対する自分の感情的反応の分析方法なのだ。脚本を読んでいることすら忘れて没頭してしまったら、何があなたをそこまでのめりこませたか自問してみよう。同様に、素人くさい手法で気が散ったときは、どうしたら同じ失敗をしないで書けるか考えるチャンスなのだ。

それには、なにしろ脚本を読んで映画を観なければならない。脚本を読むことで、ページ上にある言葉が喚起する感情というものと向き合わざるを得なくなる。あなたにとって、脚本という芸術を表現するために許された唯一無二の道具、それが言葉なのだ。プロの脚本家たちが持っているドラマ作りの技の数々は、彼らが書いた脚本を読むことでしか発見することはできない。完成した映画を観ても、演技や、演出や、編集、撮影、セットや、音楽のせいで気が散ってしまうだけだ。

脚本家はページに描く

物語を語るのです。

物語が無かったら、それはただ言葉を繋ぎ合わせて理論を構成しているだけなんです。

——アン・マキャフリイ

成功を収める脚本家たちは、常に特定の感情、特に読者の心に理屈抜きで本能的に響く感情を念頭に置いて書く。あなたも同じようにやれば良い。あなたは、感情という色彩をパレットから選んで、ページに描く画家なのだ。あなたが描いたすべての言葉が、文が、段落が、読者の心に反応を引き起こす。読者を退屈させるも興奮させるも、あなた次第。偉大なアーティストは誰でも、受け手の心を操る術を掌握しているものなのだ。

感情を届けるのが脚本家という商売だということを、決して忘れてはいけない。物語を語るためには感情がすべて。そして美麗に包装された感情を世界中に売るのがハリウッドという産業なのだ。画家がすべての色彩に秘められた力を解読しながら描いていくように、あなたも感情が持つ力を知ろう。感情が前面に出てくれば、言葉は意識から消滅する。読者は脚本を読んでいるということを忘れて、あなたが書いた物語の世界にのめりこむ。

もしあなたがまだ脚本を1本も書いたことがないのなら、この本は一旦閉じて、もっと基礎的な指南書を何冊か読み、脚本術の基本をがっちり固めることをお勧めする。まず丈夫な骨組みを作る作法を覚えてから、その骨組みの上に筋肉を、神経を、そして皮膚を被せるという繊細な技を身に着けて欲しい。

今あなたが初めての脚本を書いている最中だとしたら、辛抱強く自分の作品と付き合ってやって欲しい。今は技巧を磨くことが最優先。脚本を売ることでも、エージェントの気を引くことでも、重役相手に売り込むことでもない。脚本講座を取って勉強しよう。UCLAの脚本プログラムは、オンラインでも受講できる。指南書を読み漁り、脚本を読みまくろう。そして、家族でも友達でもない誰かがあなたの脚本を読んで面白かったと言ってくれるまで、何本でも書こう。

もし脚本コンテストに勝ち残るようなことがあったら、あるいは、脚本が売れたり、オプション契約にこぎつけたら、またはエージェントがついてくれたら、是非メールで知らせて欲しい。私のセミナーまで果報を報告しに来てくれても良い。うまくいくことを祈っている。さあ、楽しく書こう。

訳者あとがき

一説によると、毎年5万本にのぼる脚本が全米脚本家協会に登録される。アメリカの映画産業の規模が大きいからといっても、5万とは！　何とも極端な数字だ。しかも、その多くはただ登録されるだけで、おそらく誰の目にも触れないと思われる。あるいは本書で繰り返し示唆されているように、下読みが1回読んだら捨てられる。実際、登録するだけなら誰でもできる。私ですら登録だけならやったことはある。そして登録されただけで誰の目にも触れず、今も安らかに脚本墓場で眠っている。

そうは言っても、映画産業のプロデューサーたちは常に開発するべき企画を探しているし、監督も、俳優も、エージェントも、血眼で明日のヒット作を探している。面白い脚本を探している人は大勢いるはずだ。しかし、1冊読むのにどうしても2時間近くかかるという物理的な問題がある。1人の人間が読める脚本の量は限られている。しかも脚本の賞味期限が切れる前に読まなければならない。そこで「下読み」の出番というわけだ。

「下読み？」という人のために、私が知っている下読みを2人紹介しよう。1人はスーツが似合うコロンビア大学卒の若者で、バリー・ソネンフェルドの助手兼下読みだった。パラマウント・スタジオにオフィス（おそらく共用）を持っていた。「バリーにアレとコレを読めと言われた」とちょっと誇らしげだった彼、今は自分もスタジオの重役だろうか。それとも、とうの昔に足を洗っただろうか。もう1人は、私の翻訳パートナー。日本の配給会社の買い付けの判断材料として、洋画の脚本を読んで評価を提出していた。ジム・キャリー主演の大ヒット作『マスク』を推薦しなかったという豪快な下読みだったが、幸いにもその進言は無視された。

本書のテーマは「下読みを感動させろ」だ。日本でも文学賞やシナリオ大賞のような場では下読みさんがいると聞く。しかし、おそらくハリウッド規模の大量の下読みが脚本を読み捌く環境はないと思われる。つまり、あなたの脚本を読む最初の人は下読みではない可能性もあるわけだが、ともかく読む人の心を動かさなければそこから一歩も先に進めないということに変わりはない。感動させる下読みがいないなら、プロデューサーや、監督、俳優、映画に出資したい企業オーナー、金持ちの親戚、脚本コースの先生。誰でもいいから、読んでくれる人を感動させるまでだ。

これはアメリカ人によって書かれたアメリカ映画産業のための本なので、解説されたことのすべてをそのまま真似していいのかと問われれば、微調整が必要な部分もなくはない。映画として表現される人間の振る舞いには文化的な違いがあり、社会的な違いもある。しかし映画の主な目的が娯楽であるのなら、人を楽しませる方法論という1点において、日本もアメリカもない。この本は、人を楽しませる技を山のように紹介してくれる。

実在の映画の一部分を取り上げて、どのような技が使われているか分析するのが、本書の白眉だ。もし頼まれれば、この著者は映画を1本丸々分析して、やり取り単位で何が起きているか、観ている私たちの心がどのような反応を起こすべく場面が設計され、台詞が組み立てられているか、嬉々として教えてくれるに違いない。著者は、そのような分析をネタとしてＵＣＬＡの講座で披露して人気を集めているのだろう。その講座がめでたく書籍化されたのが本書なのだ。彼の分析を読むだけでも、この本は読む価値がある。

やり取り単位で分析される、楽しませるための技の数々。そう、映画に登場するすべてのやり取りが、すべての台詞が、脚本上でお客さんの心を動かすように設計されているということに、本書は気づかせてくれる。設計するためには、個々の部品の機能と効果を知らなければならない。この本が、１冊丸々割いて説明してくれる。

「もし、あなたが映画の魔法を信じたいのなら、この本を読まないことをお勧めする」という警告がつく本書だが、この本を読むと「映画の魔法」が解けてしまう代わりに、あなた自身が魔法使いになるのだ。読む人の心を奪う技を習得したら、物語を紡ぐ。そしてあなただけが持っている「魔法」をかける。脚本以降も様々な魔法が映画を完成に導いていく。予算確保、キャスティング、演出、演技、照明、撮影、編集、音楽、音響効果、宣伝……。しかし、まずは脚本だ。スティーヴン・スピルバーグが言ったとおり、まずは「脚本がなければ始まらない」。

この本を読んだ皆さんが、読む人をわくわくさせる脚本を、わくわくしながら書けますように。

追記　本書に登場する劇映画脚本の引用に、大量の台詞が含まれている。本文の文脈の中で、説明に対して明快な見本になっていなければいけないという理由で、あえて既存の字幕を使用しない方針を決めた。唯一「君の瞳に乾杯」は高瀬鎮夫さんの訳をそのまま使わせていただいたが、それ以外はすべて新規で訳した。あなたの大好きなあの台詞とちょっと印象が違う！　と思われたら、ごめんなさい。

２０１６年3月　　島内哲朗

著者・訳者紹介

カール・イグレシアス

脚本家であり、脚本コンサルタントであり、スクリプト・ドクターとしても人気が高いイグレシアスは、ページ上で感情的な反応を引き起こす専門家。UCLAの課外脚本執筆講座、スクリーンライティング・エキスポ、そしてオンライン講座であるライターズ・ユニバーシティで教鞭をとる。クリエイティブ・スクリーンライティング誌にも定期的に脚本技巧について寄稿している。著書に『脚本を書くための101の習慣』がある。

著者と連絡を取りたい方はwww.karliglesias.comからどうぞ。

島内哲朗

映像翻訳者。法政大学経済学部卒。南イリノイ大学コミュニケーション学部映画科卒。カリフォルニア大学サンディエゴ校に留学。ロサンゼルスで映画の絵コンテ・アーティストとしてプロとしての第一歩を印した。帰国後はゲーム関係の場面設定や背景設定などにも携わり、ナイキやユナイテッド航空など海外合作ＣＭの絵コンテを描く。アート関係ではメルボルン、シドニー、サンフランシスコで開催された手塚治虫展「Tezuka, the Marvel of Manga」の図録翻訳と執筆交渉、第55回ヴェネチア・ビエンナーレ国際美術展で特別表彰された田中功起氏の作品の英語字幕などがある。

劇映画字幕の仕事に『20世紀少年〈第一章〉終わりの始まり』、『GANTZ』、『書を捨てよ、町へ出よう』、『愛のむきだし』、『地獄でなぜ悪い』、『千年の愉楽』、『かぞくのくに』、『サウダーヂ』、『ラブホテル』、『その夜の侍』、『キャタピラー CATERPILLAR』、『ゴールデン・スランバー』、『生きてるものはいないのか』、『白夜行』、『スカイクロラ』などがあり、最近は、塚本晋也監督『野火』、大林宣彦監督『野のなななのか』、宮藤官九郎監督『中学生円山』、安藤桃子監督『0.5ミリ』、園子温監督『ラブ＆ピース』、橋口亮輔監督『恋人たち』、山下敦弘監督『味園ユニバース』などを手がけた。その他、TV番組、DVD字幕などで豊富な経験を持つ。翻訳書に『シネ・ソニック音響的映画100』（フィリップ・ブロフィ著）、『脚本を書くための101の習慣』（カール・イグレシアス著）、『のめりこませる技術』（フランク・ローズ著）、『ドキュメンタリー・ストーリーテリング』（シーラ・カーラン・バーナード著）、『「クリエイティブ」の処方箋』（ロッド・ジャドキンス著、以上フィルムアート社）、『アニメの魂』（イアン・コンドリー著、NTT出版）がある。

http: //deanshimauchi.com

「感情」から書く脚本術

心を奪って釘づけにする
物語の書き方

WRITING FOR EMOTIONAL IMPACT
Advanced Dramatic Techniques to Attract, Engage, and Fascinate the Reader from Beginning to End.

2016年 4月25日　初版発行
2021年10月 5 日　第8刷

著者：カール・イグレシアス
訳者：島内哲朗
日本版編集：二橋彩乃
デザイン：三浦佑介（shubidua）
DTP：近藤みどり
発行者：上原哲郎
発行所：株式会社フィルムアート社
〒150-0022
東京都渋谷区恵比寿南1-20-6
第21荒井ビル
TEL：03-5725-2001
FAX：03-5725-2626
http://www.filmart.co.jp/

印刷所・製本所：シナノ印刷株式会社

ISBN 978-4-8459-1582-8 C0074